CAPITALISMO CRIMINOSO

Stephen Platt

CAPITALISMO CRIMINOSO

Como as Instituições Financeiras Facilitam o Crime

Tradução
CELSO ROBERTO PASCHOA

Editora Cultrix
SÃO PAULO

Título do original: *Criminal Capital*.

Copyright © 2015 Stephen Platt.

Prefácio © 2015 Robert Mazur.

Publicado pela primeira vez em inglês por Palgrave Macmillan, uma divisão da Macmillan Publishers Ltd, sob o título *Criminal Mind* por Stephen Platt. Esta edição foi traduzida e publicada sob a licença de Palgrave Macmillan. O autor tem o direito de ser identificado como autor da obra.

Copyright da edição brasileira © 2017 Editora Pensamento-Cultrix Ltda.

Texto de acordo com as novas regras ortográficas da língua portuguesa.

1ª edição 2017.

Editor: Adilson Silva Ramachandra
Editora de texto: Denise de Carvalho Rocha
Gerente editorial: Roseli de S. Ferraz
Preparação de originais: Alessandra Miranda de Sá
Produção editorial: Indiara Faria Kayo
Editoração eletrônica: Fama Editora
Revisão: Nilza Agua e Vivian Miwa Matsushita

Dados Internacionais de Catalogação na Publicação (CIP)
(Câmara Brasileira do Livro, SP, Brasil)

Platt, Stephen
    Capitalismo criminoso : como as instituições financeiras facilitam o crime / Stephen Platt ; tradução Celso Roberto Paschoa. — São Paulo : Cultrix, 2017.

    Título original: Criminal capital
    ISBN: 978-85-316-1381-4
    1. Crimes 2. Crimes financeiros 3. Índústria de serviços financeiros — Aspectos morais e éticos I. Título.

16-00350   CDD-364.168

Índices para catálogo sistemático:
1. Capitalismo criminoso : Problemas sociais 364.168

Direitos de tradução para a língua portuguesa adquiridos com exclusividade pela EDITORA PENSAMENTO-CULTRIX LTDA., que se reserva a propriedade literária desta tradução.
Rua Dr. Mário Vicente, 368 — 04270-000 — São Paulo, SP
Fone: (11) 2066-9000 — Fax: (11) 2066-9008
http://www.editoracultrix.com.br
E-mail: atendimento@editoracultrix.com.br
Foi feito o depósito legal.

Para Joshua e William

SUMÁRIO

ABREVIATURAS USADAS

NESTE LIVRO

ACSA	Anti-Terrorism, Crime and Security Act
AML/CFT	Anti-money Laudering and Countering the Financing of Terrorism (Antilavagem de Dinheiro e Combate ao Financiamento do Terrorismo)
BBA	British Bankers Association (Associação dos Banqueiros Britânicos)
BCCI	Bank of Credit and Commerce International (Banco de Crédito e Comércio Internacional)
BMPE	Black Market Peso Exchange (Mercado Negro de Câmbio do Peso)
BSRC	Banking Standards Review Council
CDO	Collateralized Debt Obligation (Obrigação de Dívida Colateralizada)
CDS	Credit Default Swaps (*Swaps* de *Default* de Crédito)
CFTC	Commodity Futures Trading Commission (Comissão de Comércio de Futuros de *Commodities*)
DPA	Deferred Prosecution Agreement (Acordo de Cessação)
ECI	Extended Custodial Inventory (Inventário de Custódia Alargado)
EI	Estado Islâmico
ETA	em basco, Euskadi Ta Askatasuna (Pátria Basca e Liberdade)
Euribor	Euro Interbank Offered Rate (Taxa Interbancária Oferecida em Euro)
FARC	Fuerzas Armadas Revolucionarias de Colombia-Ejército del Pueblo (Forças Armadas Revolucionárias da Colômbia)
FATCA	Foreign Account Tax Compliance Act
FATF	Financial Action Task Force (Força-Tarefa de Ação Financeira)
FCA	Financial Conduct Authority (Autoridade de Conduta Financeira)

FCO	Foreign and Commonwealth Office (Ministério das Relações Exteriores do Reino Unido)
FCPA	Foreign Corrupt Practices Act
FinCEN	Financial Crimes Enforcement Network (Rede de Policiamento de Crimes Financeiros)
FIU	Financial Intelligence Unit (Unidade de Inteligência Financeira)
FOREX	Foreign Exchange (Mercado de Câmbio)
FSA	Financial Services Authority (A Autoridade de Serviços Financeiros)
FSMA	Financial Services and Markets Act 2000
HBOS	Halifax Bank of Scotland
HNWI	High Net Worth Individuals (Indivíduos com Alto Patrimônio Líquido)
ICC	International Chamber of Commerce (Câmara de Comércio Internacional)
ICIJ	International Consortium of Investigative Journalists (Consórcio Internacional de Jornalistas Investigativos)
ICU	Islamic Courts Union (União dos Tribunais Islâmicos)
IMB	International Maritime Bureau (Bureau Marítimo Internacional)
IRA	Irish Republican Army (Exército Republicano Irlandês)
IRS	Internal Revenue Service (Receita Federal norte-americana)
LIBOR	London Interbank Offered Rate (Taxa Interbancária Oferecida em Londres)
MAS	Money Advice Service (Serviço de Consultoria Financeira)
OCC	Office of the Comptroller of the Currency (Escritório de Controle da Moeda)
OCDE	Organisation for Economic Co-operation and Development (Organização para a Cooperação e Desenvolvimento Econômico)
OFAC	Office of Foreign Assets Control (Escritório de Controle de Ativos Estrangeiros)
OIT	OIT ou ILO, do inglês, International Labour Organization (Organização Internacional do Trabalho)
ONU	Organização das Nações Unidas
OSFL	Organizações sem Fins Lucrativos
OTAN	Organização do Tratado do Atlântico Norte
PEP	Political Exposed Person (Pessoas Politicamente Expostas)
POCA	Proceeds of Crime Act 2002
POINT	Personally Optimised Investment Transaction

PPI	Payment Protection Insurance (Seguro de Proteção de Pagamento)
PRA	Prudential Regulation Authority (Autoridade de Regulamentação Prudencial)
RBS	Royal Bank of Scotland
RBSSJ	RBS Securities Japan
SARs	Suspicious Activity Reports (Relatórios de Atividades Suspeitas)
SEC	Securities and Exchange Commission (Comissão de Valores Mobiliários)
SFO	Serious Fraud Office (Escritório de Fraudes Graves)
SPV	Special Purpose Vehicles (Veículos para Fins Especiais)
SWIFT	Society for Worldwide Interbank Financial Telecommunication (Sociedade para Telecomunicações Financeiras Interbancárias Globais)
TFG	Transitional Federal Government (Governo Federal Transitório)
TIBOR	Tokyo Interbank Offered Rate (Taxa Interbancária Oferecida em Tóquio)
TIEA	Tax Information Exchange Agreements (Acordos para Intercâmbio de Informações Tributárias)
UBS	Union Bank of Switzerland
UE	União Europeia
UNODC	United Nations Office of Drugs and Crime (Escritório das Nações Unidas sobre Drogas e Crime)

PREFÁCIO

No inverno de 1988, eu tinha acabado de finalizar um trabalho secreto de vários anos durante os quais atuei como agente de lavagem de dinheiro para Pablo Escobar e seus parceiros mais próximos. Esse disfarce havia me levado a diversos locais interessantes, entre os quais a sala de reuniões do conselho de administração daquele que algumas pessoas descreviam como o banco mais corrupto de todos os tempos — o BCCI. O BCCI era o sétimo maior banco privado do mundo, uma potência global que atendia a traficantes de drogas, negociantes de armas, terroristas e grandes sonegadores de impostos. Na qualidade de guardiões das fortunas do submundo, os funcionários do BCCI me ensinaram todos os "truques" de lavagem de dinheiro que conheciam. A investigação resultou na prisão de cerca de cem traficantes de drogas, responsáveis por lavagem de dinheiro e executivos do setor bancário. O escândalo estampou as manchetes dos jornais durante anos, à medida que todos, inclusive os governos, tentavam se recuperar do choque de ver uma das maiores instituições bancárias ligada dessa maneira a alguns dos indivíduos mais perniciosos do mundo. Logo depois disso, ameaças de morte forçaram, a mim e a minha família, a nos esconder.

Enquanto eu me preparava para testemunhar nos processos criminais resultantes, nos Estados Unidos e na Europa, notei um rosto desconhecido no Departamento Alfandegário em Tampa, Flórida. Um jovem estudante londrino havia obtido a oportunidade única de estudar nosso trabalho para concluir sua tese universitária. Meus horários no departamento eram breves e reservados, de modo que o observei apenas a distância. Aquele estudante era Stephen Platt. Após 23 anos, encontrei-o de novo e me dei conta de que ele era o estudante que eu tinha visto em Tampa tantos anos antes. Dizem que a sua decisão de seguir uma carreira na área do Direito, e na prevenção de crimes financeiros em particular, foi muito influenciada pelo caso do BCCI. Sou grato por isso, porque a jornada desse jovem desde então tem sido notável. O rapaz se transformou num grande especialista nas vulnerabilidades criminais dos serviços financeiros, tanto em centros *onshore* como *offshore*. Hoje, ele é considerado um dos principais profissionais dessa área no mundo, sendo homem de confiança de governos e agências reguladoras; é ainda competente para conduzir investigações bastante delicadas que, de modo geral, têm imensa importância para as jurisdições que se utilizam de seus serviços.

Neste livro, Stephen nos deu um presente inestimável. Ele eleva a outro patamar o conhecimento do leitor sobre os métodos usados por criminosos para cometer delitos e lavar seus lucros com a ajuda do sistema financeiro. Examina, ainda, uma gama de diferentes tipos de crimes, explicando como geram vastas fortunas, retidas por criminosos que têm um poder imenso sobre os bancos e, às vezes, sobre as próprias autoridades nos locais onde operam. Conduzindo o leitor por alguns dos maiores escândalos de lavagem bancária da última década, Stephen elucida por que a lavagem de dinheiro está às vezes vinculada a uma gama de outros comportamentos perniciosos em finanças, entre eles os de assumir riscos excessivos, praticar a venda fraudulenta de produtos e serviços e manipular taxas.

Além de emblemático, este livro tem uma base sólida em pesquisas. É de leitura obrigatória para os profissionais encarregados de fazer valer as regras financeiras, bem como para os estrategistas que implementam reformas significativas no setor financeiro.

Robert Mazur
Ex-agente federal norte-americano
Autor de *O Infiltrado*

INTRODUÇÃO

Ao longo de boa parte dos últimos vinte anos, examinei em detalhes milhares de arquivos referentes a instituições financeiras em diferentes regiões do mundo que ou facilitaram crimes ou lavaram os rendimentos de crimes em nome de seus clientes. Tentei manter uma perspectiva equilibrada, reconhecendo que várias instituições financeiras são comprometidas com a prevenção de atividades ilegais e não com seu favorecimento. Minha experiência, no entanto, sintetizada em uma lista por si só já extensa de instituições financeiras enredadas em condutas escandalosas, me convenceu a admitir que é preciso uma mudança. Não defendo a tese de que haja uma toxicidade inata no cerne da indústria de serviços financeiros, mas acredito sem sombra de dúvida que o setor precise atuar de forma mais robusta para abordar sua suscetibilidade ao favorecimento ao crime e à lavagem dos produtos do crime, e que, para agir dessa maneira, tem de recalibrar seus valores. Para estimular tais práticas, os promotores e reguladores devem começar a exercer um controle mais rigoroso.

Minha motivação ao escrever este livro foi informar tanto aos leitores leigos quanto aos profissionais da área sobre os excessos da comunidade de serviços financeiros. Sem me deixar deter pelo jargão do setor, examinei produtos, serviços e arranjos abusivos e identifiquei a realidade dos relacionamentos financeiros entre instituições e seus clientes. Procuro simplificar os conceitos que aparentam ser muito complexos, reduzindo-os a elementos básicos e digeríveis, bem como analisar diferentes tipos de crimes cuja prática e decorrente lavagem de rendimentos recebem auxílio do setor de serviços financeiros.

A confidencialidade do cliente é um item não negociável. Não revelo dados sobre clientes ou questões particulares que fui convidado a considerar. Em vez disso, debruço-me sobre o que tenho observado ao longo de minha carreira para ilustrar, por meio de cenários fictícios, as vulnerabilidades do setor de serviços financeiros ao abuso de criminosos, na esperança de que essa iniciativa sirva ao duplo propósito de ajudar o setor a tomar medidas preventivas mais efetivas e também auxiliar as autoridades a exigir do setor uma maior responsabilidade.

Stephen Platt
Julho de 2014

AGRADECIMENTOS

Este livro é o resultado do esforço coletivo de vários colegas com os quais estou em dívida: meu editor Pete Baker, por sua orientação; Colleen e Charlotte, pelas pesquisas e a atenção aos detalhes; Tom, por assumir minhas tarefas diárias, e Bob, por ter escrito o Prefácio. Minha carreira só pôde se consolidar devido ao sacrifício dos meus adoráveis pais. Por fim, devo agradecimentos à minha esposa; se não fosse por seu amor e apoio, este livro não passaria de uma ideia fantasiosa.

CAPÍTULO 1

PRÁTICAS NOCIVAS

As atividades bancárias sempre envolvem algum tipo de risco. Todo empréstimo e pacote de refinanciamento obrigam os bancos a fazer cálculos de gestão de risco, pois eles sabem que sem o risco não pode haver lucros que há tanto perigo em não assumir riscos suficientes quanto em correr riscos excessivos.

Nos últimos anos, o fato e as consequências de os bancos assumirem riscos excessivos ganharam enorme visibilidade — e com razão. Como a crise bancária de 2008 revelou, a importância dos bancos de grande porte para o sistema financeiro internacional e a interconectividade entre eles, os mercados e os governos criaram uma situação em que algumas instituições financeiras, por assumirem riscos excessivos, foram muito prejudicadas. Não obstante, essas instituições foram consideradas "grandes demais para quebrar" — ou seja, o colapso delas poderia provocar uma catástrofe, não apenas para os clientes, mas também para todo o sistema financeiro internacional e todos os que dependem dele.

Por outro lado, um certo grau de risco assumido pelos bancos é necessário para manter a economia global saudável. As empresas precisam de capital para iniciar e expandir suas atividades, e grande parte desse capital provém de empréstimos bancários. As pessoas se beneficiam do acesso ao setor financeiro para a aquisição da casa própria e para construir sua previdência pessoal com investimentos em papéis bancários. E o tesouro nacional lucra com a tributação dos lucros bancários (pelo menos quando não estão salvando financeiramente os bancos). Em resumo, o interesse público exige que os bancos assumam riscos, mas não a ponto de os contribuintes terem de pagar a conta.

Reconhecer que a sociedade tem muito a ganhar e a perder com o comportamento dos bancos é apenas uma das razões pelas quais há agora um forte interesse público no modo como as instituições financeiras assumem e administram os riscos. Antes de 2008, eu acreditava que alguns dos comportamentos da indústria de serviços financeiros não correspondiam ao interesse público, e não apenas por correrem riscos excessivos. Duas outras razões cruciais, porém subestimadas, foram vinculadas em definitivo à prática do excesso de risco: o papel do setor na lavagem do dinheiro proveniente de crimes e o favorecimento a esses crimes. Os riscos excessivos, junto com outras atividades danosas, como venda abusiva de produtos e serviços e a manipulação de taxas, têm dominado o discurso público desde 2008, e com isso a lavagem de dinheiro e o decorrente favorecimento a atividades criminosas por parte de instituições financeiras foram relegados a um segundo plano. Além disso, pouco se reconheciam as causas comuns por trás de todos esses tipos de má conduta, cuja compreensão é essencial para mudar atitudes e promover reformas.

A lavagem de dinheiro e o favorecimento ao crime por parte de instituições financeiras são dois dos grandes males de nossa época. Eles alimentam a comercialização de drogas, o tráfico humano, a evasão fiscal, pagamentos a corruptos e a prática de atos de terrorismo em todas as partes do globo. Esses dois males promovem a miséria e o sofrimento de milhões de pessoas, permitindo que os criminosos saiam ilesos e gozem os lucros de suas práticas ilícitas. É bem pequeno o número de banqueiros que ajudam conscientemente esses criminosos (embora haja algumas exceções dignas de nota); a grande maioria ficaria chocada se visse os resultados do abuso de suas instituições por parte deles. Mas pouco importa o fato de esses abusos serem, mais provavelmente, consequência da negligência dos bancos que de uma política deliberada de favorecimento ao crime e à lavagem de dinheiro; o efeito final é o mesmo.

Este livro não pretende propor um "conserto" para o sistema financeiro em sentido amplo; limita-se a apresentar três constatações. A primeira é que existem múltiplos fatores causais comuns por trás da imprudência na aceitação de riscos, dos vários comportamentos prejudiciais e da facilitação do crime e lavagem de dinheiro por parte de instituições financeiras. A segunda é que as autoridades e os banqueiros precisam analisar todas as causas correlacionadas, em especial os tipos de conduta que ignoram a lei de maneira mais flagrante, antes de dar respostas à crise financeira de 2008. Até agora, eles não tiveram sucesso nessa empreitada. A terceira é que o modelo tradicional de lavagem de dinheiro — o modelo levado em conta nas tentativas do setor de impedir os crimes financeiros — é falho. Isso teve por consequência uma série de danos que poderiam ter sido evitados, causados pela incapacidade das instituições financeiras de detectar a lavagem de dinheiro e o favorecimento a crimes, pois procuraram nos lugares errados. Este livro propõe, portanto, um novo modelo.

O setor financeiro é um paciente em estado grave, cujos sintomas oscilam entre assumir riscos excessivos, manipular taxas, fazer vendas abusivas de produtos financeiros e transgredir as leis penais contra a lavagem de dinheiro e o favorecimento ao crime. Neste capítulo, faremos um exame detalhado de todos esses danos, mas a lavagem de dinheiro e o favorecimento ao crime são os sintomas mais atrozes da doença da indústria financeira. A eles dedicaremos a maior parte deste livro.

ASSUMIR RISCOS EXCESSIVOS

É de conhecimento geral que a excessiva imprudência em assumir riscos foi um dos fatores-chave que precipitaram a crise financeira de 2008. O relatório publicado pelo Subcomitê Permanente de Investigações do Senado dos Estados Unidos em 2011, extraído de milhões de páginas de documentos e de numerosas entrevistas, examinou as causas do colapso, atribuindo sua origem a "empréstimos de alto risco feitos por instituições financeiras norte-americanas; falhas regulatórias; *ratings* de crédito inflados; e produtos financeiros de baixa qualidade e de alto risco criados e vendidos por alguns bancos de investimento".[1] O papel fundamental de se assumir riscos no desencadeamento desse colapso torna-se ainda mais claro se considerarmos o uso da palavra "risco", citada 1.200 vezes ao longo das 639 páginas do relatório.

As consequências cumulativas dessa prática se manifestaram de maneira mais drástica no colapso do Lehman Brothers e na ajuda financeira dada pelo governo britânico ao Northern Rock, ao RBS e ao HBOS logo em seguida. Apesar de todos os fatores macroeconômicos que contribuíram para tal situação, entre eles a assimetria entre os déficits de capital do Primeiro Mundo e os superávits de capital em mercados emergentes, a crise em si é uma história cujos personagens principais são o capital, a indisciplina de liquidez e o hábito de assumir riscos em escala épica. Os bancos tinham alavancado suas bases de capital a valores tão altos que até mesmo pequenas oscilações no valor dos ativos subjacentes poderiam ter consequências catastróficas. Quando o Lehman Brothers entrou com seu pedido de falência, em 15 de setembro de 2008, seus índices de alavancagem estavam nas alturas, enquanto os ativos tinham um valor mínimo, bem como o restante do banco. O próprio relatório que o Lehman apresentou à Comissão de Valores Mobiliários dos Estados Unidos (Securities and Exchange Commission, SEC) dizia que, perto do final de 2007, o índice de alavancagem do banco era de 30,7:1. Esse índice sofreu um aumento constante em relação aos anos anteriores — 26,2:1 em 2006; 24,4:1 em 2005; 23,9:1 em 2004 —, expondo o banco a uma extraordinária vulnerabilidade, em particular no mercado atrelado a imóveis, no qual a instituição possuía um substancial portfólio de títulos lastreados em hipotecas.

Para os leigos no assunto, o mundo das hipotecas empacotadas, Obrigações de Dívida Colateralizadas (Collateralized Debt Obligations, CDOs) e *Swaps de Default* de Crédito (Credit Default Swaps, CDSs) parece impenetrável. Na verdade, se ignorarmos o jargão bancário, esses produtos são simples e, antes de 2008, muitos deles envolviam, em essência, a especulação dos bancos sobre se os proprietários de casas honrariam ou não o pagamento de suas hipotecas.

As CDOs ganharam notoriedade com a crise financeira e foram até mencionadas no filme de Martin Scorsese *O Lobo de Wall Street*, de 2013. O princípio implícito nesses instrumentos é simples: as CDOs são formas de garantia contra certos tipos de dívida negociável. Os titulares e investidores de CDOs são autorizados a receber rendimentos originários do pagamento dos empréstimos subjacentes. Com a iminência da crise, os bancos emprestaram dinheiro a tomadores e, depois, venderam a terceiros a propriedade do direito de receber os pagamentos na forma de CDOs. Como os bancos de empréstimos haviam conseguido "desovar" as hipotecas pela venda de CDOs, passaram a ter pouco interesse em saber se os empréstimos seriam quitados ou não. O resultado é que emprestaram de modo negligente, até mesmo a tomadores com pouca capacidade de pagamento (os chamados empréstimos *subprime*). Esse sistema incentivou os bancos a emprestar muito dinheiro para o maior número possível de tomadores, sem avaliar muito se as hipotecas poderiam ser efetivamente pagas ou não.

Ao se dar conta de que, para haver um mercado ativo e contínuo de CDOs, era preciso que essas CDOs fossem compradas e vendidas, os bancos que estavam engajados na origem dos empréstimos e na estruturação e venda de CDOs também compraram CDOs de outros credores — envolvendo-se assim num jogo divertido de passar um ao outro um pacote cheio de bombas-relógio ativas.

As CDOs eram complementadas por CDSs. Um CDS é similar a uma apólice de seguros pela qual o vendedor da CDO é obrigado a compensar o comprador em caso de inadimplência dos empréstimos subjacentes. Os investidores de CDOs compram CDSs para se proteger contra o risco de inadimplência, por parte dos tomadores de empréstimos para casa própria, atrelado às CDOs. Especuladores (entre eles, os bancos) sem nenhum interesse nos empréstimos subjacentes começaram a comprar CDSs como forma de especular se esses empréstimos seriam quitados.

Vários bancos estruturaram e venderam CDOs com o propósito expresso de comprar CDSs para especular contra eles, presumindo (de modo correto, conforme se mostrou) que os tomadores deixariam de pagar seus empréstimos. Os bancos estavam, na verdade, criando e vendendo títulos de modo que pudessem lucrar ao apostar que não tinham valor algum. Quando a bolha imobiliária norte-americana estourou, a festa teve um final inesperado e os vendedores de CDSs ficaram com um terrível "abacaxi" nas mãos. Em alguns casos, sendo o principal o da American International Group (AIG) — maior empresa seguradora dos Estados Unidos —, ficaram tão debilitados que ou faliram ou exigiram ajuda financeira do governo. Em resumo, o processamento e o gerenciamento desses produtos levaram a um aumento significativo do déficit nacional e a uma queda da atividade econômica global.

Você pode estar se perguntando como as CDOs e os CDSs se encaixaram no cenário dos grandes bancos de varejo. A resposta é que, embora eles tenham pouquíssimo a ver com o modelo tradicional de tomar dinheiro emprestado dos correntistas e emprestá-lo a quem quer comprar casas, o fato é que, desde a década de 1990, essas atividades bancárias mais exóticas geraram lucros significativos, o que possibilitou aos doidos tomar conta do manicômio. Assim, ninguém no Barings se deu ao trabalho de perguntar como Nick Leeson gerava aqueles lucros enormes em Cingapura durante a década anterior, de modo que os diretores do banco e os departamentos de risco, bem como outros participantes do mercado, entre eles os advogados que estruturaram os instrumentos e os contadores que os auditaram, pareciam cegos ao fato de que esse turbilhão de CDOs e CDSs poderia não ter uma base lógica. O Bank of America pagou o preço mais alto por esse tipo de comportamento, quando procuradores federais e promotores estaduais acusaram duas de suas divisões de maquiar propositalmente a nocividade dos títulos lastreados em hipotecas e de outros produtos financeiros a investidores e ao governo norte-americano na iminência da crise financeira. Em agosto de 2014, a instituição aceitou pagar uma indenização, na esfera civil, de US$ 16,6 bilhões para que as acusações fossem retiradas — a maior desse tipo na história dos Estados Unidos.

Você seria perdoado por sua ingenuidade se pensasse que as instituições financeiras tomaram providências com relação às deficiências de seus sistemas, um terreno fértil para a prática desenfreada e nociva de assumir riscos. Mas, infelizmente, elas não fizeram nada disso. Mal tinham se passado quatro anos após o colapso do Lehman Brothers quando o JP Morgan foi acusado de falhas de supervisão e controle inadequado de riscos depois de ter perdido bilhões de dólares em operações envolvendo mais uma vez os CDSs. Um ex-funcionário do banco, Bruno Iksil, apelidado de "London Whale" (Baleia Londrina), estava no núcleo da derrocada, após assumir posições infladas nos mercados de derivativos de crédito e desencadear uma série de especulações sobre se os instrumentos ou entidades financeiras ficariam ou não inadimplentes. Antes de se conhecer toda a extensão da perda, o CEO do JP Morgan, Jamie Dimon, subestimou a questão, chamando-a de "uma verdadeira tempestade em copo d'água". Ele foi obrigado a rever sua posição quando ficou evidente que as operações tinham resultado em um prejuízo de cerca de US$ 6 bilhões. Dimon poderia estar falando do prenúncio da crise de 2008 ao dizer que a estratégia do banco em relação ao portfólio era "falha, complexa, mal supervisionada, mal executada e mal monitorada".[2] Mas isso ocorreu *depois* de quatro anos, em um universo avesso a aprender com os próprios erros, em que a volatilidade e os riscos continuavam a despontar sem monitoramento algum.

As multas pagas às autoridades reguladoras como consequência das operações conduzidas pela Baleia Londrina atingiram US$ 920 milhões em setembro de 2013; no esquema geral, na verdade, era relativamente pouco, dado que essa cifra representou apenas cerca de 5% do lucro líquido recorde de US$ 21,3 bilhões do banco em 2012. Dimon também saiu da situação quase incólume: embora tenha recebido um leve beliscão financeiro quando suas opções em ações restritas para 2012 diminuíram em 54%, caindo para US$ 10 milhões, esse montante subiu de novo para US$ 18,5 milhões em 2013. Esse valor foi acrescido na forma de bônus sobre seu salário fixo, que tem oscilado em torno de US$ 1,5 milhão por ano nos últimos anos.

MANIPULAÇÃO DE TAXAS

Além da prática de assumir riscos excessivos, que corrói a estabilidade do sistema financeiro global, uma série de outras práticas desgastaram a confiança pública no setor bancário. Um caso de destaque é a manipulação das taxas de juros definidas globalmente. Você pode estar se perguntando o que esse comportamento tem a ver com a lavagem de dinheiro e o favorecimento ao crime, mas, quando focamos de novo as lentes nas circunstâncias que deram origem a essas práticas, semelhanças muito familiares começam a surgir.

Um dos melhores exemplos recentes de bancos manipulando taxas básicas de mercado é a LIBOR, embora suas contrapartes europeia e de Tóquio (Euribor e TIBOR) também tenham se tornado alvo de controvérsias de manipulação. A LIBOR, estabelecida na década de 1980, é uma taxa de juros de referência calculada por meio de definições diárias de taxas por bancos com presença significativa em Londres. Os bancos supostamente apresentam as taxas efetivas de juros que estão pagando, ou que esperariam pagar, ao tomar emprestado de outros bancos, respondendo à pergunta diária: "A que taxa seria possível tomar dinheiro emprestado, caso você o fizesse pedindo e depois aceitando ofertas interbancárias em uma amostragem razoável de mercado, até as onze horas da manhã em ponto?" Esse período é considerado o "mais ativo do dia de negócios londrino". As respostas dos bancos são "editadas", ou seja, algumas das taxas mais altas e mais baixas são eliminadas e tira-se uma média do restante. Embora a taxa LIBOR resultante — publicada para o mercado às 11h45 — não seja a taxa com a qual os bancos emprestam entre si, ela serve como um importante parâmetro do *feeling* financeiro, no sentido de que, se os bancos estão otimistas, informam uma taxa baixa, e, se estão pessimistas, informam uma taxa mais alta. De modo geral, a LIBOR é confiável como taxa de referência para hipotecas e empréstimos estudantis, servindo de base para contratos financeiros e de empréstimo superiores a US$ 300 trilhões. Em decorrência disso, qualquer manipulação dessa taxa contamina os mercados e influencia milhões de consumidores.

O escândalo da LIBOR veio à tona quando se revelou que os bancos estavam aumentando ou diminuindo artificialmente as taxas apresentadas, para dar a impressão de que eram mais dignos de crédito do que eram na realidade ou para lucrar com as operações. Investigações revelaram fraudes e conluios significativos por parte de bancos membros da LIBOR em relação à definição de taxas. A manipulação foi facilitada pelo fato de os documentos preparados diariamente pelos bancos se basearem na perícia humana (e não em dados gerados de modo automático), e de o esquema ter sido, até reformas recentes, em grande parte "autopoliciado". As instituições financeiras que declaram suas taxas de juros também eram suspeitas em virtude de declararem a taxa, usarem a taxa e participarem do mercado, tudo isso ao mesmo tempo — um conflito de interesses prontinho para ser explorado.

O Barclays foi o primeiro banco a negociar com as autoridades no tocante às manipulações da LIBOR e da Euribor. Nos Estados Unidos, fechou um acordo com o Departamento de Justiça para pagar US$ 160 milhões e foi obrigado a restituir US$ 200 milhões pela Comissão de Comércio de Futuros de

Commodities (Commodity Futures Trading Commission, CFTC), órgão regulador norte-americano dos derivativos. A Autoridade de Serviços Financeiros (Financial Services Authority, FSA) do Reino Unido (atual Autoridade de Conduta Financeira — Financial Conduct Authority, FCA) entrou com uma ação e impôs uma multa ao Barclays de £ 59,5 milhões — com um grande desconto em cima dos £ 85 milhões inicialmente pedidos —, e o escândalo resultou no indiciamento público de Marcus Agius, presidente do banco, e de Bob Diamond, seu diretor-executivo. Entre os numerosos achados da FSA estava a amigável persuasão a um operador externo, feita por um dos operadores do Barclays, a respeito de uma LIBOR de três meses em dólares americanos: "Ei, amigo [...], o que aconteceu com nosso pessoal? Vamos fixar em 34,5 3m... Diga a ele para fazer isso agora". O operador externo respondeu: "Falarei com ele agora mesmo".[3] Esses trechos de transcrição talvez não sejam o que o Barclays tinha em mente quando uma revisão independente da LIBOR recomendou que fossem mantidos os registros relacionados ao processo de declaração diária das taxas pelos bancos, em particular os registros de comunicações entre as partes que apresentavam as taxas e os operadores internos e externos.

O RBS e sua subsidiária RBS Securities Japan (RBSSJ) também foram envolvidos no escândalo. A chamada "declaração de fatos" que faz parte do "acordo de cessação" (Deferred Prosecution Agreement, DPA — acordo segundo o qual uma parte admite certos fatos de forma voluntária, mas não se pronuncia culpada de nenhuma acusação nem arca com qualquer condenação), apresentada pelo RBS às autoridades norte-americanas, dizia que, entre 2006 e 2010, alguns operadores de derivativos do RBSSJ tinham planejado "enganar operadores do RBS ao tentar manipular, e ao manipular de fato em segredo, a LIBOR em ienes".[4] Os operadores conseguiram influenciar as taxas publicadas da LIBOR em ienes "atuando em conjunto com os funcionários do RBS que declaravam as taxas da LIBOR em ienes para fornecer declarações falsas e enganosas à Thomson Reuters, que então eram incorporadas ao cálculo das taxas finais publicadas". A avaliação do comportamento dos operadores do RBSSJ no DPA, servindo como descrição geral de uma série de comportamentos inadequados perpetrados dentro da instituição bancária, tão só estabeleceu que os operadores "se engajaram nessa conduta para se beneficiar de suas posições de negociação e, portanto, para aumentar os lucros e reduzir os prejuízos". O DPA é "apimentado" com espantosos trechos de conversas eletrônicas entre operadores. Em um deles, o operador de derivativos do UBS, Tom Hayes, pede a um operador de derivativos em ienes do RBS: "Você pode me fazer um grande favor? Pode pedir aos rapazes da Tesouraria que fixem uma LIBOR baixa para as operações de um mês nos próximos dias [...]? Vou retribuir o favor assim que você precisar [...] contanto que não atue contra as cotações de vocês [...] tenho 30 milhões de ienes para emprestar nos próximos dias". Hayes saúda com entusiasmo o operador enquanto encerra as operações: "Vamos para casa, sonhar com uma LIBOR baixa nas operações de um mês!"

As multas continuavam a ser aplicadas. A unidade japonesa RBSSJ declarou-se culpada de fraude eletrônica por seu papel na manipulação de taxas LIBOR em ienes, concordando em pagar uma multa de US$ 50 milhões. O RBS, ao qual era afiliada, foi multado em £ 87,5 milhões pela FSA por má conduta "generalizada", compreendendo "pelo menos 219 pedidos de declarações inapropriadas" e "um número não quantificável de pedidos verbais".[5] A CFTC aplicou uma multa de US$ 325 milhões ao RBS e o Departamento de Justiça exigiu US$ 150 milhões. O RBS também foi multado em mais € 391 milhões no final de 2013, depois de uma investigação da Comissão Europeia sobre manipulação de taxas.

Em 2014, o RBS relatou seu maior prejuízo desde a ajuda financeira governamental, reservando £ 3 bilhões para a cobertura de demandas de clientes e litígios. Como consequência da extensa exposição pública do RBS, a questão dos bônus dos executivos do setor bancário perdura como fator principal no exame rigoroso a que o banco tem sido submetido por seus clientes.

O drama da LIBOR tem visto, e ainda verá, muitas reviravoltas. Em 2013, uma "parte substancial" das demandas feitas em uma ação coletiva bastante divulgada, encaminhada pela cidade de Baltimore contra uma série de bancos envolvidos na manipulação da LIBOR, foi declarada improcedente pelos tribunais norte-americanos, embora o escritório de advocacia que havia representado a cidade tenha depois tentado mover a mesma ação no Reino Unido. A Hausfeld LLP obteve certo sucesso ao representar a operadora de *home care* Guardian Care Homes em uma ação de £ 70 milhões contra o Barclays, vinculada à manipulação da LIBOR, que foi resolvida por meio de acordo em abril de 2014. O Escritório de Fraudes Graves (Serious Fraud Office, SFO), a Autoridade de Conduta Financeira (Financial Conduct Authority, FCA) e autoridades norte-americanas estão conduzindo em conjunto uma investigação sobre a manipulação da taxa LIBOR. No Reino Unido, foram instaurados processos criminais contra um ex-operador do UBS e do Citigroup e contra dois ex-corretores das *holdings* RP Martin e ICAP Plc, cujos julgamentos começaram em 2015.

É assustador pensar que, nas palavras da independente Wheatley Review sobre a LIBOR, "nem a atividade de declarar dados para compor a LIBOR nem a de administrar a LIBOR são regulamentadas pelo Financial Services and Markets Act 2000 (FSMA) que deu poder legal à FSA".[6] O relatório explica que as ações da FSA prosseguiram "com base na conexão entre a declaração de dados para compor a LIBOR e outras atividades reguladoras, e que não há nenhum regime regulatório específico aplicável que abranja essas atividades". Em resumo, a declaração de taxas-chave em mercados financeiros globais, que são referência para mais de US$ 300 trilhões de instrumentos financeiros pelo mundo afora, não era regulamentada de modo específico. Causa bastante perplexidade pensar que só agora, depois de uma auditoria, haja um forte esforço para tornar a apresentação da LIBOR uma atividade regulamentada. A negligência dos reguladores para efetivar um monitoramento efetivo em certas arestas da indústria financeira é mais um dos fatores que contribuem para que os bancos prossigam com seus métodos arriscados e oportunistas de fazer negócios.

A LIBOR também não está imune ao problema dominante dos conflitos de interesse. Como "organização lobista para os mesmos bancos que declaram as taxas que ela nominalmente supervisiona", a Wheatley Review considerava que a Associação dos Banqueiros Britânicos (British Bankers Association, BBA) vivia uma situação crítica de conflito de interesse e, como resultado, o órgão que administrava as declarações de taxas feitas à LIBOR foi substituído pela ICE Benchmark Association no início de 2014, após uma licitação pública.

Andrew Lo, professor de Finanças do Instituto de Tecnologia de Massachusetts (Massachusetts Institute of Technology, MIT), declarou que o escândalo da LIBOR "superou em ordem de magnitude qualquer outro golpe financeiro da história dos mercados", mas essa "honra" está próxima do fim à medida que os investigadores vão revelando a manipulação dos valores de referência de divisas estrangeiras, em que as alegações de manipulação são "tão graves como no caso da LIBOR", de acordo com as palavras do CEO da FCA em fevereiro de 2014.[7] Em outro exemplo de nicho de atividades maliciosas no setor financeiro, operadores de diversos bancos têm sido acusados de fixar taxas no mercado de câmbio ou FOREX por meio de grupos de mensagens on-line, nos quais se vangloriam de ser membros de um Cartel ou da Máfia, trocando informações sobre os pedidos de seus respectivos clientes.[8] Os bancos de investimento têm banido alguns operadores por usar esses tipos de *chatrooms*, em um esforço para coibir os deslizes desses profissionais, mas a extensão do reparo ficará aparente apenas daqui a um ou dois anos, quando os reguladores tiverem uma ideia concreta do grau em que essa manipulação ocorreu. "Cabeças já começam a rolar" — o *Financial Times* informou que mais de 18 operadores em nove bancos tinham sido suspensos, colocados em licença ou sido demitidos.[9]

As conclusões a que podemos chegar quanto à manipulação de taxas — os conflitos de interesse e o papel das agências reguladoras e dos bancos centrais — não são, com certeza, aplicáveis apenas a este campo de atividade. À medida que eu prosseguir, ficará evidente que as falhas do sistema financeiro na identificação e prevenção dessas manipulações em larga escala são causadas por lapsos que afetam o setor como um todo.

VENDA INAPROPRIADA DE PRODUTOS FINANCEIROS

Um escândalo ainda mais recente a irromper com sua própria particularidade é o das vendas inapropriadas de apólices de Seguro de Proteção de Pagamento (Payment Protection Insurance, PPI) por parte de numerosos bancos de varejo do Reino Unido desde 2000 — o último e mais perigoso exemplo da venda fraudulenta desse tipo de produto pelos bancos, que já acontece há muitos anos. Essa prática envolveu alguns dos maiores *players* do setor bancário britânico, entre eles Lloyds TSB, Barclays, HSBC, Santander, RBS e Nationwide Building Society. Os bancos em conjunto pagaram uma indenização de £ 13,3 bilhões desde janeiro de 2011, e esse valor pode dobrar. Apesar de ter sido considerado o "maior escândalo de vendas abusivas de produtos financeiros de todos os tempos" pela revista *Which?*, o negócio dos PPIs foi, de certa forma, ofuscado por outras condutas maliciosas da City. John Lanchester atribui esse ofuscamento à "falta de apelo do PPI, que vai desde o acrônimo entorpecedor até o fato de que a ideia geral de um escândalo sobre pagamentos de seguros parece lúgubre e sem tanta importância".[10] Todavia, esse e outros tipos de venda abusiva de produtos financeiros brigam pela posição de comportamento mais nocivo do setor financeiro, cujas raízes estão enredadas com aqueles que alavancam oportunidades de lavagem de dinheiro e favorecimento da indústria do crime.

A conduta inadequada em questão implicava a venda de apólices de seguro em conjunto com hipotecas, empréstimos e cartões de crédito, com o objetivo de liquidar as contrações de empréstimos de pessoas cujas circunstâncias de vida mudassem, fosse pela perda de renda ou por doença. As apólices dos PPIs eram caras, ineficazes e ineficientes, além de terem sido vendidas a pessoas incapazes de reclamá-las. O órgão independente britânico Money Advice Service (Serviço de Consultoria Financeira, MAS), financiado por meio de uma arrecadação que a FSA coleta de empresas de serviços financeiros regulamentados, elencou uma série de falhas por parte dos bancos e das empresas financeiras que vendiam as apólices: os usuários eram informados de que as apólices eram obrigatórias e certas empresas se omitiam de perguntar se o comprador possuía outro seguro para cobrir o empréstimo. Táticas de pressão eram empregadas pelas equipes de vendas dos PPIs, como se vê na conversa de um vendedor, gravada, que tentava persuadir um provável comprador nos seguintes termos: "Para ser franco com você, devido às suas circunstâncias de vida, a coisa certa a fazer é sem dúvida comprar esse seguro".[11] O Ombudsman Financeiro do Reino Unido considerou a situação de modo diferente, ordenando que o negócio fosse concluído.

O Lloyds Bank teve uma péssima atuação durante todo o escândalo. Em maio de 2011, depois de abandonar uma disputa judicial na Suprema Corte para evitar o pagamento de certas demandas de indenização pelos PPIs, anunciou que reservaria £ 3,2 bilhões para os pagamentos de demandas. Os custos desde então cresceram de maneira vertiginosa. Em fevereiro de 2014, o banco anunciou que aumentaria sua estimativa — pela sétima vez — para demandas de indenização pelos PPIs para um montante quase igual a £ 10 bilhões. O sofrimento do banco não terminaria ali. Em fevereiro de 2013, três entidades do grupo foram multadas pela FSA em £ 4,3 milhões, por atraso nos pagamentos de demandas dos PPIs a 140 mil clientes. Como resultado direto da derrocada dos PPIs, foi anunciado no início de 2013 que o banco iria recuperar de modo gradativo parte dos bônus dos ex-CEOs. O £ 1,45 milhão de Eric Daniel em extras acumulados para 2010 foi depois reduzido para £ 300 mil. Para piorar a situação, uma investigação da BBC alegou em seguida que o Lloyds havia cometido uma injustiça com alguns queixosos pela aplicação de uma "cláusula alternativa de correção", segundo a qual os clientes poderiam ter comprado apólices mais baratas em outros locais caso não tivessem adquirido as versões fraudulentas do banco.[12]

Mais uma vez: à primeira vista, a venda inapropriada pode parecer muito diferente de operações desenfreadas em derivativos arriscados ou do pedido feito por um operador localizado no Japão para que um colega manipulasse taxas de referência. No entanto, por trás de todas essas práticas apresenta-se um tópico real de conflito de interesses e fraca supervisão, ao lado de uma série de atitudes comuns que servem para solapar a estabilidade de todo o sistema financeiro — entre elas, o fato de que, quanto maior é o banco, mais ele é capaz de desembolsar pesadas multas regulatórias, pois seus demonstrativos financeiros conseguem absorver até mesmo choques severos. Em todos esses casos, a absoluta inexistência de qualquer sanção penal chama a atenção. São precisamente esses fatores, aliados a muitos outros que vou detalhar depois, que têm permitido a lavagem de dinheiro, o favorecimento ao crime, a evasão fiscal e a impunidade. Como consequência, metodologias falhas têm sido aplicadas na detecção e prevenção de crimes, com efeitos lamentáveis. Até essas convergências serem exploradas e reconhecidas por completo, e novos conceitos serem promulgados, o abuso criminal de serviços financeiros continuará à frente de seus fiscalizadores.

VIOLAÇÃO DE SANÇÕES

Este fato é reportado apenas de modo esporádico, quando um banco é pego com a boca na botija. Uma série de instituições conhecidas — entre elas UBS, Lloyds Bank e Credit Suisse — tem prestado serviços financeiros a pessoas ou empresas submetidas a sanções, em especial aquelas que são objeto do regime norte-americano de sanções. O BNP Paribas foi pego há pouco tempo fazendo isso e fechou um acordo judicial multimilionário em julho de 2014, um dos maiores do gênero. Embora não seja um crime da mesma espécie descrita nos capítulos seguintes (tráfico de drogas, financiamento de terroristas etc.), a violação de sanções merece ser detalhada aqui em vista das somas substanciais que têm sido obtidas de bancos através de multas e acordos judiciais, e das ramificações cada vez mais sérias para os bancos que participam dessas atividades, evidenciadas no caso do BNP Paribas.

Durante algum tempo, as sanções foram utilizadas como ferramenta pela comunidade internacional para pressionar estados "vilões" ou determinados organismos e indivíduos e influenciar seu comportamento. As sanções da Organização das Nações Unidas (ONU) contra o Irã e a Coreia do Norte* têm como objetivo-chave a tentativa de evitar que esses países obtenham ou aumentem seus estoques de armas nucleares. As sanções de 2014 impostas contra aliados políticos próximos de Vladimir Putin tentavam exercer pressão sobre a Rússia para reverter a anexação que ela fez da Crimeia. Os programas de sanções contra a Al Qaeda, o Talibã e o Estado Islâmico (EI), e pessoas ligadas a esses grupos, são concebidos para estancar o fluxo financeiro que, de outra forma, poderia ser utilizado para fins de terrorismo.

Embora a maioria das sanções impostas por grande parte dos países europeus (entre eles o Reino Unido) seja adotada com base em medidas da ONU e dos Estados Unidos, este país adota as sanções da ONU, mas formula várias sanções de modo unilateral. Suas controversas sanções em vigor contra Cuba e seus cidadãos são exemplos do último caso. Todas as sanções norte-americanas são supervisionadas pelo Escritório de Controle de Ativos Estrangeiros

---

* Em 2016, a ONU impôs um amplo pacote de novas sanções à Coreia do Norte, em resposta aos últimos testes nucleares e de mísseis. (N.T.)

(Office of Foreign Assets Control, OFAC), que é, em si, um Departamento do Tesouro dos Estados Unidos e está situado, como se a extensão de seu poder tivesse de ser enfatizada, bem ao lado da Casa Branca.

Todos os cidadãos norte-americanos, naturais ou naturalizados, quaisquer que sejam os países em que se encontrem, têm, pela lei, de observar as sanções norte-americanas. Todas as transferências eletrônicas de dólares americanos exigem o envolvimento de um norte-americano (na forma de um banco de compensação norte-americano), mesmo que a transferência seja feita entre dois bancos que não sejam norte-americanos. Como o dólar americano continua sendo, de fato, a moeda-reserva mundial, isso impõe uma dificuldade logística significativa para instituições financeiras não norte-americanas desejosas de fazer negócios com países, organizações ou pessoas sob sanções dos Estados Unidos. Em resposta, diversos bancos não norte-americanos implantam métodos pelos quais podem continuar a operar com dólares em nome de clientes ou contrapartes sancionadas pelos Estados Unidos, falsificando as mensagens de pagamento enviadas a bancos de compensação norte-americanos ou tomando medidas fraudulentas para dissimular operações. Esses métodos conseguiram evitar que os bancos norte-americanos pudessem identificar transações envolvendo partes sob sanções dos Estados Unidos, de modo que tais transações prosseguissem, em vez de ser bloqueadas ou congeladas.

Exemplos identificados desse tipo de retirada de sanções remontam pelo menos à década de 1980, embora as investigações norte-americanas sobre a atividade abranjam apenas os últimos dez anos ou algo parecido. O UBS foi um dos primeiros de uma longa lista de grandes bancos internacionais convocados para admitir a prática às autoridades norte-americanas, quando a instituição recebeu uma multa na esfera civil de US$ 100 milhões do Federal Reserve Bank de Nova York em 2004. O UBS foi acusado de "conduta fraudulenta" após ter se engajado em operações em dólares com países sob sanções do OFAC como parte do chamado programa de Inventário de Custódia Alargado (Extended Custodial Inventory, ECI) do Federal Reserve.[13]

O programa ECI foi apresentado em meados da década de 1990 para apoiar a introdução e distribuição das notas recém-desenhadas de 100 dólares com medidas aperfeiçoadas contra falsificação, com uma nova marca-d'água e tinta que varia opticamente. O programa a princípio assistiu na distribuição das notas para a Europa e países da antiga União Soviética, evoluindo depois para um mecanismo em que os bancos recebiam "recursos do ECI" para promover a circulação interna de dólares. Entre outras responsabilidades, os bancos detentores desse serviço eram encarregados de retirar de circulação as notas antigas e informar a ocorrência de notas falsas.

Em seu testemunho diante de um comitê do Congresso, o conselheiro-geral do Federal Reserve, Thomas Baxter, relatou a trajetória da investigação do UBS. Recordou que o *New York Times* havia relatado que o Exército norte-americano deparara com uma pilha de US$ 650 milhões em notas de 100 dólares em um dos palácios de Saddam Hussein em Bagdá. Com a descoberta de que uma parte do dinheiro era originária do Federal Reserve, foi iniciada uma investigação para rastrear a movimentação de algumas notas pelo número de série. A então agência reguladora suíça — a EBK — também atuou nos bastidores da investigação, embora isso não tenha contribuído muito para a punição dos que haviam praticado os delitos, visto não ter ela nenhuma competência para impor as próprias multas monetárias (assim como sua sucessora, a FINMA).

A investigação revelou que o UBS havia ocultado transações em dólares americanos com países sancionados pelo OFAC — por exemplo, Irã, Cuba, Líbia e a antiga Iugoslávia (embora não de modo direto com o Iraque) — durante sua participação no programa ECI. Antes de a extensão e a natureza dessa dissimulação ficarem claras, o UBS preferiu menosprezar o incidente, citando-o como um mero "lapso"; disse que certas operações tinham sido feitas "por engano". A conclusão do Federal Reserve foi diferente, declarando que a equipe do UBS havia tomado "medidas afirmativas para dissimular essas operações", entre elas a "falsificação de relatórios mensais com transações em dólares americanos, que, por contrato, era obrigado a apresentar".

Além da multa de US$ 100 milhões aplicada nos Estados Unidos, a EBK fez uma admoestação pública ao UBS. Na falta de uma multa ou de consequências legais no próprio país, o UBS foi posto de castigo dentro da Suíça, embora nenhum de seus bens tenha sido confiscado. O Federal Reserve, no entanto, estava ávido para parabenizar a EBK por essa repreensão: "Um governo suíço que repreende o maior banco da Suíça é, em nosso conhecimento, um fato sem precedentes na história do país. A EBK agiu dessa forma, sem meias medidas, para demonstrar que não é mais tolerante do que nós para com esse tipo de fraude".

Um pouco diferente "desse tipo de fraude", a prática de falsificar mensagens de pagamento que envolvam uma parte sancionada é chamada *stripping* (enfileiramento). Nos últimos anos, diversos bancos receberam multas da ordem de bilhões de dólares das autoridades norte-americanas por atividades de *stripping*. Vários membros do "Strip Club" serão apresentados no Capítulo 9 para demonstrar, em especial, até que ponto práticas como a violação de sanções podem se tornar aceitáveis em termos institucionais. Mas, para aguçar sua curiosidade, os casos envolvendo o Lloyds e o Credit Suisse são bons exemplos introdutórios desse tipo de atividade.

O Lloyds foi apanhado de calças curtas quando uma investigação nos Estados Unidos revelou que o banco havia transgredido regulamentações do OFAC e da legislação norte-americana ao falsificar mensagens de pagamento SWIFT (Society for Worldwide Interbank Financial Telecommunication/Sociedade para Telecomunicações Financeiras Interbancárias Globais) em dólar, envolvendo partes sancionadas pelo OFAC (a saber, entidades no Irã, no Sudão e na Líbia) entre meados da década de 1990 e 2007. Essas mensagens SWIFT são utilizadas por instituições financeiras para o envio e o recebimento de instruções de pagamento, sendo um componente essencial na transferência de dinheiro de um país para outro.

O DPA de 2009 firmado pelo Lloyds dizia que o banco havia admitido uma "conduta inadequada séria e sistêmica", ao remover "dados concretos das mensagens de pagamento a fim de evitar a detecção do envolvimento de partes sancionadas pelo OFAC através de filtros utilizados por instituições depositárias norte-americanas".[14] Esse comportamento permitiu que bancos correspondentes norte-americanos processassem pagamentos que, de outra forma, teriam sido proibidos.

O DPA descreveu em detalhes os mecanismos envolvidos na atividade de *stripping*, revelando que os processadores de pagamentos do banco "marcavam fisicamente a instrução impressa de pagamento para mostrar quais informações deveriam ser alteradas — eliminando, por exemplo, qualquer referência a bancos iranianos ou de outros países sancionados, bem como traçando uma linha ao longo do Campo 52 das instruções de pagamento SWIFT [que identificava o banco originador]". A prática aparentava ser quase rotineira, mencionada até como "normal" em um memorando interno; a investigação descobriu também que o Lloyds tinha funcionários especificamente "dedicados às revisões e emendas, se necessário, de mensagens SWIFT referentes a pagamentos em dólares americanos para filiais britânicas de bancos iranianos".

Houve debates internos para determinar se o Lloyds, como entidade britânica, estava sujeito às regulamentações do OFAC, e enquanto isso o banco estimulou seus clientes iranianos a continuarem com a prática e ensinou-os a ludibriar eles mesmos os Estados Unidos. Funcionários do Lloyds se reuniram com bancos iranianos e deram instruções de como navegar pelos filtros do OFAC sem serem detectados. Autos processuais relatam que os bancos iranianos eram instruídos a preencher o campo SWIFT referentes às informações do banco de origem com um "ponto, hífen ou outro símbolo", em vez de deixá-lo em branco, para enganar os filtros.

O DPA concluiu que, entre 2002 e 2004, o Lloyds processou cerca de US$ 300 milhões em nome de bancos iranianos em Londres, que foram enviados para bancos norte-americanos para processamento; entre 2002 e 2007, processou US$ 20 milhões em nome de clientes de bancos sudaneses por meio de bancos correspondentes norte-americanos; e, entre 2002 e 2004, processou cerca de US$ 20 milhões em nome de um cliente líbio por meio de instituições financeiras dos Estados Unidos. O Lloyds concordou em pagar US$ 350 milhões pela conduta maliciosa, à época a maior penalidade já aplicada pela violação de sanções norte-americanas.

O assunto foi discutido em um debate na Câmara dos Comuns em fevereiro de 2009. Na época, o secretário de Finanças do Tesouro do Reino Unido, Stephen Timms, respondeu a perguntas sobre a razão de não haver indiciamentos no Reino Unido relacionados às investigações nos Estados Unidos. À medida que expressava seu entendimento do caso, Timms destacou as inerentes tensões das sanções unilaterais:

[...] só podemos processar judicialmente as transgressões à legislação britânica, e não às leis norte-americanas. Como declarei, o easo dos EUA contra o Lloyds TSB refere-se a transgressões às sanções norte-americanas. Não vi sinal algum de transgressões à legislação do Reino Unido neste caso. Não vi sinal de transgressões às sanções internacionais, nem de normas contra lavagem de dinheiro ou contra financiamento de terroristas. Isso é coerente com os achados do caso nos EUA, que trata, de modo específico, de violações às sanções norte-americanas.[15]

Outro exemplo: também em 2009, o Credit Suisse concordou em pagar US$ 536 milhões depois de alegações quase idênticas de casos de *stripping* envolvendo o Irã, o Sudão, a Líbia, a Birmânia, Cuba e o regime liberiano de Charles Taylor. Essas operações se originaram mais no Reino Unido e na Suíça do que nos EUA, mas o fato de envolver bancos norte-americanos foi suficiente para pôr o Credit Suisse sob a competência do OFAC.

Muito preocupantes eram as alegações de que, em 1998, o Credit Suisse havia emitido um documento a clientes iranianos explicando a melhor maneira de evitar os filtros de sanções, e que o banco empregava um sistema em que todos os pagamentos ao Irã eram revisados de forma manual antes do envio aos Estados Unidos.[16] Ficou evidente que essas medidas não eram erros inocentes criados por um controle frouxo ou desconhecimento, mas sim ações deliberadas que pretendiam ludibriar o sistema e evitar as penalidades que o OFAC por certo imporia.

Não é por simples coincidência que a maioria dos bancos flagrados violando o regime de sanções dos EUA também consta da longa lista de instituições financeiras envolvidas em lavagem de dinheiro e em atos de favorecimento ao crime. A lavagem de dinheiro e sua efetivação por meio do sistema financeiro serão exploradas em mais detalhes no próximo capítulo, mas por ora basta dizer que se trata de uma conduta considerada, na maior parte dos países, como grave delito penal — tão grave, na verdade, que é também um delito penal as instituições financeiras deixarem de implantar medidas adequadas para impedir essa conduta.

LAVAGEM DE DINHEIRO

Há várias definições de lavagem de dinheiro, mas a maioria não é de grande utilidade. De modo geral, a conduta envolve arranjos entre instituições financeiras e seus clientes com o efeito de facilitar a retenção ou o controle, por parte desses clientes, de ativos advindos de crime. Tais arranjos oferecem, com frequência, o benefício adicional (da perspectiva do cliente) de permitir a dissimulação ou o disfarce da origem criminosa do bem, por alterá-la de sua forma original (tal como dinheiro em espécie) em outra (rendimentos de empréstimos, por exemplo). Dois dos mais famosos escândalos de lavagem de dinheiro dos últimos anos envolvem o Amex e o HSBC.

Em 2007, o American Express Bank International, conhecido como Amex, assinou um DPA com os Estados Unidos referente a violações dos procedimentos contra a lavagem de dinheiro.[17] Foi dito que o Amex havia violado os requisitos contra a lavagem de dinheiro do Bank Secrecy Act entre 1999 e 2004, e cerca de US$ 55 milhões supostamente haviam passado pelas contas do banco — soma essa originada do tráfico de drogas e lavada por meio de um sistema baseado em operações chamadas Mercado Negro de Câmbio do Peso (Black Market Peso Exchange, BMPE). Revelou-se que agentes secretos infiltrados em organizações colombianas conseguiram lavar dinheiro por meio do Amex. Além disso, o banco administrava uma série de contas controladas por outras contas, lícitas à primeira vista, de empresas da América do Sul, mas que estavam de fato em nome de empresas *offshore* sem ativos e eram usadas para processar "operações de alto risco do mercado de câmbio paralelo". O Amex ignorou, de modo sistemático, os sinais clássicos de abuso de contas: as contas em si, de maneira geral, pertenciam a tipos específicos de empresas de terceiros que não tinham nenhum fundamento legal; havia numerosas transferências eletrônicas de pessoas que não aparentavam ter nenhuma ligação com o detentor ou o negócio estabelecido do detentor. O sistema de análise de risco era inadequado, em particular dada a sua localização na Flórida, uma área de alto risco para tráfico de drogas, além de não se ter prestado atenção suficiente para verificar quem na verdade eram os titulares das contas e de onde vinha o dinheiro. O Amex já tinha sido objeto de um acordo de conciliação em 1994 com o Departamento de Justiça norte-americano e de uma substancial multa financeira após acusações similares, mas não solucionara completamente as deficiências de seu sistema.

Em 2012, o Subcomitê Permanente de Investigações do Senado dos Estados Unidos relatou falhas igualmente problemáticas nos procedimentos contra lavagem de dinheiro empregados pelo HSBC.[18] O relatório do Subcomitê mapeava o histórico das operações mexicanas do banco, apontando que os problemas haviam surgido em 2004, quando um dirigente do grupo responsável pelas regras de *compliance* (obediência aos regulamentos oficiais) da instituição pediu aos colegas mexicanos que explicassem a "atividade frenética" que a unidade estava tendo em cheques de viagem. Nos três primeiros trimestres daquele ano, o HSBC México (HBMX) havia vendido mais de US$ 110 milhões desse produto, soma que representava um terço da venda global de cheques de viagem de todo o grupo. Em 2008, a unidade de inteligência financeira mexicana informou ao HBMX que, na "maioria dos casos pertinentes de lavagem de dinheiro" que ela havia investigado em 2007, "várias operações tinham sido conduzidas por meio do HSBC". Em 2008, o então diretor-geral de *compliance* do HSBC, David Bagley, gravou uma entrevista de saída com o diretor da área de prevenção de lavagem de dinheiro do HBMX, Leopoldo Barroso. Bagley relatou que fora informado por Barroso que "era apenas uma questão de tempo antes de o banco sofrer sanções criminais", e que fora alertado de que "60% a 70% dos procedimentos de lavagem de dinheiro no México tinham passado pelo HBMX". Em outubro de 2010, o HSBC recebeu do órgão regulador norte-americano uma ordem abrupta para interromper essas práticas. O Escritório de Controle da Moeda (Office of the Comptroller of the Currency, OCC) exigiu que o banco melhorasse seus sistemas de combate à lavagem de dinheiro. Tal como ocorreu no estudo de caso do Subcomitê do Senado, os controles internos do HSBC foram dissecados de modo minucioso e as falhas do banco no México e em outros países resultaram em uma indenização de comum acordo no total de US$ 1,9 bilhão.

A lavagem de dinheiro é uma atividade *ex post facto*, na medida em que ocorre depois da prática de certos crimes cujo produto é, então, lavado. Por essa razão, a maioria dos bancos concentra enorme atenção na respectiva origem dos fundos e a quem eles pertencem, para não ter de sofrer processos criminais. No entanto, o setor financeiro também é vulnerável a práticas que ocorrem antes do crime e durante o mesmo, pois alguns dos produtos e serviços podem ser utilizados na prática de certos crimes que geram, ao mesmo tempo, um bem advindo desses crimes. Quando isso ocorre, as instituições financeiras ficam na posição alarmante de favorecer o crime e, depois, ainda lavar seus decorrentes rendimentos.

FAVORECIMENTO AO CRIME

Ao contrário da lavagem de dinheiro, o favorecimento ao crime não é um delito reconhecido de modo universal. Os países estipulam diferentes delitos em cuja definição cada ato de favorecimento pode ou não ser enquadrado. O favorecimento ao crime não é considerado uma questão tão primordial quanto a lavagem de dinheiro, mas isso é um grande erro. Se a lavagem de dinheiro é apenas um sintoma ou consequência de outros crimes, por que o sistema financeiro não coloca a mesma ênfase, ou uma ênfase ainda maior, na prevenção do favorecimento ao crime? Essa ênfase não acontece devido ao exame precário que se faz do importante papel que as instituições financeiras em geral desempenham na assistência a criminosos. Há uma noção fundamentalmente equivocada de que o envolvimento do setor financeiro se dá após a geração de um bem advindo do crime. Como consequência, dá-se pouca atenção à administração do risco de favorecimento ao crime dentro do setor, muito embora, na prática, seja bem provável que a maioria dos dirigentes de bancos ficaria com mais medo de favorecer um crime do que de lavar seus rendimentos.

Um ótimo exemplo de favorecimento ao crime por parte de um banco foi a conduta que levou o UBS a entrar em um acordo, em fevereiro de 2009, para pagar uma multa de US$ 780 milhões ao governo norte-americano e assinar um DPA sob a acusação de conspirar para ludibriar o país ao criar obstáculos para a Receita Federal norte-americana (Internal Revenue Service, IRS), caso esse que será explorado com mais profundidade no Capítulo 10.[19] De modo semelhante, em janeiro de 2013, o Wegelin & Co, o mais antigo banco privado suíço, decidiu fechar as portas após assumir a culpa por ter facilitado evasões fiscais nos Estados Unidos. Um juiz de um tribunal federal regional norte-

-americano ordenou que o banco pagasse US$ 57,8 milhões diante da alegação de que havia permitido a clientes esconder um total de US$ 1,2 bilhão do fisco.[20] Também se alegou que o banco suíço havia procurado ex-clientes do UBS após o monitoramento dessa instituição ter se tornado público em 2008.

Atos de favorecimento ao crime por parte de instituições financeiras não se limitam apenas à evasão fiscal. A participação em pagamento de propinas também é comum, bem como a administração de estruturas utilizadas em certas transgressões, como a manipulação de mercados. De vez em quando os bancos contribuem com fraudes ainda maiores, tais como os esquemas de pirâmide, ao deixar de implantar controles enérgicos o suficiente. O DPA assinado pelo JP Morgan em janeiro de 2014, referente ao seu envolvimento na fraude de Bernard Madoff, é um exemplo clássico deste último.[21] Por mais de trinta anos, Madoff conduziu um volumoso esquema de pirâmide prometendo aos investidores que o dinheiro deles seria aplicado em títulos. Ao contrário dessas afirmações, o dinheiro quase nunca foi investido e, em vez disso, foi utilizado para indenizar outros investidores e financiar o estilo de vida luxuoso do articulador. Na época de seu colapso, a Madoff Securities mantinha mais de 4 mil contas de investimento com um valor total simulado de US$ 65 bilhões, quando, de fato, tinha apenas mais de US$ 300 milhões em ativos totais.

De acordo com o DPA, entre 1986 e 2008, o esquema de pirâmide conduzido por Madoff foi realizado "de modo quase exclusivo por uma conta-corrente e outras contas vinculadas mantidas no JP Morgan Chase Bank, N.A.". O DPA afirmou que o banco sofria de deficiências sistêmicas responsáveis por prevenir a proteção adequada contra a lavagem de dinheiro. A consequência das falhas do banco foi a aceitação de sua responsabilidade e de uma multa estipulada em US$ 1,7 bilhão.

Uma das características mais marcantes desse breve passeio pelo *hall* da vergonha do setor bancário é o envolvimento de muitos de seus maiores *players* — um indício incisivo de que cada um dos diferentes comportamentos é sintoma de uma enfermidade comum. Com certeza não há nenhuma coincidência no fato de vários bancos envolvidos em lavagem de dinheiro e violação de sanções também terem se engajado em manipulações de taxas e vendas abusivas de produtos financeiros, tendo sido pegos somente em razão da maneira com que expuseram seus demonstrativos financeiros a riscos excessivos na iminência da quebra de 2008. É fascinante observar o modo como a mídia tem reportado essas questões e o público tem manifestado sua revolta diante de cada um desses diferentes comportamentos. A maior parte da atenção tem se concentrado no excesso de risco e nas práticas que os dirigentes de bancos empregam para aumentar seus bônus. A venda abusiva de produtos financeiros e a manipulação de taxas têm atraído um grau razoável de publicidade, embora não na mesma proporção que a prática de assumir riscos excessivos. A violação de sanções, a lavagem de dinheiro e o favorecimento ao crime têm atraído menos publicidade. Em termos mais simples, o grau de publicidade e a resultante má reputação do setor financeiro têm sido inversamente proporcionais à nocividade de sua conduta. É bem provável que isso resulte da noção de dirigentes de bancos atuando como jogadores de pôquer ser mais fácil de compreender do que conceitos como PPI, LIBOR ou lavagem de dinheiro. É verdade que as metodologias de favorecimento ao crime e de lavagem de dinheiro podem ser muito complexas, nem sempre induzindo a venda de jornais, mas há o perigo de que, na análise da crise pós-2008, os governos tenham formatado soluções projetadas para influenciar o comportamento futuro dos bancos sem tomar o devido cuidado com os excessos provenientes dos recessos mais sombrios da psique do setor bancário. O reconhecimento de como e por que os bancos se envolvem nas piores condutas e a revisão do modelo setorial existente têm de ser o ponto de partida na formulação de soluções que visem um futuro melhor para o setor e a proteção contínua do interesse público.

Este livro concentra-se nos Estados Unidos e no Reino Unido, pois Londres e Nova York continuam sendo os dois epicentros dos mercados financeiros globais; e Washington, em parte para o dissabor da União Europeia, é onde se dá o tom para os esforços globais de combate a crimes financeiros. Portanto, os órgãos envolvidos no policiamento, monitoramento, regulamentação, acusação e aplicação de sanções fora dos EUA e do Reino Unido só serão mencionados de passagem. A natureza abrangente das investigações no Reino Unido e nos Estados Unidos deve-se em parte ao envolvimento de um número substancial de autoridades legais e reguladoras, com um acúmulo significativo de análises de arquivos e exames detalhados, porém individuais, disseminando-se ao longo do processo. As investigações podem demorar anos, cruzar fronteiras e envolver o exame de milhões de documentos.

O sistema britânico de controle das práticas financeiras é extremamente otimista se comparado ao norte-americano. O Tesouro é o responsável final pelo sistema financeiro do Reino Unido e tem investido seus poderes reguladores na independente FCA. A FCA foi constituída em 2013 como uma das duas organizações sucessoras da FSA, sendo a outra a Autoridade de Regulamentação Prudencial (Prudential Regulation Authority, PRA), que faz parte do Bank of England. A eficácia dos reguladores e legisladores será explorada à medida que avançarmos, mas como ponto de partida considere que a FCA foi estabelecida em 1997, à sombra da quebra do Barings e após as críticas de que o Bank of England fracassara na regulamentação do sistema financeiro do Reino Unido. Nas palavras de um jornalista do *Guardian*: "O órgão era o cão de guarda que não latia".[22] O SFO é outro órgão do Estado britânico submetido ao procurador-geral do Reino Unido, e que investiga casos de fraude, corrupção e suborno.

Várias agências norte-americanas que impõem as leis estaduais e federais detêm o poder de investigar e processar ou de impor sanções regulatórias. É um meio agressivo, com distintas agências em geral investigando os mesmos fatos de modo simultâneo, no intuito de aplicar sanções específicas contra bancos abusivos. Em Nova York, se um banco tem uma conduta maliciosa, não é uma questão de se ele será ou não processado, e sim de quem abrirá o caminho para processá-lo primeiro. Como veremos nos próximos capítulos, os níveis de penalidade impostos às instituições financeiras por agências norte-americanas variam. Elas superam por diversos múltiplos as penalidades impostas por qualquer outro país. Os EUA podem aplicar e efetivamente aplicam suas leis fora de seu território, confundindo e frustrando, entre outros, os que pretendem desrespeitar as sanções norte-americanas. Portanto, as autoridades dos Estados Unidos são as únicas no mundo com capacidade para fazer as principais instituições financeiras pararem para pensar. Já é mais do que hora de outros centros financeiros internacionais de renome seguirem o exemplo.

CAPÍTULO 2

MODELOS DE LAVAGEM DE DINHEIRO

Em maio de 2013, o Liberty Reserve, que atuava no ramo de reservas cambiais costa-riquenhas, foi fechado após uma investigação abrangendo 17 países ter apurado que a empresa supostamente havia lavado US$ 6 bilhões em rendimentos de uma série de atividades criminosas, entre elas tráfico de drogas, haqueamento de computadores e furtos de identidade. Um de seus fundadores, Vladimir Kats, assumiu a culpa das acusações, que lhe renderam uma sentença combinada máxima de 75 anos. Este é considerado um dos maiores casos já vistos de lavagem de dinheiro.[1]

Trata-se de um contraste muito grande com o que ocorria trinta anos atrás, quando o crime de lavagem de dinheiro nem existia e os bens advindos de crime eram lavados com impunidade por criminosos cujo único objetivo era evitar sua detecção. Hoje em dia, a lavagem de dinheiro é considerada no mundo todo como um componente essencial de um empreendimento criminoso bem-sucedido, sendo tratada, nessa condição, como crime grave em vários países.

Desde os ataques de 11 de setembro de 2001, a lavagem de dinheiro é constantemente associada ao financiamento do terrorismo. O termo AML/CFT (Anti-money Laudering and Countering the Financing of Terrorism, "Antilavagem de Dinheiro e de Combate ao Financiamento do Terrorismo") é utilizado com frequência por equipes de *compliance* quando executam monitoramentos em clientes com o propósito de detectar e prevenir ambos os delitos. Os dois conceitos são distintos se for levado em conta que a lavagem de dinheiro está ligada à *origem* do dinheiro, enquanto o financiamento do terrorismo envolve em essência (embora não com exclusividade) o *destino* do dinheiro.

A abordagem da comunidade internacional aos dois problemas pode ser apreendida com base na avaliação de estruturas legais nacionais que combatem tanto a lavagem de dinheiro quanto o financiamento do terrorismo por organismos supranacionais. Entre elas estão a Força-Tarefa de Ação Financeira (Financial Action Task Force, FATF) da Organização para a Cooperação e Desenvolvimento Econômico (OCDE) e o Moneyval, órgão do conselho europeu. A FATF emitiu originalmente quarenta "Recomendações" para o combate à lavagem de dinheiro, suplementadas por nove "Recomendações Especiais" que, em essência, abordavam o financiamento do terrorismo; esses padrões globais são endossados por 36 países-membros. O Moneyval supervisiona a *compliance* de seus países-membros não apenas em relação aos padrões da FAFT, mas também quanto aos termos de várias convenções da ONU. Os países considerados "não cooperativos" na guerra global contra a lavagem de dinheiro e o financiamento do terrorismo são identificados e coagidos a entrar em ação.

Em decorrência disso, em certo nível, a lavagem de dinheiro parece ser um exemplo perfeito de cooperação internacional. A questão, no entanto, também tem causado tensão entre os países que acataram o espírito das regras, implementando leis rígidas contra a lavagem de dinheiro, e as jurisdições que implementaram essas práticas de maneira superficial, criando, portanto, oportunidades para instituições financeiras e seus clientes. Esse panorama desnivelado tem sido muito explorado por criminosos.

As origens da lavagem de dinheiro são imprecisas, mas sabemos que a atividade começou a se desenvolver em escala industrial nos Estados Unidos na metade do século XX, quando os chefes da Máfia reconheceram a necessidade de demonstrar que suas enormes fontes de riqueza derivavam de fontes "legítimas". Meyer Lansky, conhecido como o "contador da Máfia", desenvolveu um império significativo em jogos de azar que se estendeu por todos os Estados

Unidos, chegando a Cuba. Conseguiu utilizar com sucesso cassinos e pistas de corrida para empregar e lavar dinheiro advindo do crime em prol de sua organização criminosa. Métodos mais sofisticados envolvendo instituições financeiras evoluíram em seguida, quando a indústria de serviços financeiros cresceu e se globalizou.

A criminalização da lavagem de dinheiro ocorreu algumas décadas depois, mais uma vez nos Estados Unidos. Em um esforço para receber apoio da classe média norte-americana, horrorizada com a devastação causada pelas drogas em cidades de médio e grande portes dos EUA, Ronald Reagan apresentou em 1986 a legislação que tornava a lavagem de dinheiro um crime federal. Embora o Bank Secrecy Act exigisse desde 1970 o preenchimento de relatórios destinados a criar um registro documental para as operações em moeda corrente, a criminalização da lavagem de dinheiro era um conceito bem novo. O governo, pela primeira vez, pressionava de fato o setor de serviços financeiros para ajudá-lo a vencer uma guerra contra o tráfico de drogas, ameaçando abrir processos e sanções regulatórias caso os bancos não desempenhassem suas funções plenas. Foi o primeiro passo rumo a grandes realizações.

Dada a interconectividade global dos serviços financeiros, a criminalização da lavagem de dinheiro restrita aos Estados Unidos teve impacto limitado. Contudo, em 1988, por meio da Convenção da ONU contra o Tráfico Ilícito de Entorpecentes e Substâncias Psicotrópicas, todos os países signatários comprometeram-se a implementar uma série de medidas, entre elas a criminalização do comportamento que veio a ser conhecido no mundo todo como "lavagem de dinheiro".

Menos de uma década depois de a legislação sobre lavagem de dinheiro de drogas ser introduzida, os governos entenderam o valor de se expandir o âmbito das leis de lavagem de dinheiro além dos lucros do tráfico de drogas, para abranger também os lucros de outros crimes. O raciocínio partiu do princípio de que se era ilegal lidar com dinheiro de drogas, por que não seria ilegal também lidar com os lucros de um roubo a banco ou de outras formas de crime? Os países agiram dessa maneira, adaptando as formulações legais existentes a respeito de transgressões ligadas a lavagem de dinheiro de drogas e aplicando--as em definições mais amplas da conduta criminosa. Nos EUA foi utilizada uma longa lista de prováveis crimes sob a rubrica abrangente de "atividades ilegais especificadas". Os rendimentos de qualquer um de uma longa lista de crimes — entre eles suborno, desfalque, rapto, jogo ilegal e financiamento do terrorismo — tornaram-se sujeitos à legislação da lavagem de dinheiro.

Foi nesse estágio que certos países formularam uma legislação sobre lavagem de dinheiro que parecia efetiva, mas que, de fato, apenas estruturava uma definição mais estreita da criminalidade do que a aplicada em outras jurisdições. Alguns países adotaram modelos de "criminalidade dupla", exigindo que a conduta fosse ilegal tanto no país em que ocorreu a lavagem de dinheiro como no país em que aconteceu o crime. Suíça e Cingapura criaram uma legislação com um eufemismo como título: "todos os crimes". Essa legislação, na verdade, excluía de seu âmbito os rendimentos de evasões fiscais no exterior, atraindo, com isso, praticantes desse delito que não poderiam mais se arriscar a fazer negócios em jurisdições como o Reino Unido e as ilhas do Canal da Mancha, que tinham definido a ilegalidade dos rendimentos de sonegação fiscal no fim da década de 1990. Foi mais de uma década depois que Cingapura enfim adotou essa medida, enquanto a Suíça continuou com a mesma legislação. Alguns países chegaram a formular um padrão de suspeição inferior ao aplicado em outras localidades. Em Dubai, por exemplo, o delito de sonegar impostos configura-se apenas se a pessoa tiver efetivo conhecimento, enquanto em muitos outros países o delito configura-se com base em um padrão objetivo de conhecimento.

O aperfeiçoamento da legislação vem sendo suplementado por regras que exigem que as instituições financeiras obtenham e verifiquem dados de identidade dos clientes. Essa obrigatoriedade, aliás, tem evoluído de modo significativo. Exige-se, agora, que o setor adote um método de risco para conhecer seus clientes, incluindo, em algumas circunstâncias, obter informações sobre suas fontes de fundos e riqueza. Esse método deveria dar conta dos riscos associados aos produtos e serviços oferecidos por um banco, bem como dos riscos inerentes à natureza e ao histórico de um cliente (se eles têm ou não certas preferências políticas é um dos fatores de risco mais significativos).

A introdução de uma legislação mais severa sobre lavagem de dinheiro parece, em retrospecto, ser um elemento da evolução natural dos esforços da sociedade para combater o crime. Na realidade, entretanto, a criminalização de uma pessoa por deixar de informar atividades suspeitas foi uma profunda inovação. Até hoje não é um delito ignorar a suspeita de que seu vizinho é um *serial killer*, mas é um delito se um dirigente de banco não reportar a suspeita de que seu cliente está lavando dinheiro. Esse é o indício mais marcante de que um dirigente de banco (ao contrário do vizinho) tem um dever fiduciário de cuidado com seu cliente. À época em que foi apresentada a obrigatoriedade de reportar o tráfico de drogas, ninguém poderia ter previsto que os governos progrediriam com tanta rapidez da penalização de lavagem de dinheiro de drogas para a penalização da lavagem dos produtos de todos os crimes. As instituições financeiras, ao mesmo tempo, eram obrigadas a obter um número sempre crescente de dados dos clientes, vendo aumentada assim a probabilidade de que pudessem deparar com informações que as obrigassem a denunciar seus clientes às autoridades.

A última inovação nessa derrocada implacável da confidencialidade do cliente — e não apenas dos clientes suspeitos de crimes — envolve a imposição às instituições financeiras, pelas autoridades norte-americanas, da obrigação de compartilhar dados de clientes segundo as determinações do Foreign Account Tax Compliance Act (FATCA). O FATCA será examinado em mais detalhes no Capítulo 10, mas basta dizer por ora que o não cumprimento dos termos do FATCA resulta no impedimento de as instituições acessarem dólares americanos — uma forma de sanção por não compartilharem dados sobre clientes, dados esses que há trinta anos eram considerados sacrossantos.

Como se explica esse aumento exponencial na cobrança sobre o setor financeiro? A inteligência financeira é muito valiosa para as autoridades, como o notório gângster Al Capone concluiu ao ser preso em 1931, não por assassinato, chantagem ou extorsão, mas por evasão fiscal. O poder não reside apenas em exercer controle sobre grandes montantes de capital; ele envolve, em definitivo, ser capaz de acessar informações a esse respeito. E nenhum setor está mais bem posicionado para conduzir esse tipo de informação ao Estado que o financeiro.

A resultante enxurrada de material de inteligência tem sido um benefício para as agências reguladoras, pois as instituições financeiras começaram a coletar documentos de identificação de clientes (documentação que pode ser acessada pelas autoridades) e a arquivar os chamados Relatórios de Atividades Suspeitas (Suspicious Activity Reports, SARs) de clientes suspeitos de praticar atividades ilegais. O que ficou claro com bastante rapidez foi que, enquanto os SARs individuais nem sempre eram muito esclarecedores, em geral se provaram ser bastante reveladores quando reunidos aos SARs feitos em outros países. Isso destacou a importância da cooperação entre agências reguladoras, que, depois, desenvolveu-se rapidamente, apresentando um novo e importante desafio para os grupos internacionais do crime organizado.

A consequência é que, hoje em dia, um número substancial de relatórios de inteligência é fornecido por instituições financeiras a agências reguladoras mundo afora. Qualquer diretor dessas agências reconhecerá o papel valioso que o setor financeiro desempenha agora em ajudá-los a combater crimes. Deixando de lado um pouco as deficiências existentes no setor (examinaremos muitas delas nos capítulos seguintes), todas elas precisam ser consideradas contra o pano de fundo de dezenas de milhares de SARs preenchidos por instituições financeiras todos os anos, muitas das quais assumem com seriedade suas responsabilidades na prevenção de crimes financeiros.

Sendo assim, o que *exatamente* podemos chamar de lavagem de dinheiro? Um bom local para começar é a Convenção original da ONU, que lançou as bases para a formulação de leis nacionais de prevenção de lavagem de dinheiro referente ao dinheiro de drogas.[2] A Convenção exigia a criminalização de:

1. Conversão ou transferência de bens derivados de atividades criminosas.
2. Ocultamento ou dissimulação da verdadeira natureza, fonte, localização, disposição, movimento, direitos em relação a ou posse de bens derivados de atividades criminosas.
3. Aquisição, posse ou uso de bens derivados de atividades criminosas.

A exemplo de vários tipos de delitos penais que, embora definidos com cuidado no Direito, vêm a receber um rótulo conveniente (tráfico humano ou pirataria são dois bons exemplos), a conduta que a Convenção da ONU visava proibir veio a ser chamada de "lavagem de dinheiro". Isso, como veremos, trouxe uma série de consequências infelizes.

O termo "lavagem de dinheiro" é, de fato, enganoso e tem prejudicado as tentativas de evitar a atividade que visa descrever. Uma das razões é que a lavagem de dinheiro não precisa de — e com frequência não envolve — dinheiro, seja em espécie ou em uma conta bancária. Ao contrário, ela pode envolver uma ampla variedade de bens ou tipos de bem (qualquer item, desde um imóvel até direitos de propriedade intelectual), podendo se valer de vários instrumentos e mecanismos financeiros para o manuseio de dinheiro (títulos, *bitcoins*, cartões de crédito). Outra razão é que o verbo "lavar" sugere que a lavagem de dinheiro sempre envolva certa forma de atividade. Do mesmo modo que uma trouxa de roupa suja não fica limpa até que uma máquina de lavar siga um ciclo específico, a hipótese aventada é que o dinheiro advindo do crime deva ser submetido a uma espécie de ciclo de "lavagem" para ser "descontaminado". O raciocínio que se segue é que, a quanto mais atividades o bem de origem criminosa é submetido, tanto mais efetivo será o processo. De fato, conforme veremos nos capítulos a seguir, ocorre o oposto. O dinheiro advindo do crime pode ser lavado com eficácia em arranjos financeiros relativamente passivos, não identificados por instituições financeiras como suspeitos, pois não têm as características de um ciclo "típico" de lavagem de dinheiro.

As dificuldades de percepção criadas pelo termo "lavagem de dinheiro" podem ser ainda agravadas pela tentativa de reguladores, agências policiais e órgãos comerciais do setor de ajudar o setor financeiro a identificar atividades de lavagem de dinheiro mediante o oferecimento de orientações que têm, em suas várias iterações, tentado descrever como é essa atividade na prática. Embora o objetivo dessas orientações seja louvável, sua execução em geral é muito medíocre por se basear em uma descrição de lavagem de dinheiro semelhante à dos tabloides, conhecida por um modelo de "três etapas" — "colocação, ocultação e integração". De modo lamentável, essa caracterização inapropriada da lavagem de dinheiro ainda vem sendo perpetuada.

O Financial Crimes Enforcement Network (FinCEN — Rede de Policiamento de Crimes Financeiros), órgão do Departamento do Tesouro dos Estados Unidos, adere ao modelo, descrevendo a lavagem de dinheiro como "o processo de fazer com que rendimentos ganhos de forma ilegal (isto é, 'dinheiro sujo') pareçam legais (ou seja, 'limpos')", envolvendo normalmente "três etapas: colocação, ocultação e integração".[3] Ele explica que: "Primeiro, os fundos ilegítimos são introduzidos de modo furtivo no sistema financeiro legítimo. Depois, o dinheiro é transferido para criar confusão, às vezes por meios eletrônicos ou através de várias contas. Por fim, é integrado ao sistema financeiro por meio de operações adicionais, até que o 'dinheiro sujo' pareça 'limpo'". Até mesmo a FATF, o órgão supranacional responsável por avaliar a *compliance* de países com seus padrões de reconhecimento global, descreve a lavagem de dinheiro como um processo que envolve colocação, ocultação e integração.[4] Transações em que o dinheiro está sendo lavado podem exibir essas características, mas, com frequência, não é isso o que acontece. O problema do modelo, portanto, é que ele enquadra a lavagem de dinheiro de maneira muito limitada, criando assim uma ideia do processo na qual toda transação bancária ou de corretagem que não envolva atividades identificáveis de colocação, ocultação ou integração fique acima de qualquer suspeita — muito embora possa ser de fato nociva. O modelo corrente tem o seguinte aspecto:

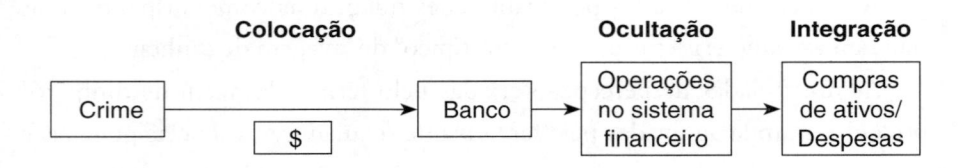

Nos próximos capítulos, que versam sobre uma série de tipos de crimes, examinarei cenários hipotéticos para ilustrar como os crimes são favorecidos pelo setor financeiro e a maneira pela qual seus rendimentos são lavados na prática. Mas, por ora, o antigo modelo teórico de lavagem de dinheiro exige uma análise mais detalhada, a fim de que suas limitações sejam plenamente entendidas.

Colocação — a hipótese é de que o bem advindo de crime seja "colocado" no sistema financeiro pela utilização, por exemplo, de empresas de fachada ou de depósitos estruturados de dinheiro. Ela ignora o pressuposto óbvio de que vários crimes modernos geram formas de benefícios que não necessitam de colocação no sistema financeiro, pois já estão inseridos nele no momento em que o crime é cometido. Os rendimentos de contratos com *insiders* e pagamentos de propina em negociações de armamentos feitos por transferência eletrônica são dois exemplos de vários tipos de crime que geram rendimentos no cerne do sistema financeiro.

Ocultação — o modelo presume que, no estágio de ocultação, o bem "colocado" sofra alguma forma de transformação por meio de operações financeiras. Imagina-se que, quanto mais complexas forem as operações, mais efetiva será a metamorfose da propriedade de "suja" em "limpa". A expectativa de que haja uma atividade de ocultação em todas as transações em que os clientes lavam dinheiro é resultante do fato de o setor financeiro não levar em conta os perigos das relações passivas, em que os rendimentos advindos do crime não fazem as "piruetas" típicas deste modelo.

Integração — o modelo presume que, após o processo de ocultação, a propriedade original seja integrada à economia legítima, onde será então utilizada por criminosos para benefício próprio, sendo desfrutada, por exemplo, por meio da compra de imóveis, iates, jatinhos privados e outros itens de luxo. Isso não tem nenhuma base na realidade, pois o chamado estágio de integração com frequência não se distingue da atividade de lavagem que o precede.

A confiança nesse modelo falho tem levado a um descompasso entre a atividade que o Direito planejou evitar e a atividade que as instituições financeiras têm tentado identificar e denunciar. Embora o modelo se aplique com conveniência à lavagem de dinheiro no caso de crimes com dinheiro em espécie — por exemplo, o tráfico de drogas —, ele é com certeza enganoso quando se trata de identificar a lavagem de dinheiro no caso de crimes que não geram dinheiro vivo, como por exemplo, subornos, evasão fiscal, manipulação de mercados e crimes cibernéticos — delitos esses que se tornaram muito mais comuns desde que surgiu a primeira orientação contra a lavagem de dinheiro, há mais de vinte anos.

A comparação a seguir, entre dois exemplos de lavagem de dinheiro, ilustra tanto a aplicabilidade do modelo antigo para os rendimentos de crimes praticados na rua quanto sua irrelevância para os rendimentos de crimes que não geram dinheiro vivo.

EXEMPLO 1

Uma organização de tráfico de drogas nos Estados Unidos vende seu produto a traficantes de rua em troca de dinheiro. O dinheiro é acumulado em esconderijos, de onde é coletado por parceiros que fazem depósitos variáveis de menos de US$ 10 mil em várias contas bancárias (qualquer quantia acima desse valor, o banco é obrigado a preencher um relatório para a FinCEN) e o colocam em atividades de fachada com grande movimentação de dinheiro (boates, restaurantes, empresas de táxi e afins). Uma vez no sistema bancário, o dinheiro é transferido para a conta de uma empresa *offshore* e então usado para a compra de obrigações e ações. Os títulos, em seguida, são vendidos. O dinheiro é transferido para a conta de outra empresa, disfarçado como um empréstimo, quando é enfim utilizado para pagar as faturas de cartão de crédito de um membro sênior da organização do tráfico que tenha dificuldades para resistir às tentações de butiques elegantes em Paris.

EXEMPLO 2

Um político corrupto deseja estabelecer um veículo corporativo no qual possa depositar uma propina. Ele abre uma empresa de fachada, de modo a disfarçar seu controle e propriedade como beneficiário, uma vez que não deseja ter seu *status* de político evidenciado para o banco, pois este poderia ativar um exame de conta indesejado. A conta bancária da empresa de fachada recebe uma propina de US$ 10 milhões por meio de uma transferência eletrônica. O dinheiro permanece na mesma conta bancária, na qual é utilizado como garantia de um empréstimo para a compra de uma propriedade em Mayfair, que o político usa durante viagens ocasionais a Londres.

O primeiro exemplo envolve uma colocação de dinheiro (em bancos e empresas) que pode ser identificada com facilidade, ocultação (operações no sistema bancário) e integração (a compra de roupas de luxo). O segundo exemplo já é diferente, pois não há uma atividade de colocação reconhecível, uma vez que o dinheiro já está no sistema financeiro legítimo antes de ser transferido eletronicamente para a empresa de fachada; a lavagem é mais difícil de ser identificada, pois os rendimentos da propina permanecem passivos na conta, atuando apenas como garantia; e não há uma atividade óbvia de integração, pois o dinheiro da propina não se movimenta. Em vez disso, é usado como garantia para um empréstimo.

O segundo exemplo não tem nenhuma semelhança com o modelo antigo de lavagem de dinheiro, sobre o qual o setor financeiro e as autoridades têm colocado tanta ênfase. No entanto, ele envolve uma atividade criminosa grave de lavagem de dinheiro, que, se descoberta, é duramente punida. Como uma instituição financeira que houvesse concebido seus procedimentos internos contra a lavagem de dinheiro conforme o modelo antigo (e treinado suas equipes segundo ele) reconheceria no relacionamento com o político uma negociação na qual rendimentos de uma propina estariam sendo lavados? A desconfortável realidade é que várias transações em que o dinheiro está sendo lavado à vista de todos não são informadas às autoridades devido às expectativas criadas pelo modelo de colocação, ocultação e integração.

Faz-se necessário um novo modelo de lavagem de dinheiro baseado não numa teoria, mas sim na prática.

UM NOVO MODELO DE LAVAGEM DE DINHEIRO

Elaborar um novo modelo de lavagem de dinheiro exige que tentemos nos colocar na mente de um criminoso. Nela, veremos o desejo de:

1. Obter sucesso na perpetração de um crime.
2. Evitar a descoberta desse crime.
3. Beneficiar-se do crime.
4. Conservar os produtos do crime.

Resumindo: os criminosos desejam cometer crimes, livrar-se das consequências deles e desfrutar de seus rendimentos. Como Ronnie Biggs, talvez o mais famoso dos ladrões do grande assalto ao trem pagador britânico no início da década de 1960, disse: "O erro, do nosso ponto de vista, foi que tudo estava planejado até dividirmos o dinheiro".[5]

A chave para entender o novo modelo é reconhecer que o sistema financeiro pode ser explorado para ajudar os criminosos a atingir não apenas um, mas sim os quatro objetivos descritos antes. O novo modelo se pareceria com o esquema a seguir:

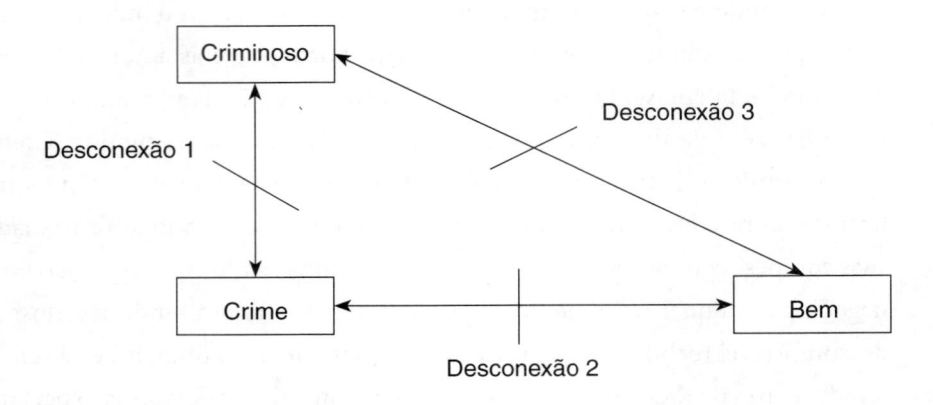

O criminoso, o crime e o bem ficam conectados por três eixos. Cada um dos quatro objetivos do criminoso pode ser atingido utilizando serviços financeiros ao longo de cada eixo para obter diferentes "desconexões". Considere o exemplo a seguir, envolvendo um praticante de fraude que ilude vítimas ingênuas a lhe adiantar dinheiro com vistas a um retorno mais polpudo.

DESCONEXÃO 1

Em vez de cometer a fraude no próprio nome, o fraudador cria uma empresa administrada e controlada em seu nome por um escritório de advocacia. Os e-mails são enviados para as vítimas no nome da empresa. Ao utilizá-la, o fraudador reduz de modo significativo as chances de ser descoberto, pois a atividade fraudulenta tem menor probabilidade de parecer suspeita quando ligada a uma empresa do que a um indivíduo. Esse crime financeiro é muito similar ao perpetrado por um assaltante que toma a precaução de usar luvas para não deixar impressões digitais na cena do crime.

Mesmo que os e-mails fossem identificados como suspeitos, a conexão do criminoso com a empresa precisaria ser estabelecida para que o envolvimento na fraude fosse revelado. Este é um exemplo claro do tipo de favorecimento ao crime por meio de prestação de um serviço financeiro, assunto abordado no Capítulo 1.

DESCONEXÃO 2

Em vez de guardar o produto do crime debaixo do colchão, o fraudador providencia para que a empresa que ele controla abra contas bancárias e de corretagem, para as quais o dinheiro é transferido. Depois, transforma os rendimentos de sua forma original (dinheiro em uma conta bancária) em um iate ancorado preguiçosamente em algum cais mediterrâneo, por meio de uma série de operações com ações e moedas correntes. Torna-se muito difícil conectarmos o iate à fraude devido às inúmeras transações envolvidas.

DESCONEXÃO 3

O fraudador é inteligente o suficiente para saber que não deve arriscar ficar com o iate em seu nome. Reconhecendo o risco de que poderia ser vinculado à fraude por meio do iate caso a origem deste fosse rastreada, ele prefere deter a propriedade do iate por meio de um truste administrado em seu nome por outro truste, detido por um banco privado. Os administradores do truste, por sua vez, são proprietários de uma empresa que atua como proprietária legal registrada do iate. Dessa maneira, a conexão do fraudador com o iate é dissimulada, mas ele consegue desfrutar de um estilo de vida na melhor versão Aristóteles Onassis.

Refiro-me a este modelo de lavagem de dinheiro com as palavras "habilitação, distanciamento e disfarce". Ele abrange uma faixa mais ampla de condutas de favorecimento ao crime e lavagem de dinheiro em relação ao modelo antigo de colocação, ocultação e integração, sendo, portanto, muito mais efetivo para ajudar a identificar o potencial envolvimento do setor financeiro na habilitação de crimes, lavagem dos rendimentos do delito e dissimulação da propriedade de seus resultados.

O novo modelo permite que produtos e serviços financeiros sejam verificados de modo que a completa extensão de sua vulnerabilidade a crimes possa ser avaliada como componente necessário de avaliação do risco de produtos e serviços. Pode ainda ser utilizado para avaliar se a justificativa dada por potenciais clientes sobre as razões de desejarem comprar ou usar um produto ou serviço particular é genuína. Se uma empresa reconhece que um produto é bastante suscetível à exploração criminosa, será preciso aumentar suas defesas e empreender uma diligência mais efetiva para saber se a relação ou transação propostas têm um propósito legítimo. Isso é muito importante, pois, como demonstram vários casos, a pergunta mais eficaz que um profissional da área financeira ou jurídica pode fazer em iniciativas contra o risco de favorecimento ao crime ou a lavagem de dinheiro é: "por quê?". Que vantagem esse produto ou serviço em particular confere ao meu cliente?

VULNERABILIDADES DE PRODUTOS E SERVIÇOS

Como cada produto ou serviço financeiro tem uma série de utilidades legítimas, pode ser muito difícil discernir quando estão sendo explorados. Enquanto um roubo a banco sempre vai se parecer com um roubo a banco, o abuso de um produto, como uma conta bancária ou um fundo de investimento para propósitos de lavagem de dinheiro, pode parecer inofensivo. Alguns produtos e serviços (e, por extensão, as instituições que os oferecem), no entanto, apresentam, por sua própria natureza, maior risco de abuso do que outros, devido à facilidade que proporcionam aos criminosos de obter desconexões. O que se apresenta a seguir não é uma lista completa de produtos e serviços vulneráveis, mas sim uma seleção daqueles que eu testemunhei com mais frequência durante o curso das investigações, tanto *onshore* como *offshore*.

A inclusão desses produtos e serviços não deve ser interpretada como indicação de que sejam ilegais ou intrinsecamente nocivos. Na verdade, trata-se do contrário. A inclusão deles neste capítulo deve-se à sua suscetibilidade a abusos por parte de criminosos que são atraídos a eles por causa de sua legitimidade. De modo geral, as transgressões são muito semelhantes à utilização genuína desses serviços.

Empresas e serviços empresariais

Mencione a palavra "empresa" para a maioria das pessoas, e elas logo pensarão em escritórios, funcionários, ativos e atividades. Na realidade, uma empresa é apenas uma estrutura jurídica representada por diversos documentos importantes — uma ata de associação (documento que rege a relação entre a empresa e o mundo exterior), um contrato social (regras que regem suas operações internas) e, no caso das sociedades anônimas, certificados de ações (para sinalizar quem são seus proprietários). Qualquer pessoa pode ter e gerenciar uma empresa, e, se você tomar essa iniciativa, é possível estabelecer uma empresa com certa facilidade e sem gastar muito dinheiro.

As empresas têm diversas utilidades legítimas, mas também são muito atraentes para criminosos, por três razões: 1) são uma forma de pessoa jurídica legalizada que pode contratar, deter ativos, gerir contas bancárias e ter cartões de crédito em seu próprio nome; 2) podem ser controladas por criminosos, seja no próprio nome ou por indicação de alguém, em geral no estrangeiro; 3) emprestam certo grau de formalidade e respeitabilidade para atividades que, se conduzidas por um indivíduo, podem parecer incomuns e, portanto, bastante suspeitas.

O grau de atração que uma empresa gera para um criminoso se deve a uma série de fatores que dependem da jurisdição em que foi registrada, tais como as regras que regem a participação dos proprietários, a possibilidade de possuir ações (em resumo, um tipo de instrumento que não precisa ser registrado de modo oficial e que é livremente transmissível), a aceitabilidade de diretores e o tipo de sociedade estabelecida.

Quanto menos transparente uma empresa for, mais atraente será para certo tipo de cliente. As Ilhas Virgens Britânicas, por exemplo, têm um número bem maior de registros de empresas se comparado ao de outros centros financeiros internacionais muito maiores. Uma razão provável para esse fato é que os detalhes sobre proprietários, diretores e acionistas de uma empresa nas Ilhas Virgens Britânicas são sigilosos. Além disso, a legislação dessas ilhas permite a diretores e acionistas serem pessoas jurídicas, conferindo camadas extras de sigilo quando esses diretores e acionistas são registrados, digamos, no Panamá ou em outro país com baixos requisitos de acesso. Embora essas características atraiam clientes legítimos com um desejo genuíno de confidencialidade, seu magnetismo para praticantes do crime é óbvio.

A vulnerabilidade das empresas aumenta de modo concreto por meio dos serviços empresariais a elas relacionados. Esses serviços são oferecidos por organizações referidas ora como fundos fiduciários ou sociedades gestoras, ora como fornecedoras de serviços empresariais (dependendo da parte do mundo em que você esteja). Para simplificar, eu me referirei a elas como fornecedoras de serviços empresariais. Todas as empresas são constituídas pelos seguintes personagens: diretores (responsáveis pelo seu gerenciamento e gestão), acionistas ou sócios (os proprietários) e um secretário-geral (responsável pela sua administração).

É necessário também que todas as empresas tenham uma sede registrada na jurisdição em que foram instituídas. As fornecedoras de serviços empresariais vendem os seguintes "serviços empresariais":

- Diretores — as fornecedoras de serviços empresariais utilizam empresas registradas por elas próprias para atuar como diretoras de empresas clientes. Em jurisdições em que os diretores não podem ser pessoas jurídicas, os funcionários das fornecedoras de serviços empresariais atuam como diretores.
- Sede registrada — as fornecedoras de serviços empresariais cedem o próprio escritório para que sirva de sede registrada a empresas clientes.
- Secretários-gerais — as fornecedoras de serviços empresariais utilizam uma empresa específica registrada por elas próprias para atuar como secretária-geral de empresas clientes.
- Acionistas/sócios nominais— as fornecedoras de serviços empresariais utilizam outras empresas registradas por elas próprias para atuar como acionistas ou sócios de empresas clientes sob os termos de um suposto contrato de representação entre os indicados e o beneficiário final.

Uma vez que todos os serviços empresariais disponíveis tenham sido dispostos em uma empresa, o esquema a seguir:

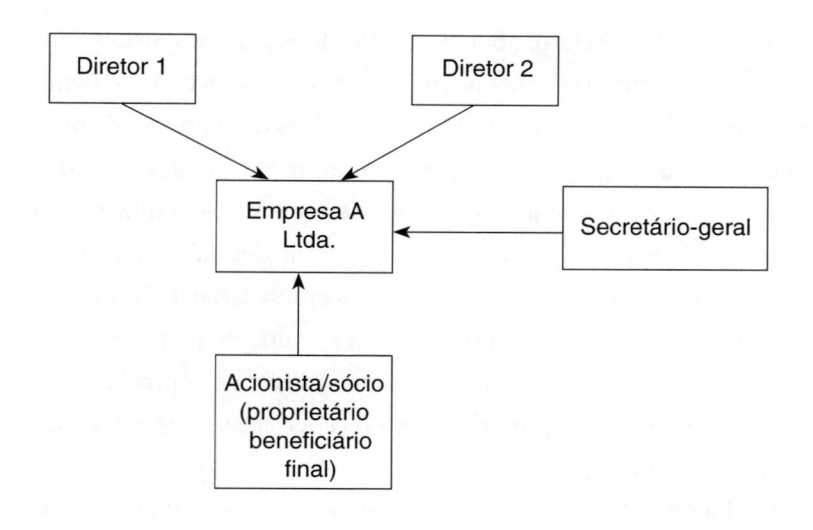

transforma-se em:

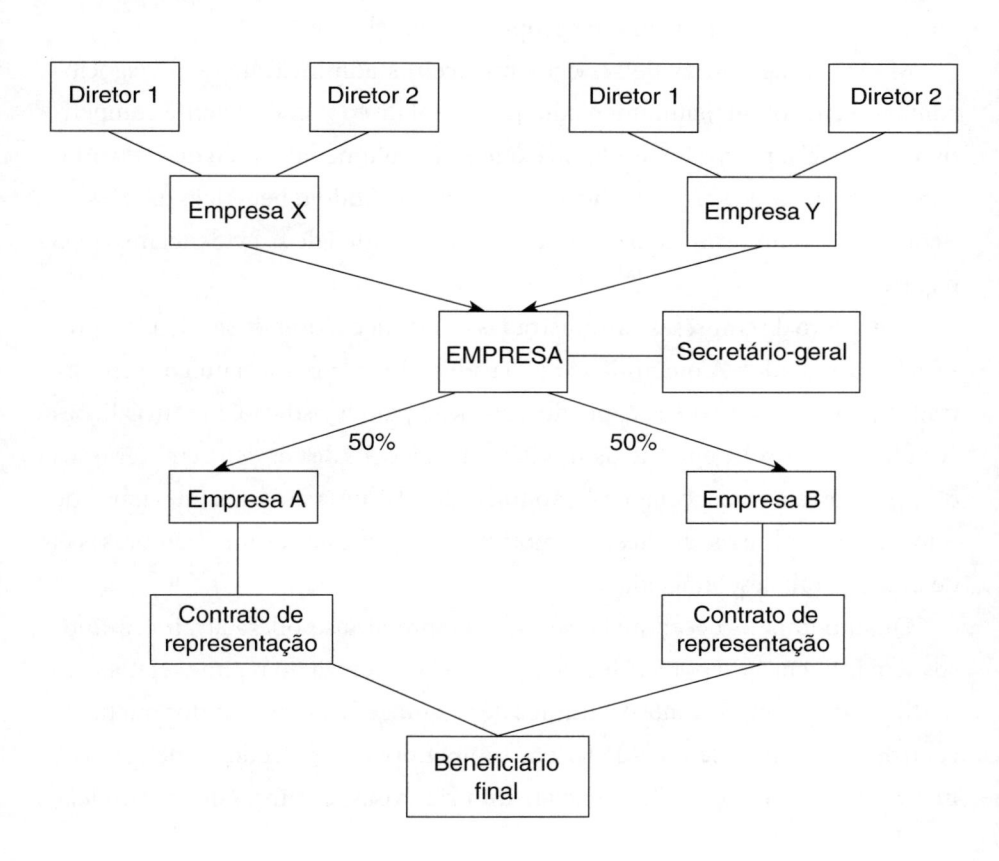

Esses serviços empresariais, é claro, podem ser utilizados para propósitos legítimos, mas a verdade incômoda é que podem criar desconexões entre os beneficiários finais e as empresas usadas na prática de crimes ou na posse de bens derivados do crime. Que pagador de propina, por exemplo, optaria por fazer isso pessoalmente quando consegue criar uma desconexão ao utilizar uma empresa para isso — em particular se essa empresa for detida e controlada, em termos legais, por uma fornecedora de serviços empresariais? Do mesmo modo, que político corrupto arriscaria receber um pagamento de propina em sua conta pessoal quando pode utilizar uma empresa gerida e controlada por uma fornecedora de serviços empresariais para receber em seu nome, sendo possível assim certo grau de negação plausível?

O grau de vulnerabilidade de uma fornecedora de serviços empresariais particular é determinado, sem dúvida, pela maneira como ela executa suas funções, tanto no sentido de prestar serviços às empresas como, antes de mais nada, no de identificar de modo apropriado seus clientes.

Muitas fornecedoras de serviços financeiros administram seus negócios com base em volume, num mercado que, afinal de contas, é bastante competitivo e sensível a preços. O resultado é que esses volumes afetam o desempenho consciente de tarefas, concedendo aos criminosos todo o benefício de possuir e controlar as empresas, algo que pode ser muito difícil de se evidenciar só pela papelada.

O número de empresas administradas por fornecedoras de serviços empresariais é assustador. A quantidade média administrada por um único administrador corporativo varia bastante de jurisdição para jurisdição. Em jurisdições com baixo controle, em que os modelos de negócio de serviços empresariais do tipo "correia transportadora" são tolerados, há uma ausência inevitável de informações sobre os clientes, e o motivo pelo qual estes usam as empresas é, de modo geral, desconhecido.

Quanto uma fornecedora de serviços empresariais poderá atrair criminosos será influenciado por sua localização e pela natureza do regime regulatório que lhe é aplicável. Durante os últimos dez a quinze anos, muitos dos melhores centros financeiros de qualidade têm submetido as fornecedoras de serviços financeiros a obrigações de licenciamento rigorosas, exigindo que sigam leis, regulamentações e códigos de conduta. Como já era esperado, isso tem levado à contração do setor, pois essas fornecedoras de serviços têm procurado as melhores oportunidades e mudado para localidades em que a regulação de serviços empresariais ainda não exista ou seja menos intensa. Assim como a água sempre corre até o ponto mais baixo, os criminosos sempre identificarão os pontos mais fracos do sistema financeiro internacional.

Fundos fiduciários

Ao contrário das empresas, os fundos fiduciários (em inglês, *trust*) não são pessoas jurídicas, mas sim arranjos legais reconhecidos apenas nos países que adotam o *common law* (o sistema jurídico originado no Reino Unido e adotado nos Estados Unidos e em várias ex-colônias britânicas) e vistos com grande ceticismo no resto do mundo. Sua existência em geral se resume a um único documento ou contrato, embora também possam ser matéria de acordo verbal. Os trustes podem existir por força da lei, por exemplo, quando a justiça confia a uma instituição financeira os rendimentos de um crime de corrupção política e atua como administradora desses bens em benefício do país vítima; ou, com mais frequência, pelo desejo expresso do criador do truste.

Há muitos séculos, quando o conceito de truste foi reconhecido na Inglaterra, tinha o objetivo bastante específico de aliviar o rigor da legislação que reconhecia direitos de propriedade muito limitados. Entre outros usos, era sem dúvida um instrumento bem-vindo para proteger os interesses das mulheres nos lares em uma época em que elas eram impedidas, em termos legais, de possuir bens. O conceito permitia ao proprietário registrado de um bem (o "representado") transferir a propriedade legal do bem para outra pessoa (o "administrador") a fim de que este a administrasse para o benefício e desfrute de um ou mais terceiros (os "beneficiários"). Os administradores não raro eram familiares ou amigos, mas, à medida que os trustes foram se tornando mais profissionalizados, introduziu-se a figura dos "curadores", para proteger os interesses do proprietário registrado. A estrutura de um truste é semelhante ao seguinte esquema:

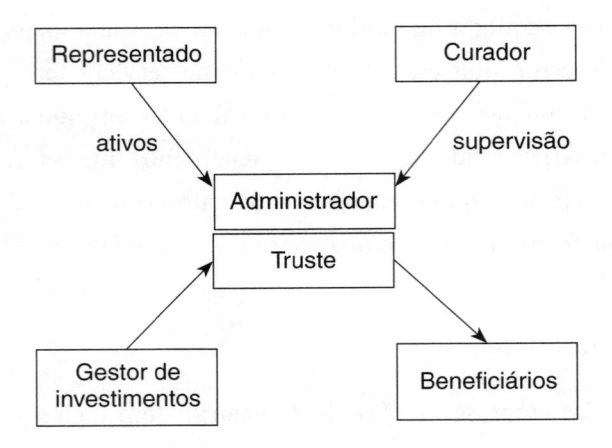

Infelizmente, o conceito truste, originalmente concebido para contornar certas limitações injustas do direito, evoluiu (muitos diriam *involuiu*) a tal ponto que os trustes agora são utilizados em escala industrial para propósitos que guardam pouca semelhança com os ideais originais de equidade e justiça.

Os trustes têm uma variedade de usos legítimos nos planejamentos fiscal e patrimonial e na proteção de ativos, mas os criminosos também são atraídos por eles devido às seguintes razões:

- Na maioria das jurisdições, eles não estão sujeitos a registro. Ao contrário do que acontece com uma empresa, um truste não precisa de registro público para existir.
- Podem permitir aos criminosos se despojarem da propriedade legal de um bem em favor de um administrador, ao mesmo tempo que permitem que se beneficiem, direta ou indiretamente, desse bem por meio de "laranjas".

As mesmas fornecedoras que prestam os serviços empresariais descritos antes especializam-se também em atuar como administradoras de trustes. Assim como ocorre com as empresas, a vulnerabilidade dos trustes à exploração criminosa depende muito do escrúpulo com que a fornecedora de serviços empresariais desempenha seu papel de administradora. Se as responsabilidades são distribuídas com cuidado e atenção, de tal modo que o administrador exercite controle substantivo, não superficial, a oportunidade para exploração criminosa é limitada. Se, no entanto, um truste se contenta em atuar como uma marionete controlada pelo cliente, a possibilidade de abuso criminal é substancial. Mais uma vez, a natureza do ambiente regulador e de supervisão é um fator-chave, e as diferenças de qualidade de jurisdição para jurisdição concorrentes são marcantes, sendo que muitas continuam a não regulamentar a prestação desses serviços.

A portabilidade dos trustes é bastante atrativa para criminosos. Considere o exemplo a seguir.

A ACME Corporate Services International administra uma série de trustes para clientes sul-africanos de seu escritório em Londres. Vários dos clientes estão de fato sonegando impostos e violando controles de capital de seu país. Em 1999, o Reino Unido introduziu a legislação sobre lavagem de dinheiro envolvendo "todos os crimes", legislação essa que reconhecia a fraude fiscal como um suposto crime (ou seja, um crime que geraria uma acusação de lavagem de dinheiro se uma instituição financeira fosse controlar seus rendimentos). A ACME, no entanto, contentou-se (por se beneficiar com isso) com as simples declarações de seus clientes de que estavam pagando todos os impostos devidos. A África do Sul, depois, anuncia anistia fiscal e uma série de clientes contata a ACME, alertando a empresa para o fato de que estavam na verdade praticando sonegação fiscal. A ACME reage transferindo os trustes na madrugada seguinte para o escritório de sua subsidiária suíça, em Genebra. Pela manhã, não há nenhuma pista de que os trustes foram jamais administrados em Londres. Não se pediu às autoridades britânicas consentimento para a transferência, pois a existência de trustes não requer registro público no Reino Unido.

Nos últimos anos, diversos centros financeiros internacionais especializados na administração de trustes desenvolveram novas versões dessa figura jurídica para atrair mais negócios. Esses trustes, entre eles o VISTA, das Ilhas Virgens Britânicas, e o STAR, das Ilhas Cayman, apresentam características que facilitam ainda mais que clientes se beneficiem de desconexões enquanto retêm o controle de ativos subjacentes.

Os capítulos a seguir mostrarão que os trustes não raro são usados junto com empresas ocultas. É muito difícil observarmos um truste isolado em uma estrutura ilícita. Os trustes quase sempre são encontrados no topo da estrutura de bens, com numerosas empresas e subsidiárias abaixo dele. Nessas situações, a estrutura criminosa pode ser semelhante ao esquema a seguir:

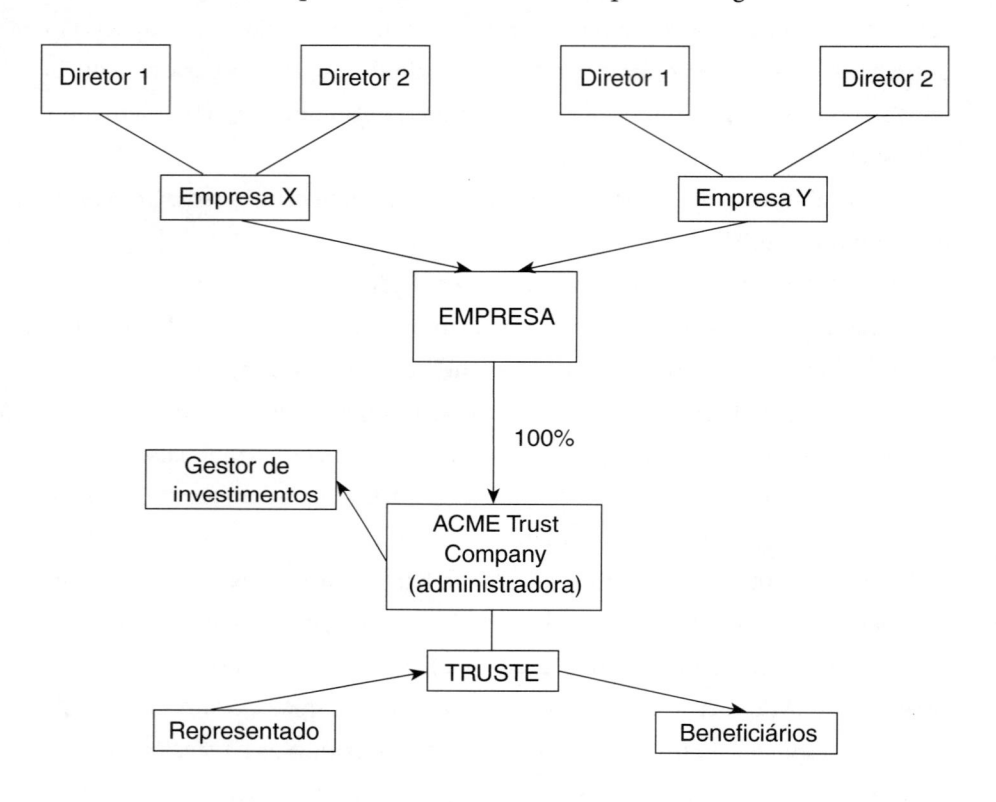

É uma pena que os centros financeiros que reconheceram a vulnerabilidade criminal de serviços empresariais e ligados a trustes, e atuaram para regulá-los de modo adequado, não foram reconhecidos por esses esforços. Tais iniciativas são fundamentais para evitar a dissimulação e a posse de capital criminoso.

Fundações

Até bem pouco tempo atrás, as fundações só existiam em países que adotam o sistema jurídico de *civil law* (os sistemas derivados do direito romano, como o do Brasil); mas, em um desenvolvimento curioso que ilustra a competição acirrada existente entre centros financeiros internacionais, algumas jurisdições que seguem o *common law* (cuja origem é britânica) introduziram leis que permitem o estabelecimento de fundações.

Como uma empresa, uma fundação pode parecer algo que não é. Para muitas pessoas, a fundação é uma estrutura existente para fins beneficentes, tal como a Fundação Bill e Melinda Gates (Bill & Melinda Gates Foundation), mas na prática uma fundação pode existir para um fim puramente comercial.

As regras para as fundações diferem de jurisdição para jurisdição, porém, para os propósitos desta análise, as fundações privadas em jurisdições que seguem o *civil law*, tais como Liechtenstein e Luxemburgo, apresentam maior grau de suscetibilidade a abusos criminais, pois combinam elementos das empresas e dos trustes. Tal como os trustes, não são sujeitas a registro público, mas, como as empresas, são pessoas jurídicas com sua própria organização interna. Têm o benefício da personalidade jurídica sem a inconveniência de sua existência requerer um registro público.

O objetivo de uma fundação é atingir um propósito específico por meio de dotação feita por uma pessoa conhecida como "fundador" ou "doador". Cada fundação é controlada por um "conselho", semelhante ao conselho de uma empresa ou ao administrador de um truste. A dotação (patrimônio) dentro da fundação é aplicada em prol dos "beneficiários". Uma fundação pode ser estruturada como segue:

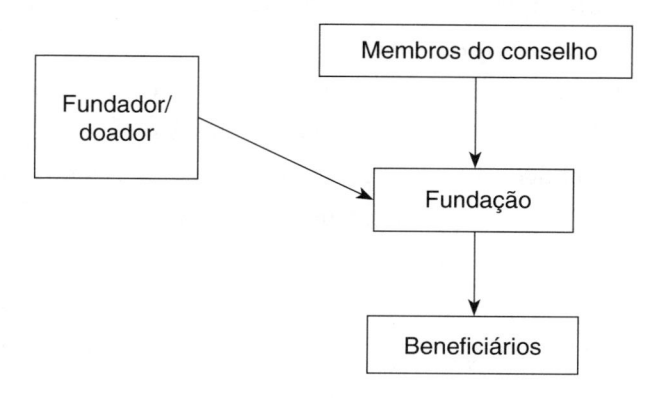

Assim como empresas e trustes, as fundações têm uma ampla variedade de aplicações legítimas — no planejamento de sucessões, por exemplo. Mas sua vulnerabilidade à exploração criminosa é óbvia, devido ao potencial para serem utilizadas por criminosos a fim de disfarçar a propriedade patrimonial, embora retendo de fato o controle sobre o patrimônio.

Contas bancárias

Por razões de segurança, conveniência e necessidade, quase todos os adultos no mundo desenvolvido têm ao menos uma conta bancária. Até em países em desenvolvimento, tais como a Índia, que, segundo se alega, tem baixo índice de inclusão financeira, o crescimento do número de contas bancárias nos últimos anos tem sido muito rápido, com cerca de 700 milhões de uma população de 1,2 bilhão tendo contas-poupança. Uma conta bancária pode parecer bastante inofensiva, mas é capaz de permitir que seu detentor acesse o sistema financeiro e bancário globais. Com uma conta bancária, é possível, por meio de um processo eletrônico, transferir dinheiro a qualquer pessoa, em qualquer local, em um milissegundo. Trata-se de um recurso bastante efetivo pelo qual se pode receber, depositar ou transferir valores.

Antigamente, os próprios clientes iam ao banco movimentar suas contas, dando aos funcionários a possibilidade de conhecê-los pessoalmente e concluir se eram idôneos. Paradoxalmente, porém, desde a introdução de leis para prevenir a lavagem de dinheiro, as contas bancárias são movimentadas de maneira totalmente diferente. É provável que muitos clientes nem vão mais ao banco, preferindo em vez disso gerenciar suas contas de modo não presencial, seja utilizando caixas eletrônicos automáticos para depositar ou sacar, ou controlando as contas pela internet ou por celular. A operação virtual de contas bancárias as tem deixado suscetíveis à manipulação por partes desconhecidas. Estudantes estrangeiros que "vendem" suas contas bancárias no Reino Unido depois de regressarem ao seu país de origem, quando finalizam seu curso, fazem isso entregando o cartão do caixa eletrônico, bem como *logins* de contas on-line, a quem lhes pague mais, possibilitando assim que potenciais terroristas acessem com facilidade o sistema financeiro global.

Algumas contas bancárias são oferecidas com detalhes opcionais, entre eles a retenção ou a não emissão de correspondência. O *hold mail service* obriga o banco a não enviar correspondência ao cliente, mas sim a retê-la para coleta.

O *no mail service* obriga o banco a não emitir correspondências. Esses serviços podem ser valiosos para um cliente que seja de fato paranoico, mas com certeza são muito valiosos também para criminosos. Uma pessoa que deseje criar desconexões talvez não queira correr o risco de ser interceptada por agentes da lei, ou mesmo por qualquer outro terceiro, e de ser descoberta como destinatária de correspondência de bancos no exterior. Um meio alternativo de atingir o mesmo objetivo envolve a utilização de contas numeradas oferecidas por bancos na Suíça e no Oriente Médio. Essas contas não levam o nome do cliente, mas sim um número e uma senha. O cliente consegue identificar-se ao banco como tal pela informação do número e da senha. Apesar de os funcionários de bancos suíços agora serem obrigados a verificar a identidade dos detentores de contas numeradas, elas são preferidas por criminosos quando em comparação com as contas regulares devido à camada adicional de disfarce que oferecem.

Contas correspondentes

Uma conta correspondente é, em essência, uma conta mantida por um banco para uso de outro. Em geral, são mais utilizadas por bancos estrangeiros com capacidade de pagar e receber fundos na moeda do país em que a conta correspondente está localizada. Com isso, possibilitam que os bancos estrangeiros recebam e transfiram fundos por meio delas, e ofereçam empréstimos e depósitos aos clientes em suas moedas correntes.

Atividades com essas contas fazem uso do sistema SWIFT, que envia "mensagens" para passar instruções às instituições financeiras envolvidas em uma transferência de pagamento. As mensagens "MT103", por exemplo, dão instrução para uma transferência internacional de um único pagamento, do banco originador ao banco beneficiário. As mensagens "MT210" são simples avisos para o recebimento de fundos. A figura a seguir apresenta uma cadeia comum de eventos em operações desse tipo, em que um Cliente 1 deseja pagar ao Cliente 2 em dólares, quando eles, e seus bancos locais, estão localizados fora dos Estados Unidos:

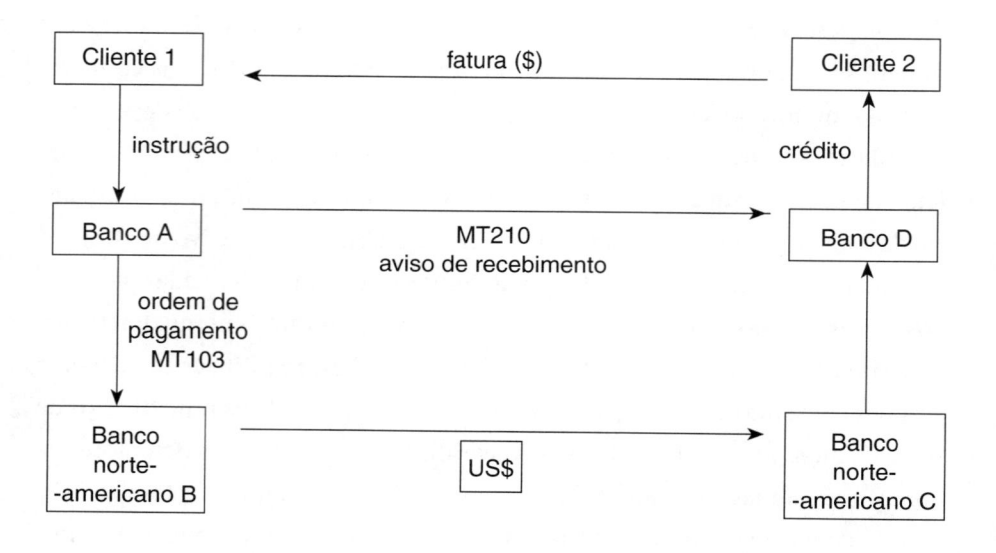

Como o dólar americano é, de fato, a moeda-reserva mundial, todos os bancos devem ter acesso a ele para que seus clientes possam transferir e receber dinheiro nessa moeda. Os bancos não norte-americanos fazem isso mantendo contas correspondentes com bancos norte-americanos. A capacidade de os bancos estrangeiros terem acesso ao dólar americano causou enorme consternação nos Estados Unidos cerca de uma década atrás, com a preocupação expressa pelo Senado de que as contas correspondentes fossem uma porta de entrada no sistema financeiro norte-americano para os criminosos que lavavam dinheiro.[6] Essa preocupação se somou a outras desde então, com numerosos exemplos de bancos estrangeiros que operam em dólares americanos com inimigos dos Estados Unidos sob sanção do OFAC (essas transgressões serão examinadas em mais detalhes no Capítulo 9).

Ao longo do tempo, embora não tanto hoje em dia, as contas correspondentes eram vulneráveis a exploração por parte de bancos fictícios controlados por criminosos. Bancos fictícios são entidades que detêm licença bancária em centros pouco regulamentados nos quais não têm presença física. Em geral, não possuem nada concreto, seja na forma de instalações ou de funcionários. Conseguem trabalhar como bancos apenas em virtude das correspondentes facilidades dadas a eles por bancos reais. Embora ainda seja possível instituir e possuir bancos fictícios registrados em jurisdições como Antígua, por exemplo, os bancos nos Estados Unidos e no Reino Unido agora são proibidos de administrar contas correspondentes para bancos fictícios, sendo obrigados a conduzir a devida diligência de investigação sobre todos os bancos com quem trocam serviços.

Permanece, no entanto, o perigo de que bancos fictícios continuem a acessar o sistema financeiro global através das contas correspondentes que mantêm com bancos em jurisdições bem menos regulamentadas. Esses bancos, por sua vez, fornecem a bancos fictícios acesso indireto ao sistema bancário global através de suas relações comerciais de contas correspondentes com bancos norte-americanos e europeus.

Empréstimos

Os empréstimos parecem ser, à primeira vista, inofensivos, mas em sua forma mais simples são suscetíveis a exploração pelo crime. Várias instituições, algumas mais regulamentadas do que outras, oferecem inúmeros tipos de empréstimo. Empresas de cartões de crédito, de empréstimos consignados, bancos, *leasings* e financeiras oferecem empréstimos que, por sua vez, podem sofrer abuso pela utilização dos seguintes métodos:

1. Um criminoso consegue um empréstimo para comprar um bem imóvel. O empréstimo é pago ao longo do tempo com rendimentos provenientes do crime. Assim, mediante o esquema de empréstimo, ele transformou o produto do crime em um direito preferencial à aquisição do título legítimo de propriedade sobre um bem imóvel.
2. Um criminoso utiliza um bem advindo de crime como garantia para a antecipação de um empréstimo bancário. Ao fazer isso, ele transforma o dinheiro proveniente de crime em rendimentos do empréstimo feito por uma instituição financeira legítima, que, de forma hábil, fornece uma fonte "limpa" de fundos.

Cartões de crédito e de débito diferido*

Desconsiderando-se todos os benefícios adicionais, tais como milhagem aérea e descontos em lojas, os cartões de crédito não passam de mecanismos pelos quais seus detentores gastam dinheiro que não têm, tomando-o emprestado a taxas de juros extorsivas. Os cartões de débito em geral têm de ser quitados por completo a cada mês. Ao contrário de maletas cheias de dinheiro, os cartões de crédito e de débito cruzam fronteiras sem levantar suspeitas. Podem ser utilizados em qualquer local do mundo, não apenas em instituições financeiras, mas também em lojas de varejo, hotéis, restaurantes, agências de viagem e atividades de serviços financeiros. Em resumo, com um cartão de crédito, você pode ir a qualquer lugar que desejar e, contanto que o limite de crédito seja alto, fazer o que quiser.

Além de mobilidade e conveniência, os cartões de crédito também são vulneráveis à exploração criminosa, pois podem estar registrados no nome de uma pessoa, mas ser utilizados por outra. Antes, isso exigia que o usuário falsificasse a assinatura do detentor do cartão, mas, com o advento da tecnologia do "chip and pin", o usuário só precisa saber um código de quatro dígitos. Na verdade, com um número de cartão de crédito, a data de validade e o código de segurança, o usuário pode fazer operações pela internet ou por telefone sem nem mesmo estar de posse do cartão. Como meio de armazenagem e transferência de valor, os cartões de crédito e de débito são ferramentas muito eficientes exploradas por criminosos.

Fundos de investimento

Os fundos de investimento são grandes *pools* de capital arrecadado por investidores e administrado, em nome deles, por profissionais de investimento

---

* O cartão de débito diferido é um cartão de crédito e, como tal, tem associado um limite máximo de crédito (*plafond*). Este tipo de cartão permite a realização de levantamentos de dinheiro e pagamentos de compras sem que isso se reflita imediatamente no saldo da conta de depósito à ordem.

Os valores utilizados com o cartão de débito diferido são pagos numa data acordada entre o cliente e a instituição, não havendo lugar ao pagamento de juros. Ou seja, é equivalente a um cartão de crédito em que o cliente paga sempre a totalidade do montante utilizado (não estando, por isso, sujeito ao pagamento de juros).

que seguem uma estratégia particular, como iniciar um potencial fundo. Os investidores aplicam seu dinheiro ganho a duras penas, pagam uma taxa (em geral calculada como porcentagem do montante investido, mais uma taxa de desempenho) e rezam para que, eventualmente, obtenham um retorno maior do que foi investido. Há dezenas de milhares de fundos de investimento pelo mundo afora, aplicados em uma vasta série de diferentes classes de ativos, sendo gerenciados por milhares de gestores de investimentos. Trata-se de uma indústria gigantesca. De acordo com o estudo Pensions & Investments/Towers Watson World 500, os quinhentos maiores gestores de fundos do mundo administram cerca de US$ 68 trilhões de ativos.[7] Há diversos tipos de fundo de investimento, classificados de acordo com as espécies de ativos (fundos de obrigações, fundos de *equity*, fundos de bens imobiliários etc.), mercados (Ásia, Europa, países emergentes etc.), ou estruturas internas (empresa de célula protegida, empresa de célula incorporada* etc.).

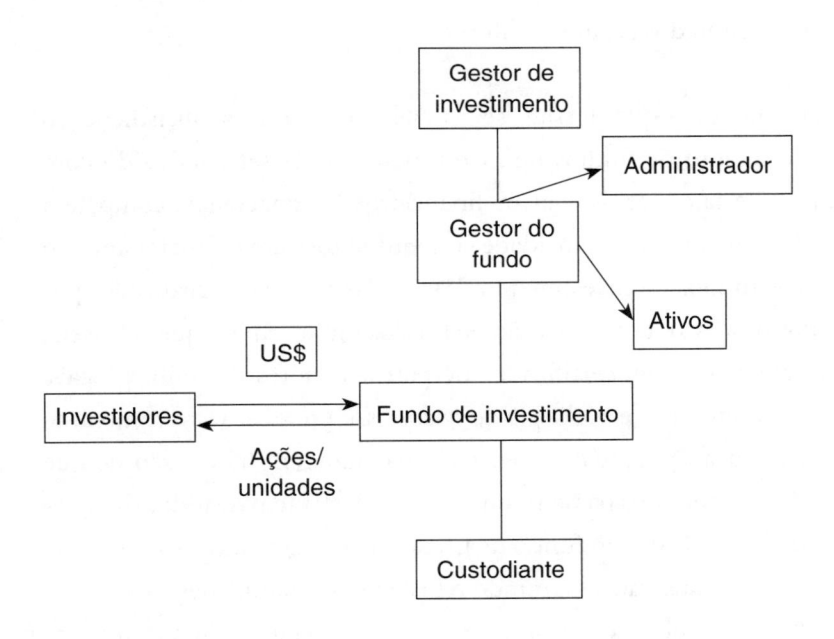

---

* Em inglês: Protected Cell Company (PCC) e Incorporated Cell Company (ICC). (N.T.)

Cada fundo de investimento, que pode assumir a forma de uma empresa, uma sociedade ou um truste, opera por meio dos chamados "funcionários" — um custodiante (responsável pela custódia dos ativos do fundo), um administrador (responsável pela administração do fundo), um gestor (em geral responsável pela promoção dos fundos) e um gestor/consultor de investimento (profissionais responsáveis pela tomada de decisões de investimento). As posições dos funcionários em relação ao fundo de investimento podem assumir o esquema a seguir:

Mais uma vez, nesse caso a percepção desempenha um papel importante. Para a maioria das pessoas, o termo "fundo de investimento" evoca a imagem de uma estrutura monolítica gerenciada por um dos grandes nomes do mercado, como Fidelity ou Blackrock, mas, na realidade, vários fundos de investimento são geridos por diversos *players* menores, bem menos capazes de resistir à atenção dos criminosos.

Os fundos parecem bastante inofensivos, em particular quando comercializados em prospectos chamativos, mas podem ser bastante suscetíveis a transgressões, dependendo dos seguintes fatores:

- A facilidade com que possam se estabelecer. Em certas jurisdições, o estabelecimento de fundos de investimento pode ser conduzido com rapidez. De fato, vários centros financeiros internacionais competem parcialmente quanto à velocidade com que autorizam o funcionamento de novos fundos de investimento. Várias das mesmas jurisdições aplicam um processo de autorização de fundos muito rápido que se baseia, em essência, em autocertificados de patrocinadores de fundos locais. Em certos cenários de avaliação de riscos, isso pode ser visto como uma regulamentação pragmática, sensível, mas também há o risco de que indivíduos maliciosos passem sob o radar e desfrutem de todos os benefícios do controle de um fundo de investimento. Quando isso acontece, eles desviam a atenção, assumindo o disfarce de instituições.
- Se permitem títulos ao portador. Enquanto os centros financeiros internacionais mais respeitáveis aboliram a arriscada figura dos títulos ao portador na década de 1990, ainda há estruturas de fundos de investimento geridas, por exemplo, em Luxemburgo que emitem esses tipos

de título. Isso significa que a propriedade dos títulos não é registrada e pode ser transferida sem nenhum esforço.

- As regras que regem os resgates de cotas ou unidades. Se um fundo permite aos investidores resgatar seus investimentos para terceiros, há o risco de que o resgate possa ser em favor de um criminoso ou de uma pessoa controlada por criminosos.
- As regras que regem a transferência de cotas ou unidades. Se um fundo permite aos investidores direcionar um novo registro de suas cotas ou unidades a terceiros, então, mais uma vez, a transferência pode ser feita em favor de um criminoso ou de seus parceiros.

Como será mostrado nos próximos capítulos, a vulnerabilidade dos fundos de investimento é ditada em grande parte pela facilidade com que podem ser usados como mecanismo para a transferência de valores entre duas ou mais partes, permitindo com isso que criminosos transfiram dinheiro a seus parceiros em troca de bens ou serviços ilícitos.

Contudo, eles também podem ser utilizados como veículos para o favorecimento de crimes financeiros acessórios, como, por exemplo:

1. *Front running* — um funcionário ou diretor de um fundo utiliza o conhecimento de ordens pendentes de clientes para executar operações no fundo para benefício próprio.
2. *Insider dealing* — o gestor de um fundo e seus parceiros têm conhecimento e acesso a informações sigilosas de preços.
3. *Warehousing* — uma administradora de fundos está envolvida em uma aquisição de empresa e, em vez de utilizar o próprio capital, direciona seus fundos para construir uma participação substancial na empresa-alvo. Para ocultar o acúmulo de ações, o volume de investimentos será exatamente aquém de uma quantia mínima de divulgação obrigatória.
4. Novas emissões — uma gestora de fundos pode receber uma proposta para participar da compra de uma nova emissão de ações. Ela terá o direito de alocá-las entre os próprios fundos. É relativamente fácil para um gestor alavancar o desempenho de qualquer fundo pela alocação

de novas emissões a ele à custa de outros fundos elegíveis, inflando, assim, de modo artificial, suas taxas de desempenho.

Cartas de crédito

A carta de crédito é, em essência, um documento emitido por um banco que garante a um fornecedor ser pago por seus produtos, desde que certas condições sejam atendidas. O risco de que o comprador deixe de pagar é transferido do vendedor para o banco emissor da carta de crédito. Alega-se com frequência que as cartas de crédito lubrificam as engrenagens do comércio internacional. Elas aparentam ser inofensivas, mas aparecem com regularidade em esquemas de lavagem de dinheiro com base em operações comerciais nas quais o bem derivado de um crime é transferido com o cumprimento dos termos de uma carta de crédito em circunstâncias em que, de fato, não ocorreu nenhuma operação. Como o emissor de uma carta de crédito está muito distante do local da suposta operação comercial, ele confia numa prova documental, que pode ser falsificada com facilidade. A lavagem de dinheiro por intermédio de financiamentos comerciais, em geral envolvendo cartas de crédito, pode ser obtida das seguintes maneiras:

1. Superfaturamento: superestimar o preço dos produtos como meio de transferir fundos ao vendedor sob cobertura da operação. Obtém-se resultado semelhante se o fornecedor embarcar menos produtos do que o estabelecido na documentação da operação.
2. Subfaturamento: subestimar o preço dos produtos como meio de o comprador obter valor sob cobertura da operação. Obtém-se resultado semelhante se o fornecedor embarcar mais produtos do que o estabelecido na documentação da operação.
3. Embarque-fantasma: isso ocorre quando não há transporte de produtos e toda a documentação da operação é falsificada, mas avalizada por um banco ao transferir fundos lastreados por uma carta de crédito.

Advogados

Os advogados são profissionais bem posicionados para favorecer crimes e lavar dinheiro. Eles têm perícia técnica suficiente para esboçar e implantar operações financeiras complexas. Movimentam contas de clientes com largas somas de dinheiro, que podem capacitá-los a oferecer uma espécie de serviço bancário a seus clientes. São respeitados pelos fornecedores de serviços financeiros e encarados como indivíduos acima de qualquer suspeita. Por essas razões, têm sido descritos como potenciais "portas de entrada" de operações financeiras ilícitas.

As investigações têm ilustrado o envolvimento de advogados em lavagens de dinheiro em, pelo menos, quatro aspectos:

1. O advogado "escroque", que permite que a conta do cliente seja usada para abrigar ou canalizar fundos ilícitos.
2. O advogado que atua como conselheiro de criminosos, elaborando documentos e montando estruturas sem se importar com o fato de estar ajudando seu cliente a obter algo ilegal.
3. O advogado que não favorece crimes, mas cujas instruções visam questões como sigilo bancário, ao mesmo tempo que fecha os olhos para a ambição criminosa latente de seu cliente.
4. O advogado que é dono e diretor de uma empresa de prestação de serviços empresariais associada à sua firma de advocacia.

O grau de sigilo quanto às comunicações entre um advogado e seu cliente difere de modo significativo de jurisdição para jurisdição. Na maior parte das jurisdições que seguem o *common law*, as comunicações entre advogado e cliente elaboradas para incentivar um empreendimento criminoso não são sigilosas. Em outras jurisdições, as regras são mais rigorosas.

Em muitas jurisdições, regras contra a lavagem de dinheiro para advogados aplicam-se apenas a algumas áreas de sua prática, tais como transferência de propriedades e operações com ativos de clientes. Limitações como essas — que existem com base no modelo antigo de lavagem de dinheiro — podem dificultar muito um controle mais rígido das atividades de um advogado por parte das autoridades.

Relações com bancos privados

Os bancos privados, ao contrário dos bancos de investimento e varejistas, oferecem a Indivíduos com Alto Patrimônio Líquido (High Net Worth Individuals, HNWIs) um atendimento disponibilizado por um gerente de relacionamento dedicado, além de um vasto leque de serviços e produtos concebidos para corresponder a várias necessidades desses indivíduos. Entre os serviços e produtos não estão apenas operações bancárias, mas também gestão de investimentos, seguros e administração e gestão internacional de estruturas de gerenciamento de riquezas (em geral na forma de empresas, trustes e fundações). Os requisitos mínimos são um determinado patrimônio líquido, um depósito mínimo para a abertura da conta ou um saldo médio mínimo que possa variar de dezenas de milhares a milhões de dólares — ou ainda uma combinação dessas coisas.

Tendo acumulado muito dinheiro, a maioria dos HNWIs passa a maior parte do tempo se preocupando em não perdê-lo. Os bancos privados são direcionados para ajudá-los a guardar esses montantes e fazê-los crescer. De modo tradicional, e em grande proporção, os bancos privados também oferecem o fascínio (embora nem sempre real) da confidencialidade e da discrição. Os bancos privados suíços se beneficiam de um histórico de sigilo de operações bancárias suíças e, por longo tempo, pautaram-se nessa linha, mas bancos privados em muitos países-membros da União Europeia também têm buscado enfatizar a discrição com a qual desejam tratar os negócios de seus clientes.

A vulnerabilidade do sistema bancário privado deriva de duas fontes: primeiro, a natureza dos clientes que o setor atrai como resultado da ênfase colocada no serviço e na discrição; e, segundo, a disposição dos bancos privados em acomodar os desejos dos clientes por causa da forte ênfase no serviço ao cliente. Os HNWIs abrangem vários tipos de pessoas, mas as mais problemáticas são as Pessoas Politicamente Expostas (Politically Exposed Persons, PEPs), tais como políticos, seus familiares e sócios, bem como outros indivíduos abastados sob risco de envolvimento em propina e corrupção, entre eles militares de alta patente, membros do Judiciário e servidores públicos de alto escalão. No Capítulo 5, examinarei exemplos de favorecimento ao suborno e à lavagem de dinheiro por parte de bancos privados em favor de PEPs.

Todos os gerentes de bancos privados estão sob pressão para manter relacionamentos lucrativos, nem sempre sentindo-se confortáveis com a necessidade de investigar com a devida diligência os clientes "valiosos" para garantir a probidade. Poucos gerentes de relacionamento atentos ao progresso da própria carreira se esquecem do perigo de prejudicar relacionamentos com HNWIs se examinarem em detalhes os negócios de seus clientes e criarem uma atmosfera de desconfiança. Perguntas como "De onde vem o dinheiro?", "O que esses fundos representam?", "Qual é o destino deles?" e "Por que estão sendo transferidos?" enfraquecem o relacionamento entre o gerente de um banco privado e seu cliente. Isso pode ser bastante problemático em certas culturas, nas quais fazer tais perguntas pode ser equivalente a acusar um cliente de improbidade. O resultado é que o grau de devida diligência que alguns gerentes de bancos privados seguem é inversamente proporcional ao grau de risco apresentado por clientes que lavam dinheiro. Afinal, que gerente de banco privado quer ser responsável por colocar em risco o relacionamento multimilionário de seu empregador com o sobrinho do presidente de um país africano rico em petróleo, pela vontade de fazer uma ou duas perguntas de devida diligência sobre a origem dos fundos ou o que eles representam?

Títulos

Os títulos têm as mais variadas formas e tamanhos: *equities*, obrigações, certificados de depósito, letras de câmbio, fundos de investimento, fundos mútuos, opções, futuros, *swaps* de *default* de crédito, para citar apenas alguns. No conjunto, eles apresentam uma oportunidade muito favorável para quem lava dinheiro, por duas razões: 1) o mercado de títulos é enorme, criando com isso a oportunidade de fazer operações impossíveis de se identificar por meios virtuais, diante dos bilhões de operações realizados todos os dias nos mercados primário e secundário pelo mundo afora; e 2) o mercado é bastante diverso, envolvendo dezenas de diferentes tipos de títulos que podem ser comprados e vendidos com facilidade em âmbito internacional, criando, portanto, um rastro de auditoria impossível de ser seguido por meios virtuais, uma vez que pode ser muito difícil vincular os títulos à criminalidade.

O mercado de títulos pode ser usado tanto para se cometerem certos crimes (por exemplo, manipulação de mercados, fraudes e obtenção de informações privilegiadas) quanto para lavagem de rendimentos provenientes de outros crimes. Exemplos de títulos usados para uma ou outra dessas finalidades são apresentados a seguir:

1. Ações de baixo preço: o Capítulo 10 mostra que as ações de baixo preço a caminho de entrarem nas listagens da bolsa representam um tipo de título de baixo valor vulnerável a abuso por parte de criminosos. O cenário desse capítulo apresenta apenas um exemplo de como a manipulação do valor de ações de baixo preço listadas publicamente favorece a evasão fiscal. Esses tipos de título também são usados para fins de lavagem de fundos: um criminoso pode adquirir essas ações com os rendimentos do crime e, depois, vendê-las quando estiverem listadas na bolsa, conferindo-lhes uma recém-adquirida aura de legitimidade.

2. Títulos ao portador: os títulos ao portador representam uma ameaça ao sistema financeiro devido ao anonimato e à facilidade de transferência. Os rendimentos do crime podem ser introduzidos no sistema financeiro pela aquisição desses títulos, que podem ser transferidos para terceiros sem a necessidade de que uma instituição financeira solicite informações sobre o cliente.

3. Contratos de seguro: um criminoso pode investir uma quantia uma única vez em uma faixa de títulos, tais como um fundo mútuo ou um fundo de investimento, por meio de produtos oferecidos por seguradoras. O "período de experiência" inerente a esses produtos oferece uma oportunidade para os criminosos adquirirem um contrato com fundos ilícitos e, alguns dias depois, pedir ao segurador que lhes reembolse o dinheiro, gerando assim, com rapidez, dinheiro "limpo".

4. Títulos negociados na internet: as operações com títulos pela internet são um setor em crescimento, e a diminuição de custos associados à obtenção de uma licença para uma plataforma operacional tem ampliado o número de investidores. Tem havido denúncias de criminosos que se passam por negociadores de títulos, ludibriando investidores com a montagem de uma plataforma operacional on-line utilizando uma empresa registrada em uma jurisdição de fraco controle. Os riscos também aumentam devido às dificuldades de coletar informações abrangentes e legítimas sobre as pessoas envolvidas em operações que exigem tão pouca interação presencial.

5. Operações com títulos: a atividade geral de compra e venda de títulos é vulnerável a crimes de uso de informação privilegiada. Quando uma pessoa detém informação privilegiada que afetará o valor das ações e resolve agir com base nesse conhecimento, haverá lucros ilegais significativos.

Uma figura importante no mercado de títulos é a do corretor ou operador. A própria natureza de sua função acarreta um apanhado de vulnerabilidades, não por causa da disponibilidade ou da posição vantajosa para se engajar em qualquer delito, e sim devido a hipóteses equivocadas feitas pelo corretor/operador. Um exemplo clássico disso está relacionado aos protocolos de verificação sobre os clientes, que várias corretoras/operadores vão presumir terem sido preenchidas de forma satisfatória por uma instituição financeira que já abriu uma conta em nome de seu cliente.

Moedas digitais

O surgimento e crescimento da internet nos últimos vinte anos, bem como a rápida conectividade, têm catalisado o desenvolvimento de moedas digitais (às vezes também chamadas dinheiro eletrônico ou moedas virtuais). Assim como as convencionais, as moedas digitais são meios de troca que podem ser utilizados para comprar produtos ou serviços. A relativa simplicidade das moedas digitais aumenta sua atração para criminosos — ao contrário das moedas convencionais, elas não deixam um rastro documental para as agências reguladoras seguirem e, no caso das moedas digitais descentralizadas, os registros de operação não são mantidos pelo intermediário, tornando bastante difíceis quaisquer investigações sobre uma eventual transgressão. Uma moeda digital descentralizada em particular, o *bitcoin*, ganhou notoriedade mundial. Os *bitcoins* são moedas digitais que podem ser enviadas de uma pessoa a outra sem a necessidade de se lidar com uma instituição financeira, um banco ou uma empresa de cartão de crédito, reduzindo assim os custos de operação para os usuários. Isso torna os *bitcoins* muito atraentes para os operadores on-line, que não raro têm de absorver de 2% a 3% em tarifas de transação por cartão de crédito.

Embora todas as moedas digitais sejam vulneráveis a exploração criminosa pelo simples fato de constituírem meios anônimos de troca — você me dá drogas e eu lhe dou moedas digitais para gastar —, até há pouco tempo os pontos de contato entre as moedas digitais e as convencionais eram poucos, tornando a complexa conversão de moedas digitais em convencionais e, portanto, menos ideal sob a perspectiva de lavagem de dinheiro. No entanto, como os *bitcoins* podem ser — e são — trocados por moedas convencionais, como dólares americanos e libras esterlinas, são considerados em certas áreas como particularmente vulneráveis não apenas à exploração em atividades ilícitas on-line, mas também ao favorecimento ao crime fora da web. Essa preocupação é bem fundamentada, pois o *bitcoin* impõe barreiras muito baixas para a entrada ou o acesso de eventuais criminosos e permite que qualquer usuário faça transferências de valores em nanossegundos enquanto continua anônimo. A ocultação é fácil, por meio de uma miríade de endereços diferentes de *bitcoin* antes de pagar produtos, serviços ou moedas convencionais. O universo do dinheiro eletrônico é um paraíso para quem lava dinheiro.

Sistema informal de transferência

O *hawala* ou *hundi* é um sistema antigo e muito usado de transferência de valores, que se originou no Oriente Médio. Possibilita a transferência de valor sem o movimento eletrônico ou físico do dinheiro, graças à existência de dois corretores (*halawadares*), um no país de origem e outro no país de destino. A pessoa que envia os fundos entrega-os ao *hawaladar*, que, por sua vez, contata um companheiro *halawadar* no país de destino. Eles combinam os detalhes e determinam um código, e então o destinatário procura o segundo *halawadar*, que lhe dá a soma de dinheiro. O valor foi transferido, mas o dinheiro não atravessou fronteiras. De modo periódico, os dois *hawaladares* compensam as duas contas com operações em direção oposta ou com transferências ocasionais de dinheiro.

Os sistemas *hawala* são operados no mundo todo por empresas como a Al Barakat e a Dahabshiil, sendo particularmente comuns nos países em que não há outro meio de transferência de dinheiro, como a Somália. Os 750 mil somalis que vivem na América do Norte, Europa, Austrália, Nova Zelândia e nos países do Golfo supostamente enviam cerca de US$ 1,3 bilhão para a Somália através desses tipos de empresa de transferência de valores.[8] Esse número representa cerca de um quarto da renda interna do país.

Escritórios dessas empresas perfeitamente lícitas são comuns nas ruas de comércio popular do Reino Unido, que concentram uma enorme quantidade de imigrantes, seus clientes. Embora as regulamentações desses sistemas de transferência estejam aumentando (em 2010, a Dahabshiil recebeu autorização da FSA no Reino Unido) e exija-se que todos os *hawalas* sejam registrados, a transferência de fundos desse modo ainda tem probabilidade muito menor de atrair um exame detalhado do que se fosse feita por um banco convencional. No Capítulo 6, examinarei um cenário que envolve a exploração criminosa do *hawala* para transferir fundos da Somália para os Estados Unidos. Embora o exemplo apresentado nesse capítulo seja hipotético, o Capítulo 8 demonstrará como os riscos representados por esses sistemas de transferência deixaram alguns dirigentes de bancos muito nervosos ao se relacionar com essas atividades.

CAPÍTULO 3

DICOTOMIA
ONSHORE/OFFSHORE

Como as jurisdições coloquialmente chamadas de centros *offshore* são acusadas de atrair mais capital criminoso do que os centros *onshore*, temos de examinar as semelhanças e diferenças entre elas. As críticas de que centros *offshore* são controlados por piratas dos tempos modernos têm ou não fundamento?

Um dos principais desafios é ir além do enorme volume de retórica que o debate político gerou. Trata-se, de modo inquestionável, de uma discussão polarizada, com ambos os lados entrincheirados em suas opiniões. De um lado, encontramos uma grande parte da mídia dominante e de ONGs denunciando jurisdições *offshore* como perniciosas. À época do colapso financeiro de 2008, o eminente economista Joseph Stiglitz escreveu um artigo no *Guardian* em que criticava os bancos *offshore*, "que existem, na maior parte dos casos, para a evasão fiscal e para ficar o mais distante possível das regulamentações, favorecendo assim o terrorismo, o tráfico de drogas e a corrupção".[1] Por outro lado, vemos centros *offshore* alegando que desempenham um papel valioso nos mercados de capital internacionais. O site promocional das Ilhas Cayman, campeãs dessa legislação "inovadora" oferecida ao lado de águas cristalinas, diz que os centros *offshore* possibilitam um ambiente em que acordos financeiros complexos, que de outra maneira não seriam fechados em jurisdições *onshore*, possam vir a ser.[2] Os centros *offshore* também acusam os *onshore* de hipocrisia, pois estes se colocam contra regras que nem sempre seguem, por exemplo, em áreas como regulamentação de serviços empresariais e de fundos fiduciários. O debate fica ainda mais curioso pelo fato de que muitos centros *onshore* oferecem os mesmos produtos e serviços que os centros *offshore*, ou produtos e serviços muito parecidos, tornando a distinção entre os dois tipos de jurisdição quase sem sentido.

Offshore se tornou uma denominação imprópria para o que é, na realidade, um conjunto de atividades e serviços que apresentam oportunidades favoráveis (ao cliente dessa modalidade) nas áreas de otimização fiscal, confidencialidade, leis locais e regulamentação. O termo *offshore* passou a ter tamanha conotação pejorativa que vários centros financeiros *offshore* agora preferem ser chamados de "centros financeiros internacionais". É inegável que, na mente de muitos observadores casuais, *offshore* evoca a ideia de grandes empresas obcecadas por lucros, gângsteres bebericando drinques ao lado de palmeiras, regulamentações negligentes ou a ausência delas, além de baixíssimas alíquotas de imposto. O *best-seller A Firma,* de John Grisham, colaborou muito para dar base à percepção de que, se você quer lavar dinheiro proveniente do crime, uma ilha caribenha é um bom local para começar. No entanto, o termo *offshore* pode se aplicar também a jurisdições que não se encaixam nessa imagem, e há uma história mais ampla a narrar além da que envolve sol, mar e trapaceiros.

Offshore, em sentido financeiro, indica apenas uma localidade diferente daquela onde os ativos ou atividades do cliente estão situados (não importa se o cliente em questão é uma pessoa jurídica ou física). Assim, se uma pessoa reside na Espanha mas prefere fazer operações bancárias em Luxemburgo, então Luxemburgo para esse propósito é *offshore* em relação ao local de residência dessa pessoa. De modo semelhante, se uma empresa norte-americana estabelece algumas de suas subsidiárias na Irlanda, esse país é *offshore* em relação aos Estados Unidos. Nem a Irlanda, tampouco Luxemburgo, têm palmeiras. Ainda menos o Reino Unido, que é, de fato, um dos principais centros financeiros *offshore* do mundo, como resultado do tratamento favorável que o país dá a seus residentes "não nativos". Estrangeiros que escolhem viver no Reino Unido obtêm o privilégio de não pagar imposto sobre a renda originada fora do país, em troca de pagar uma tarifa anual relativamente modesta (para o ano fiscal de 2012/2013, ela foi de 50 mil libras para aqueles que viveram no Reino Unido por pelo menos doze anos[3]). Enquanto empreendedores nativos do Reino Unido mudam para outros países a fim de escapar do pagamento de 45% de imposto sobre ganhos de capital, a nação estimula empreendedores estrangeiros a diminuir sua carga fiscal e investir suas economias em apartamentos de cobertura em Knightsbridge e Belgravia.

O debate *offshore/onshore* está enredado de forma inextricável com as discussões também acirradas sobre a otimização de impostos. Como os sonegadores fiscais são conhecidos como usuários de centros *offshore*, de modo a enganar o fisco, o argumento é que a sonegação fiscal é algo ruim e, portanto, os centros *offshore* devem ser perigosos. Mas um número muito grande de países cria oportunidades de desoneração fiscal para atrair estrangeiros, pois seu bem-estar econômico depende de atrair o maior volume possível de capital e o maior número possível de atividades de negócios.

Por mais estranho que possa parecer, os países do mundo são como supermercados que competem entre si, em geral de modo ferrenho, pelo máximo de capital possível. Por exemplo, os HNWIs têm um menu repleto de oportunidades de otimização de alíquotas tributárias por meio da obtenção de cidadanias de Estados soberanos — Malta, por exemplo, disponível para quem tem US$ 891 mil em dinheiro em espécie ou até US$ 685 mil em bens ou investimentos.[4] Com um estoque de 700 mil casas à venda, a Espanha hoje em dia concede vistos de residência a candidatos que invistam mais de 500 mil euros em propriedades espanholas. Nas Ilhas Maurício, o nível de investimento necessário é de apenas US$ 500 mil. Assim que você investe a quantia estipulada e comprova a residência para o período requerido (em geral, algo entre um e cinco anos), é possível desfrutar de tributação zero sobre a renda obtida fora daquele país.

À medida que a busca por capital fez as alíquotas tributárias baixarem a zero, outras características locais se tornaram fundamentais, entre elas, se as pistas do aeroporto são extensas o suficiente para receber certos tipos de jatos privados, além de comodidades triviais, como o período de quarentena para animais de estimação importados. Uma jurisdição em que o período de quarentena de seis meses vinha constituindo um impedimento à entrada de alguns indivíduos abastados que não conseguiam ficar longe de seus queridos animais por tempo tão longo foi reduzida a um período de apenas duas semanas para investidores que superassem determinado valor. No esforço para atrair capital e na busca por tratamentos fiscais mais vantajosos, quase tudo é possível.

Para quem busca isenções fiscais empresariais, a Holanda permite que empresas reduzam seus impostos sobre os ganhos de capital e dividendos de subsidiárias. O país também tem uma rede extensa de tratados tributários que capacitam empresas e HNWIs a diminuírem seus impostos. Como consequência, a Holanda atrai um grande montante de capital que, de outra maneira, poderia não ter razão alguma de permanecer no país. Por exemplo, diz-se que os integrantes da banda musical U2 transferiram sua empresa de divulgação da Irlanda para a Holanda após uma alteração nas normas de tributação irlandesas aplicáveis aos *royalties* musicais. O U2 sempre defendeu com rigor suas práticas contábeis. O líder do grupo, Bono, descreveu a própria competitividade fiscal da Irlanda como muito benéfica para a economia do país, sendo que os legisladores aceitaram que "algumas pessoas sairão enquanto outras entrarão no país". Dada a abordagem tributária irlandesa, Bono comentou que a banda está em "plena harmonia com a filosofia de nosso governo".[5]

Considere o seguinte esquema legítimo e suas variantes, utilizado por diversas empresas norte-americanas de grande porte. Chamado "duplo irlandês", o esquema funciona explorando as diferenças entre os regimes fiscais norte--americano e irlandês:

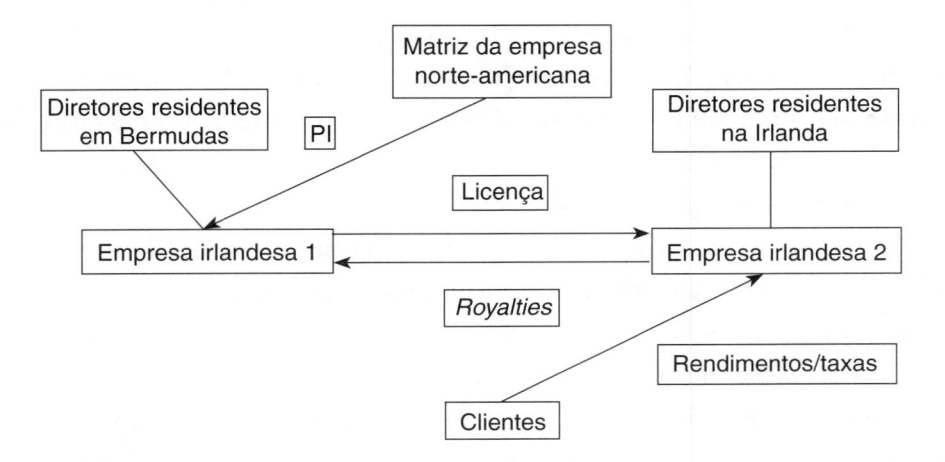

Uma empresa norte-americana é obrigada a pagar imposto sobre todos os lucros originados nos Estados Unidos. Há oportunidades, portanto, em relação às atividades que tem fora do país, em jurisdições que cobram alíquotas mais baixas de tributação empresarial. A empresa determina que seus direitos de propriedade intelectual sejam mantidos em uma subsidiária *offshore*, conseguindo, com isso, receber todos os rendimentos derivados da exploração desses direitos. Contanto que os lucros não sejam remetidos para os Estados Unidos, eles não serão tributados lá. No esquema duplo irlandês, a Empresa irlandesa 1 detém os direitos e será residente fiscal (pela localização de sua administração e controle) em uma jurisdição com taxa tributária empresarial ainda mais baixa que na Irlanda, tal como Bermudas. A Empresa irlandesa 1 em seguida licencia os direitos que possui junto à Empresa irlandesa 2. Os rendimentos decorrentes do uso dos direitos de propriedade intelectual fora dos Estados Unidos fluem para a Empresa irlandesa 2. Uma grande parte desse montante é então paga pela Empresa irlandesa 2 à Empresa irlandesa 1, como *royalties*. O que permanece retido como lucro na Empresa irlandesa 2 é taxado a 12,5% na Irlanda, embora o grosso dos lucros tenha migrado para a Empresa irlandesa 1, que ou não recolhe, ou recolhe pouquíssimos tributos na jurisdição em que é residente fiscal.

Você pode muito bem questionar a sustentabilidade desse esquema. Afinal, se uma empresa norte-americana continua a acumular todos os lucros gerados em outras localidades fora do país, como conseguirá pagar dividendos a acionistas sem primeiro repatriar os lucros e recolher 35% em impostos? A resposta: com facilidade. Em vez de repatriar os lucros para os Estados Unidos, a empresa contrai um empréstimo no valor de que necessita e, para agravar ainda mais a situação, pede, por ter contraído o empréstimo, uma dedução do imposto sobre os lucros obtidos nos Estados Unidos.

Como o papel da Irlanda nesse esquema pode ser explicado? E mais: a tolerância ao uso do esquema por parte de empresas norte-americanas pode ser justificada perante o fisco (IRS) norte-americano? As respostas residem no reconhecimento de que ambas as jurisdições competem entre si e que são as grandes empresas que dão as cartas quando lidam com governos cientes de que o capital e os empregos são extremamente móveis. Para os Estados Unidos, receberem 3% de tributação sobre lucros de uma empresa obtidos pelo mundo afora é melhor do que não receber nada caso a organização seja seduzida a transferir sua sede para outra jurisdição que ofereça mais benefícios fiscais. Que fiscal da Receita iria assumir com orgulho a responsabilidade de ter estimulado uma empresa multinacional a dar emprego a dezenas de milhares de operários no estrangeiro?

Há com certeza um debate legítimo a ser conduzido para determinar se os HNWIs e empresas devem ser autorizados a transacionar *offshore* e pagar menos impostos, mas até surgir um consenso global de que a otimização fiscal deve ser declarada ilegal (uma possibilidade muito remota), o capital migrará para os locais em que é tratado com mais eficiência. Trata-se de algo bastante oportunista. Reconhecendo essa realidade econômica fundamental, pequenos centros *offshore* com poucas atividades comerciais para sustentá-los, a não ser safras de cana-de-açúcar ou batata, têm, desde a era dos controles de câmbio, atraído capital estrangeiro graças à formulação de regimes tributários com baixos impostos ou sem tributação. As indústrias de serviços financeiros, de modo geral muito especializadas, desenvolveram-se de modo a prestar serviços aos clientes que haviam sido atraídos.

Apesar dos protestos ardentes de críticos de centros *offshore*, ou talvez por causa desses protestos, é importante reconhecer que a atividade criminosa e a evasão fiscal não são as únicas motivações para clientes usarem suas estruturas e serviços. Os clientes podem ser atraídos por algo que consideram (às vezes de modo incorreto) maior confidencialidade em se tratando de um centro *offshore*, por razões perfeitamente legítimas. Considere o seguinte exemplo: um rico empresário mexicano residente na Cidade do México com sua esposa e dois filhos pequenos teme o risco de um ou os dois filhos serem raptados, de modo a ter de pagar um resgate. Ele sabe que ocorrem milhares de sequestros extorsivos no México todo ano, e que esse risco é muito real. Com isso em mente, ele decide disfarçar a verdadeira extensão de sua riqueza, colocando a propriedade de certos ativos em nome de empresas *offshore* que, por sua vez, pertencem a um fundo. Do ponto de vista de um cético, esse relacionamento, em particular com um cliente mexicano, pode indicar apenas uma coisa: lavagem de dinheiro — mas, de fato, o relacionamento é legítimo, influenciado apenas pelo desejo compreensível do cliente de proteger sua família. Como os sequestros têm se tornado muito comuns em várias partes do mundo, não seria surpresa para ninguém que os HNWIs em risco buscassem cada vez mais proteger seus ativos em *offshores*. Qual seria a situação do empresário mexicano se não existisse o conceito de *offshore*?

Os centros *offshore* têm sido muito bem-sucedidos em atrair HNWIs e empresas. Um breve exame da lista de jurisdições mais ricas do mundo por PIB *per capita*, encontrada no World Factbook da CIA, confirma esse sucesso. Os centros a seguir figuram entre os vinte primeiros lugares: Liechtenstein, Bermudas, Luxemburgo, Mônaco, Cingapura, Jersey, Ilha de Man, Hong Kong, Suíça, Guernsey, Ilhas Cayman e Gibraltar.[6]

Embora a maioria dos principais centros ofereça uma ampla gama de serviços, cada um tem a reputação de ter se especializado em determinado produto ou serviço: Luxemburgo, em fundos fiduciários; Bermudas, em seguros cativos; as Ilhas Virgens Britânicas, em registro de empresas; as Ilhas Marshall, em registro de remessas; as Ilhas Cayman, em fundos fiduciários e securitizações; Jersey, em financiamentos bancário e estruturado; e, cada vez mais, as Ilhas Maurício, em administração e gestão de empresas. E a lista continua...

O valor e o volume de negócios conduzidos em ou por meio de *offshores* é estarrecedor. Ninguém sabe com exatidão o valor do dinheiro depositado e das propriedades mantidas por estruturas geridas e controladas em cada centro, mas, de acordo com um estudo feito por James Henry, encomendado pela Tax Justice Network (um grupo de pressão internacional que faz campanhas contra paraísos fiscais), o valor no final de 2010 era de US\$ 21 a US\$ 32 trilhões, equivalente à soma das economias dos Estados Unidos e do Japão.[7] Apenas nas Ilhas Cayman, em junho de 2013, o total de ativos e passivos internacionais (posições estrangeiras em todas as moedas e posições domésticas em moedas estrangeiras) era reportado como US\$ 1,503 e US\$ 1,524 trilhões, respectivamente, colocando o território em sexto lugar com base no valor de ativos estrangeiros.[8]

Além das oportunidades de desoneração fiscal, há outras áreas de competição entre centros *offshore* e jurisdições *onshore* que atenuam ainda mais a distinção entre *onshore* e *offshore*. O registro de empresas e a prestação de serviços empresariais são um exemplo. Delaware, Nevada e Wyoming — todos estados norte-americanos (que têm se posicionado na linha de frente dos esforços para impor restrições a centros *offshore* fora dos Estados Unidos) — têm um setor *offshore* bem-sucedido, algo que se deve, em essência, à opacidade das empresas que podem ser instituídas em seu território. A vulnerabilidade das empresas norte-americanas a abuso criminal foi até mesmo enfatizada pelo senador norte-americano Carl Levin, ao dizer:

> Os Estados Unidos têm sido um dos principais defensores da transparência e da abertura. Temos criticado os paraísos fiscais *offshore* por seu sigilo e falta de transparência, pressionando-os para alterarem sua conduta de trabalho. Mas olhem para o que está acontecendo em nossa própria nação. A ironia é que não sofremos com a falta de transparência — simplesmente não há informações a serem reveladas. E, quando outros países nos pedem os nomes de donos de empresas e ficamos enrubescidos ou com as mãos vazias, isso enfraquece nossa credibilidade e nossa capacidade de "caçar" paraísos fiscais *offshore* que ajudam a roubar contribuintes norte-americanos honestos.[9]

Delaware é o maior dos três estados: as taxas de registro de empresas contribuem com cerca de um quarto do orçamento anual. Há mais empresas ativas do que pessoas em Delaware, e as autoridades estaduais relataram que mais da metade das quinhentas empresas da lista da *Fortune* está registrada lá. Para citar apenas duas: o Google está registrado em 1209, Orange Street, em Welmington; e o Facebook, a cerca de 10 km a oeste, no 2711, Centerville Road. Seus respectivos agentes de registro — CT Corporation e The Company Corporation — têm milhares de clientes a quem prestam serviços de registro.

A chamada "brecha de Delaware" é uma vantagem para as empresas ali registradas, mas cujas operações se dão em outras partes. *Royalties* isentos de taxas e outras receitas migram para as contas de entidades de Delaware, e itens contabilizados no Estado podem ser dedutíveis de impostos em outras localidades. Essa combinação inteligente é um polo de atração para proprietários não residentes.

As regras de transparência em Delaware são lamentáveis. Ao contrário de várias das pequenas jurisdições *offshore* pelo mundo afora, a identidade dos proprietários beneficiários não é revelada às autoridades na hora do registro. Junte a isso uma camada de respeitabilidade que algum criminoso obtém utilizando uma empresa norte-americana (em comparação com uma empresa registrada em um paraíso fiscal de pequeno porte), e a atração das empresas americanas à fraternidade criminosa torna-se muito evidente.

A verdade incômoda, portanto, é que vários dos países *onshore* estão fazendo o mesmo jogo das pequenas jurisdições em paraísos *offshore*. Condenar os pequenos centros por competir com as jurisdições *onshore* não faz progredir a causa que visa evitar a movimentação de capital criminoso.

Em vista da distinção cada vez mais tênue entre centros *onshore* e *offshore* e os negócios que eles visam atrair, qual é então a natureza da objeção aos pequenos centros *offshore*? A comunidade *onshore* alega que os dados desse jogo estão viciados, por duas razões. Primeiro, os centros *onshore* não são tão ágeis e, portanto, não conseguem competir. Com populações maiores, mais envelhecidas e burocracias lentas, como podem competir com ilhas caribenhas que não recolhem nenhuma espécie de tributação? Ou seja, argumentam que seus interesses econômicos estão sendo prejudicados. Segundo, os centros *offshore* lidam com um conjunto diferente de regras — o controle dos serviços financeiros é bastante relaxado, o que significa que, como consequência de atrair certas atividades lícitas, atraem também volumes significativos de dinheiro criminoso, o que é nocivo aos esforços internacionais para evitar evasões fiscais, lavagem de dinheiro e financiamento a terroristas.

Para grande satisfação dos centros *offshore* de pequeno porte mais bem controlados, é essa última objeção que tem estruturado o debate nos últimos anos. A mudança da discussão, da equivocada dicotomia dos "centros *onshore* bonzinhos" e "centros *offshore* malvados" para um diálogo em que esses últimos são julgados não pela categoria geral em que se inscrevem, e sim por serem bem ou mal regulamentados (em comparação com as jurisdições *onshore*), tem beneficiado muitos deles, para o pesar de seus críticos.

A crise financeira de 2008 ofereceu aos governos *onshore* uma oportunidade de voltar os holofotes para os centros *offshore* e examinar o papel que estes desempenharam na escalada da crise e em sua deflagração. Em 2009, o então primeiro-ministro britânico Gordon Brown pediu que se tomassem atitudes contra os paraísos fiscais, alegando que eles "tinham escapado da atenção reguladora de que necessitavam".[10] A dificuldade, da perspectiva do Reino Unido e do G8, era que os centros *offshore* já tinham sido submetidos a uma década de exame intensivo por uma série de agências supranacionais e alguns deles tinham passado na avaliação. Alegar que centros *offshore* como Jersey tinham facilitado a instabilidade sistêmica era muito difícil de conciliar com a primeira avaliação da ilha feita pelo Fórum de Estabilidade Financeira (Financial Stability Forum), que a classificara como uma jurisdição do Grupo 1.[11] Como se poderia acusar a Ilha de Jersey de não ter levantado a bandeira do combate à lavagem de dinheiro quando em 2008 ela fora considerada satisfatória na adesão aos requisitos da 3ª Diretiva de Lavagem de Dinheiro da União Europeia — feito esse que 17 dos países-membros ainda não tinham atingido três anos depois?

Ao reconhecer que os centros *offshore* em si não são nem ruins em essência nem pouco controlados, o debate parece ter amadurecido, indo da falta absoluta de discernimento até um ponto em que os centros *offshore* estão sendo avaliados em pé de igualdade com suas contrapartes *onshore*. Isso é muito benéfico para os esforços globais de combate a crimes financeiros. Focar demais a atenção em centros *offshore* devido a um estereótipo tem possibilitado que centros de maior porte, como os Estados Unidos, Dubai, Cingapura, Irlanda, Luxemburgo e Holanda, escapem do exame minucioso que merecem. Considere Dubai como um exemplo; esse emirado minúsculo do Oriente Médio tem se destacado como um centro financeiro internacional importantíssimo, sendo reconhecido no mundo todo como um entreposto fundamental do comércio internacional e de investimentos.

Praticamente todas as principais instituições financeiras do mundo estão presentes no emirado. O uso de dinheiro em espécie é comum e aceitável em termos culturais. Dubai se encontra geograficamente próximo de diversas jurisdições de altíssimo risco associadas ao tráfico de drogas e ao terrorismo. No entanto, em 2008 (nove anos após a introdução da legislação que regula todos os crimes de lavagem de dinheiro em vários centros *offshore* de pequeno porte), um relatório de avaliação mútua da FATF sobre os Emirados Árabes Unidos (EAU) revelou que, apesar do tamanho e da importância sistêmica de seu setor financeiro doméstico e da zona livre, o emirado não tinha definido sequer uma infração para lavagem de dinheiro que fosse pressuposto para os seguintes crimes: participação em grupo do crime organizado e chantagem; tráfico de seres humanos e entrada ilegal de migrantes; exploração sexual, incluindo a infantil; tráfico ilícito de itens roubados e outros; falsificação de dinheiro; falsificação e pirataria de produtos; rapto, manutenção de pessoas em cárcere privado ou sequestro; roubo ou furto; contrabando; extorsão; obtenção de informações privilegiadas ou manipulação de mercado.[12] É igualmente preocupante que o relatório também observe que a legislação antilavagem de dinheiro de Dubai não definia o que constitui uma operação suspeita, tampouco as bases sobre as quais uma suspeita deve ser julgada. Não surpreende, portanto, que o relatório tenha concluído que o nível de atividades suspeitas denunciadas era muito baixo em relação ao tamanho do setor financeiro do país. No conjunto, o relatório condenou de modo chocante um dos principais centros financeiros internacionais do mundo. No entanto, o relatório praticamente não atraiu a atenção da mídia internacional, tampouco algum comentário dos críticos usuais dos pequenos centros *offshore*.

Como podemos, então, identificar os centros financeiros que oferecem aos criminosos as maiores oportunidades? Há, penso eu, alguns critérios relativamente óbvios que devem ser usados:

1. *A jurisdição impõe por lei o sigilo bancário?*
   As jurisdições com sigilo bancário são aquelas com uma legislação que criminaliza a divulgação de detalhes dos clientes a menos que certas condições sejam aplicáveis. A maioria das jurisdições com sigilo bancário também permite a existência de contas bancárias codificadas ou numeradas — contas para as quais não se tem um nome de cliente atrelado, por razões extras de privacidade. As principais jurisdições que seguem essa linha são Suíça, Cingapura, Luxemburgo e Líbano.
2. *A jurisdição sancionou uma legislação antilavagem de dinheiro que criminalize a lavagem de rendimentos de uma evasão fiscal estrangeira?*

Isso é importante, e não apenas porque criminosos não gostam de pagar impostos. Declarar a um banco ou fornecedor de serviços empresariais que o motivo de fazer negócios com eles é pagar menos impostos é uma justificativa superficial muito conveniente que pode dissimular milhares de formas mais graves de atividade criminosa implícita. Os principais centros financeiros internacionais que não criminalizam a lavagem de rendimentos por evasão fiscal estrangeira são Suíça, Dubai e Luxemburgo. Cingapura fez uma emenda em sua lei para incluir a evasão fiscal estrangeira como um crime acessório em 2013, catorze anos após as Dependências da Coroa Britânica. Durante esse intervalo, Cingapura e Suíça eram as beneficiárias finais de fluxos significativos de negócios das Dependências da Coroa.

3. *A legislação é eficaz?*

Um fator crítico para se detectar crimes financeiros consiste em saber se um fornecedor de serviços *offshore* opera ou não em um ambiente em que a legislação antilavagem de dinheiro e o financiamento ao contraterrorismo é realmente aplicada.

Um estudo esclarecedor, publicado em 2012 por Findley, Nielson e Sharman, procurou saber se as firmas que registram empresas fictícias seguiam os padrões estabelecidos pela FATF na coleta de informações sobre a identidade dos clientes. Essas regras exigiam que se fizesse um monitoramento mais aperfeiçoado para clientes de alto risco e que a documentação das identidades fosse certificada por um terceiro (por exemplo, um tabelião). Ao contrário da crença popular, o estudo constatou que "é três vezes mais difícil obter uma empresa fictícia não rastreável em paraísos fiscais do que em países desenvolvidos".[13]

Os autores fizeram um total de 7.466 abordagens anônimas com 3.773 fornecedores de serviços empresariais, em 182 países, por meio de e-mail. Dessa amostragem, 1.785 fornecedores eram dos Estados Unidos, 444 de outros países desenvolvidos, 505 de paraísos fiscais e 1.039 de países em desenvolvimento que não eram paraísos fiscais. Os achados serviram para montar uma "Contagem de contatos", que enumerava o número médio de contatos que um cliente precisaria fazer antes de lhe oferecerem uma empresa fictícia não rastreável.

O estudo relatou que a "Contagem de contatos" para paraísos fiscais era 25,2, enquanto para países desenvolvidos a pontuação ficava em 7,8. Nos Estados Unidos, os estados de Wyoming, Delaware e Nevada estavam entre os que mais ofereciam empresas fictícias não rastreáveis. Algumas das jurisdições mais observantes das leis foram ilhas *offshore*, tais como Seychelles, Cayman e Bahamas.

4. *A jurisdição controla de fato o fornecimento de serviços de fundos fiduciários e serviços empresariais?*

Tendo considerado no Capítulo 2 a vulnerabilidade inerente das empresas e fundos fiduciários *offshore* e as empresas associadas que os administram, é imperativo que fornecedores de serviços empresariais e administradores profissionais sejam licenciados e supervisionados de modo apropriado para assegurar que obtenham e mantenham informações sobre os proprietários e beneficiários finais das empresas e os representados e beneficiários de fundos fiduciários, de acordo com os princípios da regra "conheça seu cliente". Esse estudo constatou que cerca de metade das respostas dos fornecedores de empresas fictícias não pediam identificação apropriada e que 22 não pediam absolutamente nenhum documento de identificação.

Um dos pesquisados respondeu com entusiasmo à pergunta feita para o estudo desta maneira: "Em nome da confidencialidade, não se pede nenhuma informação, portanto, não há informação a ser repassada. É simples assim!"

A ideia de que qualquer pessoa, sem nenhuma referência repassada a uma autoridade reguladora, consiga montar uma firma que forneça serviços empresariais, facultando o acesso a esses produtos e serviços vulneráveis, é motivo de sérias preocupações.

Infelizmente, isso ainda é possível em alguns centros financeiros como o Reino Unido e a Suíça, em que os fornecedores de serviços em si não precisam tirar licença, embora estejam sujeitos a requisitos de antilavagem de dinheiro.

5. *A legislação exige de fato a revelação da identidade dos proprietários beneficiários das empresas?*

Insistir para que a identidade de proprietários beneficiários finais de empresas registradas em determinada jurisdição seja revelada para as autoridades responsáveis é um grande desestímulo para os criminosos, entre eles os que praticam evasão fiscal. Nem o Reino Unido nem os Estados Unidos introduziram ainda esse requisito, embora o Reino Unido planeje acelerar o processo, introduzindo um registro de propriedade empresarial acessível ao público e pressionando as Dependências da Coroa para que sigam essa linha. Tal iniciativa é bem-intencionada, mas completamente inútil, pois é provável que incentive clientes idôneos que tenham um desejo razoável de confidencialidade (bem como os não idôneos) a procurar jurisdições com padrões abaixo dos seguidos nas Dependências da Coroa, em que a revelação da titularidade é obrigatória há 35 anos. Isso será danoso a esses centros em termos econômicos (punindo-os por terem padrões mais altos do que as jurisdições concorrentes do Oriente Médio e da Ásia), além de tornar o combate contra o capital criminoso ainda mais difícil de ser vencido, por deixá-lo ainda mais marginalizado.

Dadas as evidentes diferenças entre os padrões observados em vários dos principais centros *offshore* de pequeno porte em comparação com seus concorrentes de grande porte, o debate sobre o papel dos primeiros começa a versar, de modo suspeito, menos sobre a regulação e mais sobre a guerra fiscal.

A Organização para a Cooperação e o Desenvolvimento Econômico (OCDE) publicou uma lista de "paraísos fiscais" em 2000, definindo-os como jurisdições com impostos baixos ou sem impostos, carentes de efetiva troca de informações e transparência, que não exigem que uma empresa tenha uma atividade econômica real a que se dedique. A lista era composta quase com exclusividade por centros *offshore* de pequeno porte, mas desde então o conceito evoluiu muito, e a OCDE vem sendo forçada a concordar que há países maiores que exibem as mesmas características, como Suíça e Luxemburgo. Infelizmente, a OCDE não foi ousada o suficiente para incluir países como o Reino

Unido, os Estados Unidos, a Holanda ou a Irlanda na lista. A ausência desses países não tem nenhuma base lógica. Após acalorados debates e esforços inúteis que conduziram a lugar nenhum, a OCDE agora tem três listas: uma lista branca, de jurisdições que seguem determinado padrão; uma lista cinza, de jurisdições que se comprometeram com o padrão; e uma lista negra, de jurisdições que ainda não se comprometeram com o padrão. Como previsto, a lista cinza exibe países que não são identificados pela OCDE como paraísos fiscais, mas que são reconhecidos como "outros centros financeiros", dando a essa classificação um tom de farsa. No entanto, vários dos centros *offshore* de pequeno porte lutaram para atender o padrão e ganhar um lugar na lista branca, celebrando o maior número possível de Acordos para Intercâmbio de Informações Tributárias (Tax Information Exchange Agreements, TIEA), e proporcionando a si mesmos, com isso, o *status* de paraísos fiscais da lista branca! Se esses esforços foram em vão, ou não, vai depender dos próximos objetivos que a OCDE determinará.

Se jurisdições pequenas resolvem exercer seu direito soberano de aplicar alíquotas de imposto baixas, ou nulas, em um mercado livre globalizado, que assim seja, mas esse uso da soberania como mercadoria resulta em mais danos ou mais benefícios? Os críticos alegam que a guerra fiscal é mais prejudicial que benéfica para os interesses de um número muito maior de pessoas. Estima-se que os esquemas fiscais de *offshores* são responsáveis pela perda anual de US$ 150 bilhões em receitas de impostos nos Estados Unidos.[14] Mas os defensores dos centros *offshore* afirmam que eles são benéficos por uma série de razões, inclusive porque possibilitam a reunião de capitais, estimulando investimentos *onshore*. Os defensores também sustentam que esses centros ajudam a manter as alíquotas de impostos baixas em jurisdições *onshore* e, portanto, estimulam o crescimento econômico. Há, sem dúvida, uma simbiose entre centros como as Dependências da Coroa e a cidade de Londres, e as Ilhas Cayman e Nova York. Os centros *offshore* são, não raro, parte de uma série de operações conjuntas com seus vizinhos maiores. Por exemplo, várias empresas listadas na Bolsa de Valores de Londres são propriedade de entidades *offshore* isentas de impostos. Em 2013, o prefeito de Londres comentou que Jersey era um "complemento fantástico" para a economia britânica, acrescentando: "ela coleta recursos em razão de sua eficiência tributária e os envia a Londres. Essa é uma enorme vantagem para o Reino Unido".[15] Determinar se ele tem razão ou não vai além do escopo deste livro, mas não podemos evitar o pensamento óbvio de que os centros *offshore* de pequeno porte, apesar da pressão que tem sido exercida sobre eles, continuam a ser tolerados. Há suspeitas de que, se a existência deles fosse considerada prejudicial para os interesses de britânicos e norte-americanos, medidas mais severas já teriam sido adotadas, impossibilitando que bancos, instituições e HNWIs os utilizassem. Como nenhuma medida desse tipo foi tomada desde 2008 — no que, afinal, vem sendo um período de austeridade quase sem precedentes nos centros *onshore* —, imagina-se que os centros *offshore* estão começando a se sentir mais seguros do que já estiveram em muitos anos.

Em parte, eles têm que agradecer à China por isso. Hong Kong e Macau (ambos centros financeiros de grande porte com características de paraíso fiscal) causam estranheza pela ausência da lista cinza da OCDE. Por quê? Por causa da pressão da China. Sem sombra de dúvida, é verdade que a liderança chinesa reconhece o valor do fluxo de capital vindo de suas jurisdições-satélite *offshore* para sua economia. Em decorrência disso, se oporá a quaisquer movimentos da comunidade internacional para prejudicar a operação contínua desses dois centros. Se o Reino Unido e os Estados Unidos fechassem de fato seus centros-satélite *offshore*, os imensos *pools* de capital de desenvolvimento neles residentes seriam direcionados para o Oriente, ampliando ainda mais o domínio econômico emergente da Ásia. Se isso ocorresse, maior proporção do capital global se concentraria em centros que, pela natureza de suas órbitas, seriam muito mais difíceis de influenciar e policiar. Os críticos dos centros caribenhos e dos das Dependências da Coroa precisam ser cuidadosos com o que desejam. Pertinentes a essas questões, temos as revelações da *Offshore Secrets*, uma investigação de dois anos liderada pelo Consórcio Internacional de Jornalistas Investigativos (International Consortium of Investigative Journalists, ICIJ), que obteve mais de 200 *gigabytes* de dados "vazados" de empresas nas Ilhas Virgens Britânicas.[16] Foi constatado que vários membros da elite política chinesa, com a assistência de contadores e bancos privados, também buscaram resguardar e proteger seu patrimônio por meio de estruturas *offshore*. Vistos pelo prisma de um burocrata chinês, os centros *offshore* devem, de fato, parecer uma inovação capitalista muito prática. Os perus não tendem a apreciar o Natal, e a perspectiva de a China ver com bons olhos o dramalhão do G8 sobre os centros *offshore* é extremamente remota. Pelo menos por enquanto, os centros *offshore* — quer localizados em Londres, Irlanda, Delaware ou numa ilha repleta de palmeiras — tendem a permanecer na caixa de ferramentas de empresas, HNWIs e trapaceiros.

CAPÍTULO 4

TRÁFICO DE DROGAS

E m 2010, foram relatados 3.111 assassinatos em Ciudad Juárez, a cidade mexicana ao sul de El Paso, Texas. Para colocar esse dado em perspectiva, a população de Londres é oito vezes maior, mas, no mesmo ano, a Polícia Metropolitana londrina lidou com 124 casos de assassinato.[1] Estima-se que, em todo o território mexicano, cerca de 25 mil pessoas sejam assassinadas ao ano; chacinas são coisa comum. Os corpos das vítimas são com frequência desmembrados ou desfigurados de alguma forma, e não é raro grupos de corpos serem deixados expostos em locais públicos — uma demonstração do poder dos cartéis de drogas e das consequências para aqueles que traem essas organizações ou se opõem a elas. Em um único dia, em maio de 2012, foram encontrados 49 corpos decapitados, jogados à beira de uma rodovia próxima da cidade de Monterrey, com sinais que sugerem que o responsável pelo massacre é um dos maiores sindicatos mexicanos do crime: *Los Zetas* ("Os Z"). Alguns dias antes, tinham sido encontrados 18 corpos desmembrados em veículos abandonados no oeste do país e, antes ainda, no mesmo mês, foram encontrados 23 corpos em outra cidade fronteiriça, Nuevo Laredo.[2] Para os líderes dos cartéis, a perda de vidas não significa nada em comparação com as riquezas a ser ganhas com o controle das rotas de drogas. A prática de execução tem o importante papel de lembrar à população mexicana o poder exercido pelos cartéis.

A culpa pelo número de mortes no México nos últimos anos é dos cartéis de drogas, que disputam com vigor a supremacia sobre um território que abrange a fronteira Estados Unidos-México. Essa fronteira, com 3.145 quilômetros de extensão (cerca do triplo da extensão do Reino Unido), percorre os estados norte-americanos da Califórnia, Arizona, Novo México e Texas e os estados mexicanos de Baja México, Sonora, Chihuahua, Cohauila, Nuevo Léon e Tamaulipas. O domínio das rotas de fornecimento de drogas rumo aos Estados Unidos é o objetivo de grupos criminosos como os cartéis de Juárez, Tijuana, Los Zetas, Golfo e Sinaloa. A taxa de assassinatos cresceu de modo exponencial com o início da "Guerra contra as drogas", desencadeada em 2006 pelo novo governo de Felipe Calderón, que declarou guerra contra as gangues de drogas, tendo como resultado um esfacelamento de seus territórios.

Segundo estimativa da Organização Mundial da Saúde (OMS) publicada em 2004, as drogas ilegais eram responsáveis pela morte de cerca de 250 mil pessoas por ano no mundo todo.[3] O mercado varejista anual de drogas ilícitas foi estimado em US$ 320 bilhões pelo Escritório das Nações Unidas sobre Drogas e Crime (United Nations Office of Drugs and Crime, UNODC), sediado em Viena, em seu *World Drug Report* de 2005 — um número que, segundo o relatório aponta, era "maior que os PIBs individuais de cerca de 90% dos países".[4] A soma era, naquele ponto, quase 1% do Produto Interno Bruto (PIB) total do mundo. Esse número pode ser apenas uma estimativa, além de conservador: o mercado é reservado por natureza, e as pessoas relutam em admitir as somas envolvidas.

Infelizmente, os países com as taxas mais altas de produção de drogas exibem alguns dos níveis mais altos de pobreza, bem como os níveis mais baixos de aplicações das leis e de segurança pública do mundo. A dependência econômica das drogas força alguns países a entrar em um círculo vicioso no qual as tentativas de restaurar a lei e a ordem provocam apenas mais caos. Não há dúvida de que as drogas estão ligadas a questões de desenvolvimento, crimes, terrorismo e instabilidade política: a produção de ópio responde por cerca de um quinto da economia afegã, rendendo ao Talibã milhões de dólares ilícitos utilizados para o financiamento de suas atividades; e o tráfico de drogas é uma das principais fontes de abastecimento dos cofres do grupo guerrilheiro Farc, as Forças Armadas Revolucionárias da Colômbia. O indiciamento, em 2011, do libanês-colombiano Ayman Joumaa, que teria distribuído drogas ao cartel

Los Zetas, lavando até US$ 200 milhões ao mês, sugeria que membros da rede de Joumaa doavam rendimentos ao Hezbollah. Esse é um exemplo da natureza interligada do tráfico de drogas e do terrorismo.[5]

Quatro categorias-chave de drogas ilícitas são produzidas no mundo todo: cocaína, ópio, maconha e anfetaminas.

A cocaína é manufaturada sobretudo na América do Sul, com a maior parte da safra de folhas de coca sendo produzida na Colômbia, no Peru e na Bolívia. Ela é, então, processada em laboratórios secretos embrenhados em florestas, geralmente na Colômbia, antes de ser distribuída para outros países por meio de uma rede de traficantes. A maioria da cocaína destinada ao mercado norte-americano é transportada através do México; ela entra nos Estados Unidos pela fronteira, por terra ou por mar. Para cruzar a fronteira por mar, ela é transportada em barcos ou em um conjunto de submarinos de longo alcance, cada vez mais sofisticados, de propriedade dos cartéis. Os métodos usados para o transporte de drogas pela fronteira por terra são numerosos e, nos últimos anos, têm abrangido escadas, túneis e até catapultas para lançar os produtos sobre cercas. As drogas enviadas ao mercado europeu às vezes são transportadas pelos Estados Unidos, mas, desde a interrupção das rotas que cruzavam as ilhas caribenhas, o transporte é feito cada vez mais pela África Ocidental, onde as autoridades da guarda costeira e os patrulheiros das fronteiras são mais lenientes.

O Afeganistão é o principal produtor de ópio do mundo, tendo contribuído com 74% da produção mundial em 2012, enquanto entre outros produtores menores estão Laos, Birmânia e México.[6] Assim que o ópio é convertido em heroína (não raro no país de origem ou próximo dele), é distribuído por uma infinidade de rotas aos usuários finais. Do Afeganistão, a droga em geral segue para a Europa através dos Bálcãs e da Turquia, enquanto consumidores norte-americanos recebem a droga de produtores da Colômbia e do México. As rotas de transporte têm evoluído, como se pode ver na África Oriental; os países dessa região estão se tornando um polo importante para a distribuição de ópio.

A erva e a resina da maconha são os dois principais produtos dessa planta. A erva é cultivada em todas as regiões do mundo, principalmente na América do Sul e na Ásia, mas produções pontuais de menor escala ocorrem em todos os países. Ela é fonte significativa de receita para cartéis da América Central, sendo utilizados métodos de camuflagem elaborados para transportá-la através das fronteiras. A maior parte da resina é proveniente do Afeganistão e do Marrocos. Segundo dados do UNODC, a Espanha é o ponto de entrada do continente europeu para a resina marroquina, enquanto a resina afegã é distribuída a países vizinhos e mais ao norte, até a Rússia. A maior parte da resina distribuída nos Estados Unidos vem do Marrocos, enquanto a distribuída no Canadá tem como fonte principal o Afeganistão.

Além das substâncias naturais, tem havido um aumento da quantidade de drogas sintéticas (*ecstasy*, anfetaminas), muitas das quais também produzidas na América do Sul com a utilização de substâncias químicas importadas da Ásia, que seguem rotas de suprimento similares às da cocaína e do ópio. A Organização das Nações Unidas (ONU) também identificou, nos últimos tempos, um padrão preocupante no aumento das chamadas "novas substâncias psicoativas" (New Psychoactive Substances, NPSs), conhecidas também como *legal highs* (drogas legais), ainda a serem controladas por uma estrutura jurídica. No final de 2009, os países-membros da ONU relataram um total de 166 NPSs diferentes em circulação; em meados de 2012, esse número disparou, chegando a 251 tipos diferentes.

O aumento do preço das drogas ao longo de cada etapa, até atingir o usuário final, é enorme. Uma quantidade de cocaína pode custar alguns dólares para ser cultivada e processada na Colômbia, mas, em cada movimentação pela cadeia de suprimento — para os narcotraficantes do cartel, na passagem pela fronteira, em uma cidade norte-americana, nas mãos de um traficante de renome, nas ruas, para os usuários de um clube —, o valor da droga aumenta de forma exponencial. A droga não melhora de qualidade nem se torna mais eficaz para justificar tal aumento de valor (ocorre quase sempre o inverso: é bem provável que a qualidade seja reduzida com a introdução de algum agente potencialmente perigoso). O UNODC publicou um relatório em 2011 intitulado *Estimating Illicit Financial Flows Resulting from Drug Trafficking and Other Transnational Organized Crimes* [Estimativas de fluxos financeiros ilícitos resultantes do tráfico de drogas e outros crimes organizados transnacionais], no qual foi estimado que os lucros totais com a venda de cocaína em 2009 somaram US$ 84 bilhões, e os plantadores das folhas de coca, de onde a droga provém, obtiveram apenas US$ 1 bilhão naquele mesmo ano.[7] O valor de cada dólar em folhas de coca puras multiplicou-se 84 vezes no momento em que chegou às mãos do consumidor nos Estados Unidos ou na Europa. Os lucros auferidos pelos indivíduos que controlam o tráfico de drogas são imensos.

O custo do tráfico de drogas para a sociedade não pode ser subestimado. Além de causar danos sociais nos países de origem, elas também provocam severos prejuízos ambientais devido ao processamento de substâncias químicas. Além disso, nos países em que a droga é consumida, há o custo social do abuso de substâncias ilícitas: crimes cometidos para a obtenção de dinheiro com a finalidade de comprar drogas; e os custos de saúde e sociais para lidar com as consequências emocionais e físicas da dependência. O governo norte--americano estimou que, em 2007, o custo do uso de drogas ilícitas superava US$ 193 bilhões, enquanto o custo para o Reino Unido foi calculado em cerca de £ 15 bilhões para o mesmo ano. Esses números incluem serviços de saúde, prisões, custos jurídicos, perda de produtividade, absenteísmo e previdência, ficando também em torno de 1% do PIB de ambos os países.[8]

Um nível de corrupção espantoso também acompanha a produção de drogas. Não é apenas coincidência o Afeganistão ocupar a 175ª posição entre 177 países no índice de corrupção levantado pela Transparência Internacional de 2013, e, em uma escala de 1 ("muito corrupto") a 100 ("muito transparente"), o país obteve nota 8; México e Colômbia, países com infraestrutura e riqueza bastante superiores, pontuaram apenas 34 e 36, respectivamente. A capacidade de pagar propinas àqueles que poderiam interromper seus negócios e de ameaçar suas vidas (e a de suas famílias) caso não cooperem dá aos cartéis poderes extraordinários, a ponto de enormes faixas da América Central serem administradas na verdade por organizações do tráfico de drogas, que pagam grandes somas de dinheiro à polícia e a políticos. Guatemala e Honduras, dois países importantes para o transporte de drogas oriundas da América do Sul, são assediados por uma tensão constante entre policiais e militares corruptos e forças apoiadas pelo governo norte-americano, que tentam recuperar o controle.

Em alguns casos, a sobreposição entre forças legais e grupos violentos e ameaçadores é absolutamente explícita. O próprio cartel Zeta foi formado com base em uma unidade mexicana de Forças Especiais utilizada antes para combater traficantes. Essa unidade rompeu com o exército do país e se associou ao cartel do Golfo, contribuindo com armas e conhecimentos especializados. Em pouco tempo disseminou-se, tornando-se uma organização muito eficiente e brutal, agora considerada responsável por alguns dos assassinatos mais violentos no México. Esse cartel abrange a área geográfica mais ampla entre todos os cartéis do país.

Ao longo da principal zona de comércio de cocaína, dirigentes do alto escalão são presos com regularidade por suposta corrupção, gerando o receio de que essa corrupção atinja proporções tão endêmicas, que seja impossível erradicá-la. Em 2010, Mario Ernesto Villanueva Madrid, ex-governador do estado mexicano de Quintana Roo, foi extraditado para os Estados Unidos após acusações de corrupção. Alegava-se que ele havia recebido polpudas somas de dinheiro do cartel de Juárez para evitar que agências reguladoras tomassem medidas a fim de interceptar remessas de drogas no território sob sua jurisdição. De acordo com o indiciamento de Villanueva, o dinheiro do suborno fora lavado por meio de um representante do agora extinto banco Lehman Brothers. Ele assumiu a culpa das acusações de lavagem de dinheiro no início de 2012 e foi condenado a onze anos de prisão.[9]

Centenas de policiais, políticos, advogados, juízes e outras pessoas empregadas em posições favoráveis, como funcionários da alfândega e guardas de presídios e das fronteiras, também estão na folha de pagamento dos cartéis. Joaquin Guzman, chefe do cartel Sinaloa, fugiu da prisão em 2001, segundo relatos, escondendo-se em uma caçamba de lixo depois de pagar uma soma substancial aos guardas do presídio para ajudá-lo. Durante seus anos como fugitivo, a publicação *Forbes* colocou-o na 1.153ª posição em sua Lista de Bilionários de 2012 e em 67º lugar em sua lista das Pessoas Mais Poderosas do Mundo em 2013.[10] Com rumores de que costumava pagar a conta de restaurantes lotados de pessoas para comprar o silêncio delas, Guzman foi enfim encontrado em Maztlán, México, no início de 2014.

Os cartéis de drogas da América Central têm redes muito sofisticadas e bem organizadas, fazem uso da assessoria financeira e jurídica de especialistas e contam com armamentos efetivos e moderna tecnologia de comunicação na administração de verdadeiras estruturas de negócios multinacionais. São bastante criativos, desenvolvendo sempre novas técnicas de lavagem de dinheiro, além de se valerem dos sistemas financeiros internacionais para seu benefício. Como resultado, não é surpresa nenhuma que instituições financeiras descubram com tanta frequência que têm sido exploradas por traficantes de drogas. O que às vezes surpreende é o fato de tais instituições deixarem de adotar medidas mais efetivas de prevenção.

Pouco se sabe sobre os métodos usados por traficantes de ópio. O fato de os principais produtores serem países "falidos", com pouco ou nenhum acesso a redes financeiras formalizadas, indica que os produtores e traficantes confiam muito menos em métodos bancários convencionais, sendo maior a probabilidade de receberem sua porção de lucros através de sistemas de remessa alternativos, tais como o *hawala*, o sistema de pagamento informal estruturado com base em uma rede de corretores. O UNODC estimou que cerca de 90% das operações no Afeganistão são movimentadas por meio do *hawala*, e que, em 2005, mais de US$ 1 bilhão proveniente de heroína foi movimentado por esse sistema apenas nas províncias de Helmand e Herat.[11] Por essa razão, o uso clandestino de produtos financeiros padronizados pelos distribuidores originais é mais rara, embora os grupos que atuam em menor escala nos próprios países possam muito bem fazer uso deles. Isso foi exemplificado pelo Reino Unido nos últimos tempos, quando tanto o sistema bancário convencional como o *hawala* foram utilizados em um caso de lavagem de dinheiro associado a drogas, descoberto pela polícia de Manchester. Os membros de um júri britânico ouviram o relato de como os rendimentos da droga eram repassados a um financiador de dinheiro *hawala* no exterior, que, por sua vez, "transferia" o valor equivalente a um corretor *hawala* no Reino Unido. Um dos acusados do caso coletava os fundos do financiador através de uma senha, típica das operações *hawala*, e depois depositava o dinheiro em contas bancárias em Manchester.[12]

A imensa maioria das operações com drogas é realizada em dinheiro vivo. Desde o usuário, que compra uma pequena quantidade por um punhado de dólares nas ruas, até o narcotraficante local, que vende uma quantidade significativa a seus distribuidores, as vendas são realizadas em dinheiro vivo, para evitar que sejam rastreadas. No entanto, o dinheiro em espécie tem pouca utilidade para os fornecedores; é cada vez mais difícil usá-lo para comprar coisas caras ou depositá-lo em contas bancárias sem levantar suspeitas. A maior parte do lucro em dinheiro não é obtida no país da produção ou em sua moeda corrente, e, para que os chefes do cartel ponham as mãos no dinheiro, ele tem de migrar para o sistema financeiro e ser transferido através da fronteira. Um chefe de cartel mexicano ou colombiano pode estar arrecadando milhões de dólares americanos mês após mês. Uma parcela desse dinheiro será usada para pagar propinas e subornos; outra, para transações no mercado negro; mas, para que possa ser movimentado, o remanescente deverá entrar no sistema financeiro e ser convertido em pesos.

Os narcotraficantes, portanto, usam uma variedade de métodos para a lavagem de seu dinheiro. Entre os métodos tradicionais encontra-se a combinação de fundos de origem ilícita com os lucros genuínos de atividades que desde há muito existem à base de dinheiro vivo: cassinos, empresas de táxi, bares e lojas de pequeno porte. No entanto, à medida que bancos e governos foram aos poucos reprimindo depósitos volumosos em dinheiro, os praticantes de lavagem de dinheiro foram encontrando, por sua vez, outras formas de ocultar seus fundos.

Um dos métodos favoritos e significativos de lavar dinheiro, utilizado em geral pelos cartéis de drogas colombianos, é o mercado negro do peso. Trata-se de um sistema de troca baseado em operações financeiras que gera satisfação mútua entre os envolvidos: os chefes de cartéis despejam enormes quantidades de dólares americanos em troca da moeda local; intermediários trocam dólares por pesos no mercado negro para ganhar uma comissão; e (por outro lado) homens de negócios íntegros podem adquirir com facilidade dólares para importar produtos a serem vendidos localmente.

Em um cenário comum, o dinheiro se origina nos Estados Unidos, com consumidores que o entregam em troca de seu paraíso químico. Com milhões dessas operações sendo realizadas todos os dias, o dinheiro logo se acumula

— em geral, em "esconderijos" destinados a esse fim —, criando uma dificuldade logística para os cartéis. De modo geral, a quantidade física de dinheiro vivo em solo americano é muito maior que a quantidade física de drogas que o geraram. Os cartéis querem levar esse dinheiro de volta para o país de origem, em pesos, mas depositar o grosso do dinheiro em contas bancárias nos Estados Unidos é impossível sem deixar rastro, e o transporte e a conversão dos dólares em pesos na Colômbia também implicam o risco de interdição e confisco.

Um cenário comum se dá com cinco personagens: um narcotraficante, um corretor, um colombiano residente nos Estados Unidos, uma empresa da Zona de Livre Comércio e um empresário colombiano. Os coadjuvantes do enredo são: um esconderijo nos Estados Unidos, uma conta bancária também nesse país e diversos cheques em branco. Há quatro atos principais: o colombiano abre uma conta nos Estados Unidos; o narcotraficante vende dólares em troca de pesos; o empresário compra dólares, pagando em pesos; e, por fim, o mesmo empresário compra itens luxuosos. A ação na maior parte das vezes é executada em três localidades: Colômbia, Estados Unidos e uma Zona de Livre Comércio em um país como o Panamá.

A primeira parte é simples e depende da participação de colombianos residentes ou em visita aos Estados Unidos. Essas pessoas abrem contas-correntes nesse país para um corretor de pesos do mercado negro, por algumas centenas de dólares. É feita uma série de pequenos depósitos na conta — o suficiente para manter o aspecto de uma atividade lícita. O titular da conta assina cada um dos cheques emitidos para ele, mas a quantia e o beneficiário são deixados em branco. A seguir, o titular da conta entrega seu talão de cheques ao corretor, e, assim, cria-se a seguinte transação:

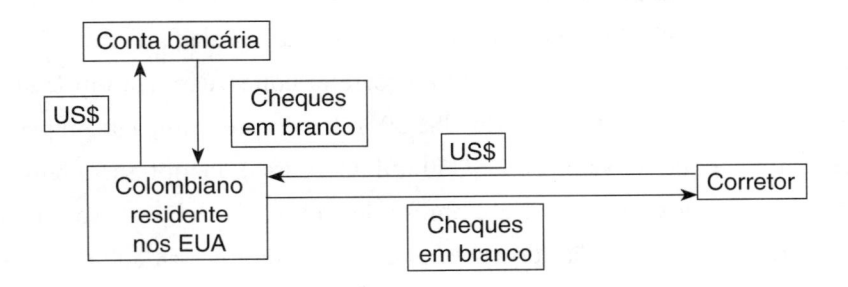

O narcotraficante agora quer seu dinheiro na Colômbia, na forma de pesos, e o corretor é justamente a pessoa de quem precisa. Ele ajudará o narcotraficante a se livrar dos dólares americanos e a convertê-los em pesos. É provável que a taxa que combinam seja menor que a oficial, mas o narcotraficante aceita essa perda para que tudo permaneça fora de um eventual monitoramento. Combinada a taxa, o corretor transfere os pesos de uma de suas contas na Colômbia para a conta do narcotraficante, também na Colômbia. O narcotraficante agora tem seus pesos e informa o endereço do esconderijo nos Estados Unidos para que o corretor colete seus dólares. O narcotraficante já pode sair de cena. O corretor envia seus agentes ao esconderijo para apanharem os dólares que ele acabou de comprar, e esse montante é depositado em contas norte-americanas fictícias que o corretor adquiriu com antecedência.

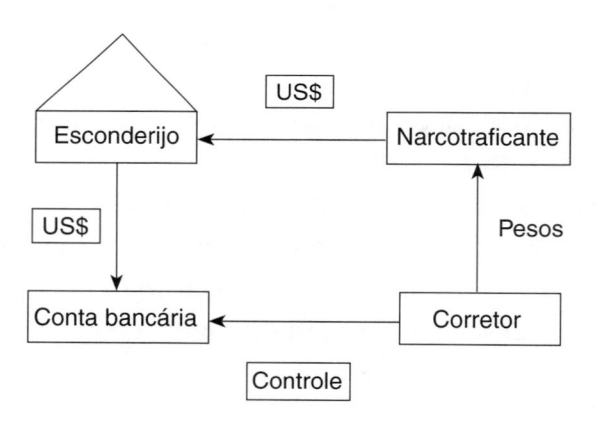

Agora entra em cena uma terceira parte: o empresário colombiano que deseja comprar dólares a fim de operar no comércio internacional. Digamos que ele queira importar US$ 30 mil de ouro de uma empresa instalada na Zona Livre de Colón, no Panamá. Tanto ele quanto o corretor concordam com uma taxa de câmbio para cheques, totalizando US$ 30 mil; o empresário paga em pesos e recebe um cheque no valor de US$ 30 mil. Com isso, o empresário tem os recursos necessários para pagar a empresa de Colón em dólares, escapando tanto do rastreamento oficial dos governos quanto da necessidade de pagar altas tarifas alfandegárias ou taxas de câmbio formalizadas de bancos, e o corretor acaba de repor seu estoque de pesos (diminuído depois de ter pago o narcotraficante antes de pegar seus dólares no esconderijo).

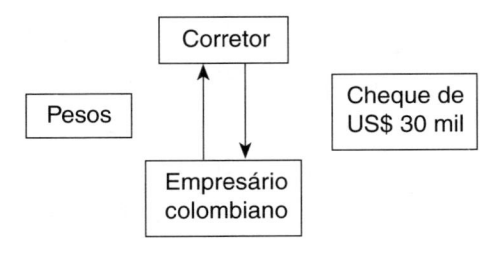

Por fim, o empresário insere o nome da empresa de Colón no campo "favorecido" do cheque. Este pertence agora à empresa de ouro, que o deposita (talvez no mesmo local ou em uma conta bancária nos Estados Unidos) e envia o ouro ao empresário. Este, por sua vez, vende o ouro na Colômbia.

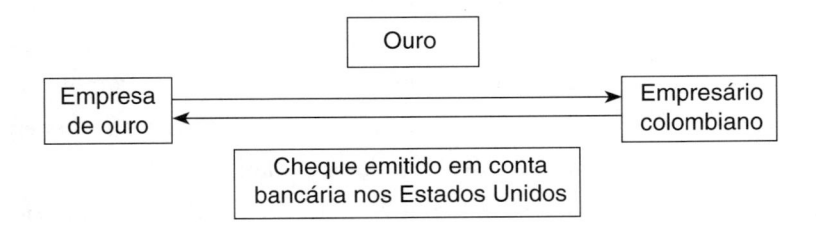

Dessa forma, o narcotraficante recebeu seus pesos na Colômbia; o empresário importou produtos de Colón utilizando dólares; os cheques de contas norte--americanas serviram para comprar o ouro; a empresa de Colón, que pode muito bem ser cúmplice nesse círculo vicioso, recebe em dólares; e o corretor consegue obter sua comissão e suas taxas.

Um cenário similar tem ocorrido na Venezuela depois que o acesso a dólares americanos foi restrito na tentativa de limitar a lavagem do dinheiro de drogas. Essa iniciativa não teve o efeito desejado; apenas forçou os narcotraficantes a conceber um esquema mais criativo para a transferência de fundos pela fronteira, disfarçados de pagamentos de dívidas comerciais, enganando assim a alfândega no processo. Outro golpe incluía a compra de cavalos de corrida por empresas de fachada que trabalhavam para o cartel Los Zetas, em que os rendimentos eram lavados por meio da venda de cavalos a terceiros a valores acima do mercado.

Outro método popular de obter acesso ao sistema bancário convencional é a utilização de casas de câmbio (CDCs), nas quais dólares de drogas contrabandeados para o México podem ser convertidos em pesos. Segundo estimativas do governo, os contrabandistas têm a estatística a seu favor — menos de 1% de todo o dinheiro que supostamente cruzou a fronteira é apreendido.[13] Maços com notas muito bem compactadas têm sido encontrados em todos os cantos concebíveis de veículos que cruzam a fronteira. Num mesmo dia de janeiro de 2014, por exemplo, a polícia descobriu US$ 301 mil em espécie escondidos no para-lama de um carro que cruzava a fronteira com o Arizona, em Nogales, e US$ 108 mil escondidos no console central de outro carro que cruzava a fronteira cerca de 160 quilômetros a leste.[14]

Quando os veículos chegam do outro lado da fronteira, os narcotraficantes se apossam do dinheiro, mas é bem provável que queiram que uma grande parcela dele seja convertida para a moeda local. As casas de câmbio são conhecidas por prestarem esse tipo de serviço. Ambas as partes se beneficiam com a troca: o narcotraficante troca os dólares e obtém moeda local; e as casas de câmbio, ávidas por dólares, obtêm uma fonte de moeda norte-americana a uma taxa baixa.

A preocupação, do ponto de vista dos Estados Unidos, é que as contas correspondentes norte-americanas das CDCs sejam uma porta de acesso para o dinheiro das drogas entrar no sistema financeiro do país.

Embora uma parcela dos lucros anuais gerados pelo comércio de drogas seja reinvestida na própria atividade, com a compra de mais produtos e o pagamento a contrabandistas, distribuidores, narcotraficantes, guardas, policiais corruptos e políticos, estima-se que mais da metade desses lucros é lavada por meio de produtos bancários comuns. Longe de ficar estocado em cofres na casa dos chefes dos cartéis, o dinheiro entra no sistema financeiro internacional.

Apesar da publicidade prejudicial em âmbito internacional que cercou o colapso do Banco de Crédito e Comércio Internacional no início da década de 1990, quando se descobriu que a instituição, de modo consciente e deliberado, lavou dinheiro para o cartel de Medellín, de Pablo Escobar, a última década tem ilustrado a contínua vulnerabilidade do setor bancário. Algumas instituições financeiras deixaram de incorporar os tipos de verificação requeridos para prevenir a lavagem de dinheiro por parte de traficantes de drogas, possibilitando assim que estes movimentassem somas significativas pela fronteira com relativa impunidade.

Um exemplo notável foi o caso do Wachovia, que era, à época, um dos maiores bancos norte-americanos (foi adquirido pelo Wells Fargo em 2008). O Wachovia ficou sob os holofotes depois de lançada uma ampla investigação sobre o financiamento de aeronaves que entregavam drogas no território norte-americano.[15] Perseguindo o rastro do dinheiro proveniente do comércio de drogas, os investigadores foram levados aos cofres do banco da Carolina do Norte. O fato de o Wachovia ter um controle frouxo contra a lavagem de dinheiro possibilitou que certos clientes conseguissem lavar dinheiro através do banco.

As CDCs estavam no cerne da investigação. De setembro de 2005 a dezembro de 2007, período pesquisado pelos investigadores, o Wachovia prestou serviços bancários como correspondente norte-americano de 22 dessas casas. Documentos oficiais relatam que investigadores norte-americanos encontraram "provas prontamente identificáveis" e "sinais claros" de lavagem de dinheiro em larga escala no exame das operações bancárias de CDCs do Wachovia. Darei exemplos dessa conduta relacionados com os três tipos de serviço prestados às CDCs pelo banco.

Primeiro, o Wachovia prestava serviços de transferência eletrônica às CDCs. Com isso, elas conseguiam transferir dinheiro eletronicamente de seus clientes mexicanos a destinatários situados em várias partes do globo. A investigação desvendou várias transgressões nesse serviço. Em um exemplo, uma série de dez transferências eletrônicas foi processada pelo Wachovia no período de dois dias, todas em números redondos e destinadas para a conta de garantia — bloqueada — do corretor de uma aeronave. Depois verificou-se que a identidade dos indivíduos que enviaram o dinheiro era falsa e a empresa envolvida na transferência era fictícia. A aeronave foi então apreendida com 2 toneladas de cocaína a bordo.

Segundo, várias CDCs contratadas para o grosso do serviço financeiro do Wachovia, que enviavam de volta aos Estados Unidos pilhas de dólares nelas depositados, passaram a destinar esse valor para o Federal Reserve (banco central norte-americano). Em menos de três anos, cerca de US$ 14 bilhões em dinheiro foram repatriados do México por CDCs e outros clientes, com somas vultosas em contas correspondentes estrangeiras. Se esse dinheiro fosse enviado em notas de 20 dólares, equivaleria a 780 toneladas de dinheiro em espécie viajando do México para os EUA. É espantoso que esse fato — aliado ao de diversas CDCs terem excedido em pelo menos 50% suas atividades mensais previstas — não tenha desencadeado investigações urgentes sobre a origem desses fundos. Causou estranheza que o banco não tivesse diretrizes escritas e formais contra a lavagem de dinheiro, para garantir que qualquer atividade suspeita referente a esse serviço fosse relatada.

O terceiro ponto de entrada no sistema dos Estados Unidos eram os serviços de depósito por meio de "mala postal". As CDCs embalavam lotes de cheques e cheques de viagem de clientes (emitidos em bancos norte-americanos), despejavam-nos em uma "mala postal" e, depois, enviavam-nos como depósito ao Wachovia. Uma revisão de operações empreendida pelo banco descobriu que a maioria dos US$ 20 milhões em cheques de viagem numerados em sequência, processados para 13 CDCs mexicanas pelo Wachovia entre abril de 2005 e maio de 2007, não continha um nome legítimo, e 64% deles exibiam marcações "incomuns". Esses fatores foram descritos na Declaração Factual (Factual Statement) do DPA como "padrões prontamente identificáveis como provenientes de atividade de lavagem de dinheiro".

Embora todas as relações do Wachovia com as CDCs tenham terminado com seu fechamento em 2007, o banco parecia acolher muito bem esses negócios, apesar dos evidentes riscos: Miami é famosa por ser uma região com tráfico intenso de drogas, e os riscos que as contas correspondentes de casas de câmbio representavam não eram segredo para ninguém. Apesar dos sinais de alerta, o Wachovia otimizou suas atividades com essas casas e, de acordo com registros oficiais, chegou a "comprar os direitos para atuar como correspondente internacional dos clientes do Union Bank of California" em 2005. Ao que tudo indica, o banco sabia que o Union Bank of California havia decidido sair do negócio com as casas de câmbio devido aos problemas de lavagem de dinheiro. A saída do Union Bank of California teria relação com o aumento acentuado dos negócios do próprio Wachovia nesse nicho.

Um verdadeiro grupo de entidades consagradas tomou a frente das investigações: a Agência de Combate às Drogas (Drug Enforcement Agency, DEA), o Gabinete da Procuradoria dos EUA do Distrito Sul da Flórida (US Attorney's Office for the Southern District of Florida), a Receita Federal norte-americana (Internal Revenue Service, IRS), a Rede de Policiamento de Crimes Financeiros (Financial Crimes Enforcement Network — FinCEN) e o Escritório de Controle da Moeda (Office of the Comptroller of the Currency, OCC). Ao longo de todo o curso da investigação — com a qual o Wachovia cooperou plenamente, tendo entregado 8 milhões de páginas de documentos para as autoridades —, foram identificados pelo menos US$ 110 milhões de rendimentos de drogas canalizados pelas contas das CDCs na instituição. Embora não houvesse indícios de que o banco tinha ciência da lavagem de dinheiro por meio de sua prestação de serviços às CDCs, a falha no acompanhamento dos fluxos ligados a essas casas foi considerada "séria e sistêmica". Entre as conclusões listadas na Declaração Factual estavam: monitoramento inadequado de US$ 14 bilhões de pagamentos feitos por clientes em espécie; monitoramento inadequado de mais de US$ 40 bilhões em instrumentos monetários que passaram por contas correspondentes no Wachovia em um período de dois anos; e negligência em detectar e informar atividades suspeitas nos US$ 373 bilhões transferidos em operações eletrônicas e processados pelas CDCs. Um funcionário do Wachovia — que, depois, passou a ser informante, relatando suas experiências ao *Guardian* — disse que havia alertado sobre esses tipos de operação por algum tempo, mas que havia sido ignorado por seus superiores.[16]

Logo depois das investigações, em 2010, o Wachovia firmou um DPA com o Departamento de Justiça para atenuar as acusações, declarando que o banco havia deixado, de modo deliberado, de implantar um programa contra lavagem de dinheiro e de relatar operações suspeitas. Foram confiscados US$ 110 milhões e o banco concordou em pagar uma multa de US$ 50 milhões. Para consternação dos defensores da "Guerra contra as drogas", o promotor federal norte-americano Jeffrey H. Sloman disse que os lapsos do Wachovia haviam "dado aos cartéis carta branca para o financiamento de suas operações".[17]

As atividades do HSBC no México também foram analisadas em detalhes por vários organismos oficiais na última década. Em suas respectivas avaliações de práticas contra a lavagem de dinheiro, no México e nos Estados Unidos, o Subcomitê Permanente de Investigações do Senado e vários órgãos do sistema judiciário norte-americano relataram uma série de falhas sistêmicas que possibilitaram ao dinheiro das drogas passar pelos pontos fracos do banco e alcançar o sistema financeiro norte-americano.[18] No DPA assinado pelo HSBC em 2012, o banco admitia ter ciência de que havia deixado de estabelecer e montar um programa antilavagem de dinheiro e, ao mesmo tempo, de definir a devida diligência para contas correspondentes estrangeiras. O DPA determinou que *ao menos* US$ 881 milhões de dinheiro de drogas, entre eles os rendimentos de drogas do cartel Sinaloa, do México, e do cartel Norte del Valle, da Colômbia, foram lavados nos Estados Unidos como consequência dessas falhas. O acordo final, para esses e outros lapsos, envolvia uma multa de US$ 1,9 bilhão, ou cerca de 10% dos lucros do banco naquele ano (antes de descontados os impostos). Entre uma série de outras medidas que o banco tomou desde então, o HSBC nos Estados Unidos (HBUS) gastou US$ 290 milhões em medidas reparadoras.

Os infortúnios do HSBC no México remontam a 2002, quando o banco comprou o quinto maior banco mexicano, Grupo Financiero Bital, absorvendo milhões de clientes locais e milhares de funcionários. Os problemas que o HSBC do México (HBMX) encontraria na década seguinte estavam bastante arraigados nessa aquisição, e o temor de um legado possivelmente nocivo foi aventado antes mesmo de o contrato ser firmado. Uma auditoria pré-aquisição realizada pelo HSBC constatou que seu alvo, "na realidade, não tinha um Departamento de Compliance", e o diretor de *compliance* do grupo, David Bagley, também havia tomado conhecimento através de um e-mail, àquela época, de que as funções contra a lavagem de dinheiro e de *compliance* "não existiam" no banco que se pretendia adquirir. Um antigo funcionário do Departamento de Compliance do banco informou ainda aos colegas que uma agência reguladora mexicana tinha sérias preocupações sobre os controles do Bital, manifestando que o departamento jurídico do banco "não era culpado de má-fé, mas sim de extrema mediocridade". Apesar desses problemas, o HSBC prosseguiu nas tratativas e comprou o Bital por US$ 1,1 bilhão em novembro de 2002.

As questões herdadas com a compra do Bital pelo HSBC foram a causa e o catalisador das decorrentes falhas no HBMX. Os problemas existentes se enraizaram e floresceram em um ambiente propício ao submundo mexicano, cujos benefícios, segundo reguladores alegaram, foram evidenciados em um vídeo "de um senhor das drogas recomendando o HBMX como banco para colocação", e onde se mostrava que os traficantes haviam inventado caixas com formatos especiais que se encaixavam nas exatas dimensões das janelas dos caixas [do HBMX]". A falta de comunicação entre a sede londrina do HSBC, o HBUS e o HBMX sobre as questões relacionadas à lavagem de dinheiro apenas agravaram a situação, sendo depois somadas à abordagem leniente do HBMX quanto ao treinamento. Essa leniência foi identificada nas próprias auditorias na instituição.

A perspectiva dos Estados Unidos começa com a preocupação de que os rendimentos nacionais e estrangeiros do delito estejam sendo lavados pelo sistema financeiro norte-americano e que a moeda nacional esteja sendo usada no processo. Esses riscos são supostamente levados em conta no modo como os bancos tratam os clientes e as operações estrangeiras, e as filiais do HSBC atribuíram um nível específico de risco a diferentes jurisdições, determinado pelos prováveis riscos de lavagem de dinheiro representados por iniciar um relacionamento bancário naquele país. Curiosamente, e apesar de muitos indicadores contrários, o HBUS atribuiu ao México seu menor *rating* de risco (o *rating* de risco foi, de maneira mais apropriada, elevado em três graus para o maior nível em 2009). Uma das consequências do *rating* de risco anterior foi a descoberta de que US$ 670 bilhões em transferências eletrônicas a partir do México tinham sido excluídos do sistema de monitoramento da instituição.

A negligência do HBUS em monitorar adequadamente seus serviços bancários correspondentes foi uma falha crítica. O HBMX, por exemplo, usou seu relacionamento de correspondência com os Estados Unidos para processar os fundos depositados nas contas de clientes nas Ilhas Cayman. Uma série de contas nessas ilhas tinha natureza bastante duvidosa devido à total falta de informações sobre o cliente (uma amostragem particular mostrou que "15% dos clientes não tinham sequer um arquivo de cadastro"). Algumas contas nas Ilhas Cayman, nas palavras de um funcionário de *compliance* do HBMX, estavam sujeitas a um "nível muito alto de utilização indevida [...] pelo crime organizado". Em 2008, o portfólio das Ilhas Cayman detinha um total de cerca de US$ 2,1 bilhões em ativos espalhados por mais de 60 mil contas, para cerca de 50 mil clientes. Os riscos associados a essas contas "foram enfocados de modo mais minucioso" apenas em meados de 2008, quando o grupo foi instado pela descoberta de que certos clientes caimaneses do HBMX tinham feito pagamentos substanciais a uma empresa norte-americana "envolvida, segundo se alegou, no fornecimento de aeronaves para cartéis de drogas". Depois de serem tomadas as devidas medidas para remediar as deficiências do programa de levantamento de dados acerca dos clientes nas contas das Ilhas Cayman, o HBMX foi informado de que tinha 20 mil contas e US$ 657 milhões em depósitos. Em vista dos riscos inerentes a uma jurisdição *offshore* como as Ilhas Cayman, o Subcomitê do Senado advertiu que cabia ao HBUS "avaliar os riscos e determinar se continuaria a processar operações com as contas das Ilhas Cayman por meio da conta correspondente do HBMX".

O HBMX também tornou o sistema financeiro norte-americano vulnerável à lavagem de dinheiro por meio de seu comércio de dinheiro em espécie com o HBUS. Em 2007 e 2008, o HBMX vendeu um total de US$ 7 bilhões ao HBUS em notas, quantia essa que as autoridades acreditavam poder ser atingida apenas se incluísse dinheiro proveniente das drogas. Entre janeiro e setembro de 2008, a soma de dinheiro repatriada pelo HBMX aos Estados Unidos representava 36% do mercado "e era o dobro do que o maior banco mexicano, o Banamax, havia repatriado, muito embora o HBMX fosse apenas o quinto maior banco do país". Entre 2006 e 2009, o HBUS não monitorou de modo adequado seus negócios de dinheiro em espécie com as filiais do HSBC, e, nessa condição, aparentemente não ficou ciente do fluxo de dólares lavados por meio de contas do HBMX. Em um intervalo de dois anos, o HBMX exportou US$ 1,1 bilhão apenas do estado de Sinaloa; esse montante se tornou conhecido em meio à descoberta de um "esquema intenso de lavagem de dinheiro" envolvendo funcionários do HBMX em filiais espalhadas por todo o estado.

O negócio do dinheiro em espécie era particularmente vulnerável ao abuso por parte das CDCs de alto risco que prestavam serviços de transferência às contas bancárias nos Estados Unidos. A mais eminente dessas casas em relação ao HBMX era a Casa de Câmbio Puebla. Ela começou a fazer operações bancárias com o Bital na década de 1980 e, em 2004, abriu uma conta de dinheiro em espécie com o HBUS. O crescimento ano após ano dessa atividade não poderia ser explicado sem se levar em consideração "se a Puebla não estaria aceitando rendimentos ilegais que os cartéis à época contrabandeavam dos Estados Unidos para o México". O banco não podia mais alegar que desconhecia o fato depois que US$ 11 milhões de fundos da Puebla foram interditados em 23 contas bancárias no Wachovia, em Londres e Miami, no mês de maio de 2007. Com a revelação dessas notícias, o HBUS suspendeu de imediato sua relação comercial com a Puebla, mas o HBMX deixou de fazer o mesmo, até que o procurador-geral do México o ordenasse, cerca de seis meses depois.

Outro exemplo que sugere falhas no monitoramento e na supervisão contra a lavagem de dinheiro envolveu o abastado cidadão sino-mexicano Zhenly Ye Gon. Segundo alegações, ele estava ligado ao cartel Sinaloa e fora preso sob a acusação de envolvimento com o tráfico de drogas em julho de 2007. Apesar de descobrirem que Ye Gon havia lavado fundos através da Puebla, o HBMX mantinha as contas dele e de suas empresas, uma das quais chamava-se Unimed. Essa empresa já havia chamado a atenção dos reguladores por vários anos, e o HBMX rejeitou a orientação de fechar sua conta, argumentando que a Unimed era uma "empresa idônea, documentada de maneira apropriada e conhecida no mercado". O ministro das Finanças e de Crédito Público mexicano enfim descobriu que, entre 2003 e 2006, Ye Gon e suas empresas tinham usado quatro bancos mexicanos, entre eles o HBMX, e diversas CDCs, inclusive a Puebla, para movimentar US$ 90 milhões em 450 operações.

O Wachovia e o HBMX são apenas duas entre as muitas instituições financeiras de grande porte cujos controles inadequados contra a lavagem de dinheiro possibilitaram aos traficantes de drogas abusar de instalações bancárias para lavar os rendimentos de seus delitos. Em ambos os casos, e em muitos outros, as deficiências em sistemas de monitoramento são exploradas por criminosos que têm como objetivo fazer o dinheiro escoar pelo sistema financeiro legal. Com tantos bilhões gerados pelo tráfico de drogas, é inevitável, infelizmente, que a maior parte das principais instituições financeiras lide com fundos conspurcados pelas drogas.

No curso de minha carreira, tomei contato com uma ampla variedade de métodos pelos quais as instituições são contaminadas com o dinheiro das drogas, mas um tipo particular de esquema se destaca em minha mente como sendo bastante eficaz devido à sua simplicidade.

CENÁRIO

O dono de uma boate no Reino Unido, com um medalhão de ouro pendurado no pescoço e um vício em drogas que lhe custa caro, permite a comercialização de drogas em seus clubes noturnos por uma determinada organização em troca de uma comissão semanal que lhe é paga em dinheiro. O negócio tem seus altos e baixos, mas o proprietário consegue faturar de £ 10 mil a £ 25 mil por semana. Ele deposita uma parte do dinheiro nas contas bancárias da boate, declarando-o como rendimento legal, e com parte do restante paga os funcionários eventuais da casa em dinheiro vivo. Ainda gasta um pouco do dinheiro, mas mesmo assim toda semana lhe resta uma soma considerável, que representa para ele tanto uma dificuldade logística quanto um risco. O narcotraficante com quem faz negócios sabe que ele recebe o dinheiro toda semana, o que faz dele um alvo fácil. Ele também tem plena consciência de que, se for investigado pela polícia e se esta encontrar em seu poder uma quantia considerável de notas bancárias conspurcada pela droga, terá de passar um longo período na prisão. O dono da boate precisa de uma solução que lhe permita livrar-se do dinheiro sem levantar suspeitas e poder gastá-lo sem atrair a atenção indesejada das autoridades. Usando o novo modelo habilitação, distanciamento e disfarce de lavagem de dinheiro examinado no Capítulo 2, ele deseja obter as seguintes desconexões:

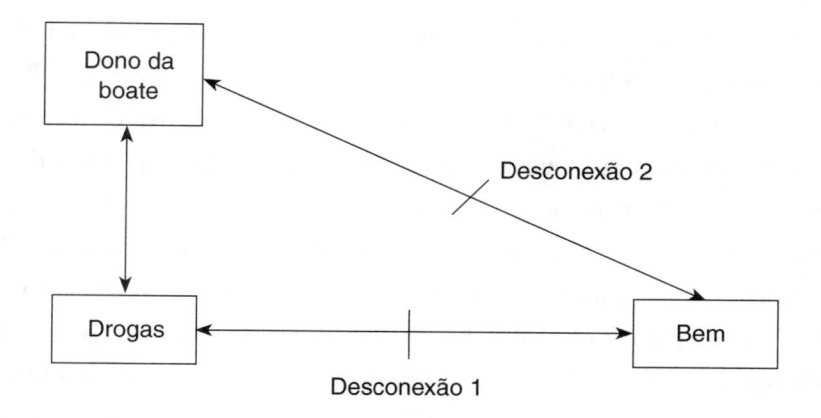

O dono da boate é apresentado por um amigo a um advogado britânico que, por sua vez, o apresenta a um fornecedor de serviços empresariais *off-shore*, instalado de modo conveniente em uma jurisdição que não considera a lavagem de rendimentos de evasões fiscais estrangeiras um crime. Ele convida um diretor do fornecedor de serviços empresariais para jantar num de seus clubes noturnos e lhe explica em detalhes sua difícil situação. A relação do dinheiro com drogas não é mencionada de maneira explícita pelo dono da boate, que, ao contrário, diz que o dinheiro em excesso representa a receita do negócio, que ele deseja manter distante das garras do fisco. O diretor se solidariza com ele e diz que está feliz em poder ajudar, sugerindo que sejam utilizados um truste e uma empresa oculta para esse propósito. Em seguida, explica que ele já tem trustes e empresas beneficentes "inativas" que podem ser utilizadas, evitando assim a necessidade de envolvimento de autoridades pelo registro de uma nova empresa nesse estágio inicial do relacionamento.

O diretor explica que um funcionário de sua empresa encontrará o dono da boate todo mês para coletar o dinheiro. O dinheiro, ele explica, será então "depositado" em uma estrutura mais ampla que ele já tem à disposição, onde poderá ser usado para uma série de finalidades, desde pagar as faturas de cartão de crédito do dono da boate até a compra de bens no exterior, ou gastos com boates, milhas aéreas em jatos privados etc. O diretor assegura ao dono da boate que sua empresa utiliza métodos testados e comprovados de trâmite de dinheiro vivo e que o deposita em uma estrutura concebida por ele. As partes concordam com uma taxa, e o diretor programa a primeira coleta de dinheiro para a semana seguinte.

Em outro bairro em Londres, residem dois clientes ativos do fornecedor de serviços empresariais, que receberam estruturas similares envolvendo fundos fiduciários e empresas ocultas. O primeiro é um profissional especializado em dar consultoria a grandes contratos de engenharia pelo mundo afora. Ele também não gostava nada de ter que pagar imposto sobre sua renda e, para evitar isso, alguns (nem todos) de seus clientes concordaram que seus honorários fossem pagos por transferência de fundos a uma empresa de recolocação de pessoal em nome de um truste administrado para ele pelo fornecedor de serviços empresariais. O engenheiro agora está aposentado e gostaria de se beneficiar de parte do dinheiro existente na estrutura, mas não pode correr o risco de chamar a atenção das autoridades britânicas, temendo que investiguem a utilização que ele fez da estrutura no passado. Por essa razão, a transferência eletrônica de dinheiro da estrutura para sua conta bancária no Reino Unido não é uma opção.

O segundo cliente é um político britânico com estreitas ligações com a indústria de medicamentos e uma empresa farmacêutica em particular. Durante muitos anos, antes de aumentarem as exigências de transparência parlamentar, e em troca de pagamentos feitos a uma estrutura administrada em seu benefício pelo fornecedor de serviços empresariais, ele fez *lobby* em favor da empresa farmacêutica para que determinados medicamentos fossem aprovados e comprados pelo Serviço Nacional de Saúde do Reino Unido. Em uma ou duas ocasiões, chegou até a participar de debates formais no Parlamento para promover os interesses da empresa farmacêutica, ou, de modo mais genérico, de seu setor. A exemplo do engenheiro, ele desejava retirar uma parte do dinheiro da estrutura *offshore* para desfrutá-lo, mas, em razão de sua posição, não podia se dar ao luxo de evidenciar quaisquer ligações com um truste e uma estrutura *offshore*.

A peça final do quebra-cabeça é uma "conta bancária conjunta" administrada pelo fornecedor de serviços empresariais na qual o dinheiro do engenheiro e do político foi depositado. O fornecedor agora tem todas as estruturas implantadas e precisa apenas despachar o mensageiro. A primeira coleta de dinheiro do dono da boate, somando £ 42 mil, é feita conforme planejado. O mensageiro, então, dirige-se primeiro até o engenheiro, a quem dá £ 21 mil, e depois ao político, a quem dá os £ 21 mil restantes. Ambos os clientes ficam extremamente satisfeitos. No entanto, como os £ 42 mil entraram na estrutura do dono da boate? O fornecedor de serviços empresariais será encontrado em todas as camadas da estrutura a seguir:

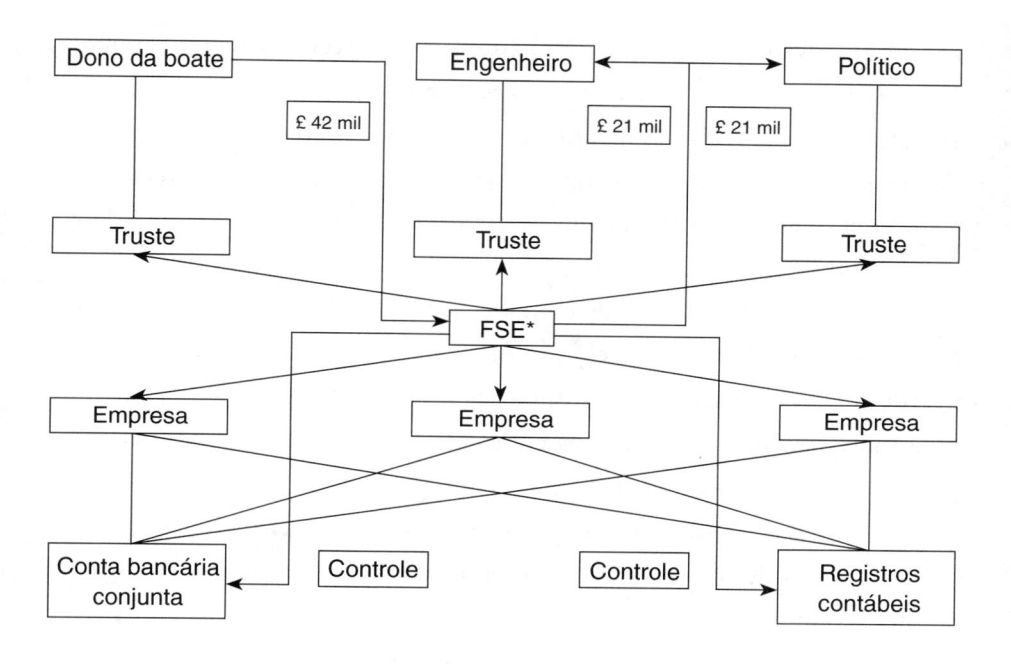

Sem que nenhuma parcela do dinheiro coletado com o dono da boate ingressasse no sistema bancário, o fornecedor de serviços empresariais consegue depositar £ 42 mil em sua estrutura, manipulando os registros contábeis das três estruturas, bem como aumentando o direito da estrutura do dono da boate em £ 42 mil na conta conjunta. Há entradas correspondentes nos livros das estruturas do engenheiro e do político, reduzindo a participação deles na conta conjunta, individualmente, para £ 21 mil, porém sem deixar rastros da movimentação no sistema bancário, pois a estrutura evitou a necessidade de uma

---

* Fornecedor de serviços empresariais. (N.T.)

transferência eletrônica de fundos. Utilizando esse método, o dono da boate injetará mais de £ 2 milhões nessa estrutura ao longo de dois anos.

Sob sua direção, o fornecedor de serviços empresariais consegue um empréstimo garantido pelo dinheiro depositado na estrutura para comprar uma grande casa de campo em Ibiza, na Espanha, em nome da empresa que faz parte da estrutura. O dono da boate abre uma conta em um banco espanhol em Ibiza e solicita um cartão de crédito. Ele aluga essa casa durante vinte semanas ao ano. Os pagamentos do aluguel, totalizando um excedente de £ 100 mil por ano, são depositados nessa conta bancária. No que diz respeito ao banco, essa entrada representa os rendimentos de uma atividade totalmente idônea. Os fundos são então usados para compensar os gastos desenfreados do dono da boate com o cartão de crédito, que ele usa para sustentar seu estilo de vida no Reino Unido e em Ibiza.

A ligação do dono da boate com a estrutura *offshore* passa despercebida pelas autoridades britânicas, pelo centro *offshore* e por Ibiza. O diretor do fornecedor de serviços empresariais agradece pelo fato de a evasão fiscal não ser uma transgressão a ser informada em sua jurisdição e nem sequer pensa na possibilidade de que o dono da boate e o político possam de fato estar envolvidos em formas mais graves de atividade criminosa denunciável.

Essa forma de transgressão envolvendo fundos fiduciários, serviços empresariais, contas bancárias e um cartão de crédito se baseia na conivência de um perigoso fornecedor de serviços empresariais não licenciado. Por meio dela, o dono da boate é capaz de desconectar o delito do dinheiro e, depois, desconectar-se a si próprio dos produtos do crime. Você deve ter reconhecido, assim espero, que neste exemplo não há nenhuma atividade de colocação, ocultação e integração, evidenciando que o antigo modelo de lavagem de dinheiro não poderia de modo algum ser usado para identificá-lo. Sem dúvida, seria uma desagradável surpresa para o banco no qual o fornecedor de serviços empresariais manteve a conta conjunta descobrir que estava sendo usado para lavar dinheiro de drogas em circunstâncias em que não houve nenhuma atividade entre as três estruturas. Na primeira vez em que os fundos da conta foram "ativados", eles não foram transferidos, mas apenas usados como garantia para a compra de uma propriedade no exterior. O que poderia haver de errado nisso?

Você pode estar se perguntando o que o engenheiro e o político estariam fazendo com £ 1 milhão cada um em dinheiro vivo. A resposta é que eles não receberam essa quantia, pois o fornecedor de serviços empresariais tinha centenas de outros clientes em situação semelhante à deles, todos querendo fazer retiradas de suas estruturas *offshore* sem constarem como recebedores de transferências eletrônicas do centro *offshore* para suas contas bancárias no Reino Unido. Assim como o engenheiro e o político, eles receberam pessoalmente o dinheiro que havia sido coletado com o dono da boate pelo mensageiro.

Esse método de lavagem pode ser utilizado por fornecedores de serviços empresariais em conluio, que reúnem clientes com necessidade de dispensar dinheiro vivo com clientes que precisam do dinheiro vivo. As operações entre estruturas que justificam ajustes na quantidade de ativos que cabe a cada cliente são "legitimadas" por empréstimos ou contratos de serviços que parecem completamente legítimos e que, de modo irônico, dão uma aura de formalidade a atividades com base nas quais gerentes de bancos adquirem seu conforto.

CAPÍTULO 5

SUBORNO E CORRUPÇÃO

Uma luva branca, revestida de cristais, da turnê de lançamento do disco *Bad*; um chapéu tipo diplomata usado por Michael Jackson no palco; uma Ferrari 599 GTO; dois imóveis na cidade do Cabo; três relógios Piaget incrustados de diamantes; um gabinete antigo André Charles Boulle; pinturas de Degas, Renoir, Gauguin, Matisse e Bonnard; 1.403 garrafas de vinho sofisticado; 109 itens adquiridos no leilão do espólio de Yves Saint Laurent; uma propriedade em Malibu de cerca de 48.500 metros quadrados; uma propriedade luxuosa com seis andares em Paris; e um jatinho particular Gulfstream G-V. Todos esses itens estão listados em documentos oficiais como pertencentes ao quarentão Teodoro Nguema Obiang Mangue, "figurinha carimbada" do *jet set* internacional e filho do presidente de longa data da Guiné Equatorial, Teodoro Nguema Obiang Mbasogo, que destituiu outro membro da família em um golpe de Estado em 1979.[1] A paixão de Teodoro Nguema Obiang por uma vida de ostentação coincidiu com uma carreira como ministro da Agricultura e Silvicultura da Guiné Equatorial por catorze anos e sua subsequente nomeação para o posto de segundo vice-presidente em maio de 2012.

O estilo de vida glamoroso e exuberante apreciado pelo filho do presidente, também conhecido por seu apelido "Teodorin", é bem diferente do da vasta maioria de seus compatriotas (sem mencionar a incongruência com os alegados US$ 6.799 mensais que ele ganhava como ministro) e lhe conferiu a descrição de "exemplo clássico da elite cleptocrática africana" pela revista *Time*.[2] Uma alta proporção da população da Guiné Equatorial subsiste à base de um dólar ao dia; o país ocupa o 136º lugar no Índice de Desenvolvimento Humano (IDH) da Organização das Nações Unidas (ONU), com uma expectativa de vida de 51 anos; e tem uma taxa de desemprego de 22%. Dez por cento de suas crianças estão abaixo do peso e o país tem o 14º pior índice de mortalidade infantil do mundo. No entanto, desde a descoberta de petróleo em 1996, esse diminuto país da África Ocidental, com uma população de cerca de 736 mil habitantes, está classificado no papel como um dos países mais ricos da África, com um Produto Interno Bruto (PIB) *per capita* de cerca de US$ 24 mil.[3] Esse número é dez vezes maior que o PIB nigeriano e equivalente ao de Portugal e da Arábia Saudita. Considere que o país pontua em 19 sobre 100 e situa-se em 163º lugar no Índice de Percepção de Corrupção de 2013 da Transparência Internacional, e não será nenhuma surpresa que autoridades norte-americanas tenham atribuído a fantástica fortuna de Teodorin Obiang a extorsão, suborno e apropriação indébita de fundos públicos. O país parece sujeito a uma dominação destrutiva de sua economia pelos lucros com petróleo e madeira, que o fizeram obter tal sucesso.

Essa "corrupção grandiosa" é um de muitos tipos de corrupção. Esta varia desde um servidor exigindo dinheiro para executar uma função básica e gratuita até um político sênior negociando contratos e embolsando milhões em propina. Trata-se, em geral, de um fenômeno internacional: países ocidentais ricos pagarão polpudas propinas para obter contratos em nações em desenvolvimento, sabendo que há um grupo de políticos que aceitarão dinheiro vivo em troca de uma relação de negócio. Basta examinarmos os escândalos envolvendo duas empresas globais para entendermos a importância que a corrupção tem nos negócios internacionais.

Em 2007, a Comissão de Valores Mobiliários dos EUA anunciou uma ação em que indiciava a empresa petrolífera americana Baker Hughes por violações à lei anticorrupção (Foreign Corrupt Practices Act, FCPA).[4] Sem admitir nem negar as alegações da SEC, a empresa concordou em pagar US$ 23 milhões como restituição de fundos usurpados e de juros anteriores ao julgamento, além de pagar uma multa civil de US$ 10 milhões. A queixa-crime alegava, entre outras coisas, que a Baker Hughes não se assegurava mais de que os pagamentos feitos na Indonésia, Nigéria e Angola não estivessem sendo usados para subornar dirigentes nesses países. A empresa, no entanto, concordou em assumir a culpa em relação a três contas criminosas referentes aos pagamentos de corruptos no Cazaquistão, e pagou uma multa na esfera criminal de US$ 11 milhões.

A soma total dessas multas ficou muito atrás do US$ 1,6 bilhão que a Siemens, gigante alemã do setor de engenharia, pagou um ano depois para fazer acordo quanto às acusações de um esquema de subornos investigado por autoridades norte-americanas e alemãs. Um assistente do procurador-geral norte-americano afirmou que uma investigação em suas atividades havia revelado que, na maior parte das operações globais da Siemens, "o suborno não era nada menos que um procedimento operacional padrão". Apesar das falhas sistêmicas, a empresa foi elogiada pelo procurador para o Distrito de Colúmbia por ter tomado "medidas extraordinárias" para reconhecer e retificar a conduta criminosa (que incluía a nomeação de um ex-ministro alemão das Finanças como monitor de *compliance*); o CEO da empresa falou de "arrependimento", mas voltou a assegurar que "medidas apropriadas" tinham sido tomadas.[5]

No entanto, são sempre os países mais pobres os mais suscetíveis à corrupção, e os que menos poderiam se dar ao luxo de deixar que o dinheiro público vá para as mãos de um pequeno grupo de empresários e políticos. Isso gera um círculo vicioso em que, mesmo um país sendo muito rico em depósitos minerais e fontes de petróleo, essa riqueza jamais será gasta no desenvolvimento humano e na infraestrutura, desestimulando investimentos e agravando ainda mais a pobreza — um fenômeno a que se deu o nome de "maldição dos recursos naturais". Ele inibe o crescimento da economia e é fundamental para que traficantes de drogas e outros grupos criminosos organizados possam prosperar sem o medo do envolvimento de agências reguladoras. Além disso, exerce um grande efeito sobre os esforços de ajuda internacionais, muitas vezes desestimulando-os: no final de 2012, vários doadores suspenderam a ajuda para Uganda por temer a corrupção pública.[6]

A praga da corrupção é extremamente nociva não só pelo fato de que alguns indivíduos se tornam muito ricos por meios ilícitos, mas também porque causa um dano indescritível ao próprio país, com a diminuição dos fundos públicos, os obstáculos aos negócios e à competição justa, o desperdício da ajuda internacional para o desenvolvimento, e também a pilhagem da riqueza proveniente dos recursos naturais. Quando um político rouba, ele rouba das pessoas com as quais esse dinheiro seria gasto e, portanto, as priva de escolas, hospitais, estradas e água.

Todavia, a existência da corrupção não é o único problema. O sistema financeiro internacional é um participante essencial da própria operação corrupta ou da retenção do dinheiro acumulado por suborno ou roubo. Os bancos desempenham um papel fundamental, fornecendo contas e estruturas empresariais que possibilitam a execução de contratos ilegais, disfarçando a origem ou o destino do dinheiro e permitindo que o dinheiro advindo de corrupção seja retido para, depois, ser acessado por seu destinatário. Os fornecedores de serviços financeiros, em particular os inscritos em jurisdições com requisitos menos rigorosos a respeito da identidade ou propósito dos veículos financeiros, desempenham um papel vital na estocagem de riqueza de corruptos em localidades em geral muito distantes de seu país de origem. Níveis fracos de *compliance* com os padrões regulatórios — entre eles, a devida diligência de investigação de clientes abaixo dos padrões e a avaliação incorreta de risco de clientes bem como de suas atividades bancárias — têm uma parcela considerável de culpa pelo favorecimento da corrupção internacional. Particularmente problemáticas e disseminadas são as falhas de instituições financeiras na identificação adequada de clientes como Pessoas Politicamente Expostas (Politically Exposed Persons, PEP) — ocupantes de cargos públicos e seus familiares e sócios próximos — ou de identificar clientes corporativos como empresas que, pela natureza ou localização de suas atividades comerciais, têm maior probabilidade de pagar propinas. A identificação de um cliente como PEP deveria desencadear de pronto procedimentos aprimorados de devida diligência e avaliações de risco de corrupção: as falhas nesse processo podem ter consequências devastadoras. Igualmente problemáticas são as jurisdições que, de modo deliberado, equipam as partes com fundos fiduciários e estruturas empresariais complexas, que podem ter pouca razão de existência a não ser a fraude, e os bancos ou fornecedores de serviços que os montam.

Define-se corrupção como o abuso do poder público para a obtenção de ganhos privados. Os cenários mais comuns são uma transferência ilícita de fundos públicos a uma empresa privada ou um indivíduo, ou um servidor público exigindo um pagamento não justificado de uma empresa do setor privado ou de uma pessoa física. Em seu nível mais baixo, ela se manifesta em uma cultura em que funcionários insignificantes fazem demandas injustificáveis por dinheiro para executar ou não executar funções básicas, e em geral gratuitas, que são serviços ordinários de sua posição. Em um nível médio, servidores públicos exigem "taxas de facilitação" de empresas recém-fundadas ou aceitam propina para firmar contratos públicos com firmas particulares, fornecedores ou empreiteiros. Essas firmas talvez não ofereçam o melhor valor nas licitações públicas, mas o servidor público enriquece sem ter qualquer custo. Em seu nível mais alto, a chamada "corrupção grandiosa", diz respeito a dirigentes governamentais do alto escalão e consiste em conceder contratos a determinadas firmas em troca de vastas somas de dinheiro, ou a firmas de posse do próprio político; o controle sectário de recursos federais como petróleo ou ouro; e o roubo puro e simples, com enormes volumes de dinheiro removidos dos fundos estaduais ou federais e gastos em melhorias do estilo de vida de determinadas pessoas.

Devido à sua natureza sigilosa, é muito difícil obter estimativas das somas envolvidas em corrupção. Em 2014, a Comissão Europeia estimou que a corrupção custe para a economia europeia 120 bilhões de euros por ano.[7]

O Banco Mundial estima que, em nível planetário, o âmbito da corrupção com o favorecimento de negócios e propinas envolvendo empresas privadas e o setor público some cerca de US$ 1 trilhão ao ano.[8] Este último número é baseado em pesquisas, feitas com empresas, acerca das vezes em que tiveram de pagar "taxas de facilitação" e outros tipos de propina, e não inclui as somas perdidas por apropriação indébita, exploração pessoal ou roubo de ativos ou recursos públicos. Basta-nos examinar as somas atribuídas a alguns dos mais notórios exemplos de corrupção grandiosa listados em um estudo da Transparência Internacional (tais como os dos ex-presidentes das Filipinas Joseph Estrada e Ferdinand Marcos, do ex-presidente nigeriano Sani Abacha e do ex-presidente do Peru, Alberto Fujimori, cujos ganhos pessoais, a TI informa, chegam a bilhões de dólares) para vermos que os tipos de delitos que existem nessa categoria são imensos e, no contexto da pobreza dos países associados, quase inimagináveis.[9] Um estudo do grupo Integridade Financeira Global (Global Financial Integrity, GFI), baseado nos dados do Banco Mundial e do FMI, classificou os dez principais países dos quais fluiu dinheiro ilícito: a China lidera a lista de longe, com estimados US$ 2,18 trilhões entre 2000 e 2008; a Rússia vem em seguida, com US$ 427 bilhões para o mesmo período; o nono e o décimo países foram o Catar e a Nigéria, com, respectivamente, US$ 138 e US$ 130 bilhões.[10]

A corrupção, de modo geral, tem íntima ligação com uma série de outras questões políticas e econômicas. Não é coincidência que a grande maioria dos países em que a corrupção se propaga seja rica em recursos naturais, em particular gás e petróleo, alimentando a "maldição dos recursos naturais". Os países em que há mais corrupção em geral sofrem de extremo autoritarismo político, causado pelo domínio de uma família no governo ou por mudanças abruptas no regime, tais como o colapso da União Soviética ou as disputas de poder na África pós-colonial. Um exemplo da inter-relação entre esses problemas se viu numa ação judicial na África do Sul, na qual Teodorin Obiang testemunhou que era normal em seu país que ministros de Estado (muitos pertencentes à sua família) fossem donos de empresas que poderiam ganhar licitações públicas e, com isso, embolsar uma enorme parcela dos lucros, declarando de modo explícito que "um ministro do gabinete acabaria embolsando uma parcela considerável do valor do contrato" — um conflito de interesses flagrante que é ilegal em vários outros países.[11]

A corrupção econômica raramente existe por si só, sendo acompanhada por problemas na imprensa e na polícia. A corrupção de policiais é bastante problemática, pois torna impossível que se aborde a corrupção de políticos ou funcionários públicos de alto escalão ou o combate a muitos outros tipos de crimes. De acordo com o Capítulo 4, a compra da anuência de membros da polícia, das Forças Armadas e de patrulheiros das fronteiras nas Américas Central e do Sul por cartéis de droga é fundamental para que os traficantes possam continuar com suas atividades e impede as tentativas de combater tanto os traficantes como os oficiais corruptos. Os baixos salários desses oficiais em vários países em desenvolvimento os deixam particularmente suscetíveis ao suborno, pavimentando um terreno fértil para outros tipos de crime.

No entanto, é um erro pensar que todas as instâncias de corrupção são evidentes e podem ser reparadas com facilidade mediante legislação e punições. Em alguns países, a "pequena corrupção", persistente, está muito enredada na cultura das operações comerciais e municipais, e pode ficar fora do alcance de uma força policial que talvez já esteja comprometida e seja corrupta em sua hierarquia. Em outros casos, o enriquecimento pessoal de funcionários públicos de alto escalão que depositam em segredo milhões em bancos estrangeiros e investem em propriedades, enquanto o restante da população sofre, está vinculado ao poder dominante desses poucos funcionários, que impossibilitam as investigações sobre condutas e finanças. Em alguns dos casos mais sutis, comercializam-se interesses nacionais entre países, em geral com incentivos financeiros — casos de corrupção no papel, mas justificados, de forma discutível, por demandas pragmáticas de segurança nacional e pública. Quanto mais difícil for evitar a corrupção em âmbito interno, mais importante será tomar medidas para prevenir que ela se configure rentável no âmbito externo.

Há muitas sociedades em que propinas de pequeno valor são normais em todos os aspectos da vida pública. O site indiano www.ipaidabribe.com foi criado como resultado da intolerância pública à cultura dominante de pequenos subornos no país. Seu objetivo é estimular as pessoas a relatar quando são obrigadas a pagar para ter acesso a um serviço público. Um exame rápido oferece uma visão fascinante de um mundo em que se exige dinheiro com regularidade para facilitar ou omitir a execução de tarefas simples. Entre os relatos, estão o de um serviço da Brigada dos Bombeiros que exigia um pagamento assim que extinguiam o incêndio; de uma vítima de roubo que foi obrigada a pagar para ter seu bem restituído no tribunal; e de um motociclista que foi detido em uma *blitz* de rua e forçado a pagar a um guarda de trânsito para evitar que se atribuísse à sua motocicleta uma infração que ele suspeitava não existir (o condutor observou que o guarda agiu da mesma forma com diversos outros motociclistas na meia hora seguinte). Versões do site foram disseminadas para outros países, com relatos de propinas municipais similares. Esses são exemplos menores, mas não deixam de ser sintomáticos de culturas nacionais em que o suborno faz parte da estrutura do comércio; em que há ampla participação de servidores públicos na corrupção; e em que, por analogia, propinas nos âmbitos do comércio e das empresas prosperam, sem disposição política para evitá-las.

A corrupção que envolve contratos com governos locais predomina em todo o globo. Preocupações também existem em relação ao abuso de poder em contratos civis no exterior. Em 2006, dois cidadãos americanos, Philip Bloom e Robert Stein, assumiram a culpa por acusações de corrupção referentes à obtenção de contratos do governo para a reconstrução do Iraque. Stein e outros dirigentes americanos que estavam administrando os fundos de reconstrução e selecionando empreiteiras na área acordada manipularam propostas em favor da empresa de Bloom; em troca, Bloom recompensou-os com mais de US$ 1 milhão em dinheiro e joias, carros, computadores e outros itens valiosos. Bloom e Stein foram condenados, respectivamente, a 46 meses e nove anos de prisão, e confiscaram-se US$ 3,6 milhões de ambos.[12]

Em 2010, a empresa britânica de armamentos BAE Systems declarou-se culpada por fraude contábil em relação a pagamentos dissimulados de US$ 12,4 milhões a um "intermediário" envolvido em um contrato para o fornecimento de equipamentos de radar ao governo da Tanzânia. Segundo alegações, o pagamento seria de fato uma propina (superior a um quarto do valor do contrato), e o equipamento, mais caro e complexo do que o necessário. A BAE concordou depois com o fato de que havia "grande probabilidade de que parte dessa soma fosse utilizada para favorecê-la nas negociações do contrato". Por fim, a empresa entrou em acordo com o SFO, o que gerou uma multa de £ 500 mil e uma restituição de £ 30 milhões ao povo tanzaniano.[13] O comércio de armamentos e equipamentos de defesa é um setor que gera bastante preocupação: a Transparência Internacional apontou em um relatório de 2011 que apenas 13 entre 93 orçamentos de defesa que foram aprovados tinham um alto grau de transparência.[14]

Casos de corrupção envolvem ainda órgãos nacionais que supostamente pagam propinas a indivíduos estrangeiros de destaque, de modo a manter contratos lucrativos e boas relações entre seus países. Esses contratos, delicados do ponto de vista político, são comuns em países do Oriente Médio, onde há um equilíbrio preciso a se atingir levando-se em conta operações com petróleo e relacionamentos entre interesses pró e contra o Ocidente. Em 2000, as autoridades de Jersey congelaram £ 100 milhões suspeitos de caixa dois, encontrados em fundos fiduciários relacionados ao ministro de Relações Exteriores do Catar, que, segundo se alegou, eram os rendimentos de propinas pagas por empresas estrangeiras a fim de garantir contratos de armas com o emirado. O procurador-geral de Jersey "engavetou" a investigação em 2002, justificando que ela ameaçava as boas relações diplomáticas entre os dois países, e o ministro catariano — que sempre alegou que seus contratos de negócios eram legais — fez um cheque de £ 6 milhões como forma de "reparação voluntária por qualquer dano porventura causado" e também para cobrir os custos da investigação sobre seus negócios em Jersey.[15]

Passados alguns anos, a BAE Systems foi acusada de fazer pagamentos regulares de propinas, que somavam £ 1 bilhão, a um príncipe saudita, para garantir a continuação de um contrato de £ 43 bilhões de fornecimento de equipamentos militares. A empresa respondeu às alegações declarando que havia agido de acordo com os "contratos pertinentes" e que tinha autorização do governo saudita e do ministro de Defesa do Reino Unido. Uma investigação do SFO foi interrompida em 2006, com base em questões de segurança nacional, ao que tudo indica depois de as autoridades sauditas informarem aos britânicos que, se não desistissem, eles deixariam de fornecer "informações" sobre terrorismo.[16] As questões em jogo são muito mais sutis nesse tipo de corrupção, que pode, até certo ponto, ficar além do controle de uma regulamentação comum.

É deprimente, mas também é preciso levar em conta a realidade do que motiva as empresas do mundo ocidental a pagar propina: deve-se dar a devida atenção ao valor de alguns contratos que elas visam obter e ao fato de estarem competindo em um mercado global com empresas localizadas em países nos quais os pagamentos de propina não apenas *não* são ilegais, mas também bastante estimulados caso os contratos resultantes estimulem a atividade econômica e gerem empregos. As somas envolvidas são de modo geral astronômicas, tão grandes que as empresas às vezes pagam propina para simplesmente serem incluídas na lista de empresas a serem consideradas para a obtenção de um contrato. A cada empresa listada dá-se então a oportunidade de pagar uma propina ainda maior a fim de garantir o negócio. Em um esforço para evitar que o pagamento de propina seja descoberto, as empresas não raro utilizam veículos fora do demonstrativo (empresas ou parcerias nomeadas de Veículos para Fins Especiais — Special Purpose Vehicles, SPV), que fazem acordos de agenciamento ou consultoria para fornecer cobertura para a transferência de fundos. O objetivo é disfarçar a propina para que pareça algo que ela não é, como um pagamento de consultoria ou uma doação beneficente.

Exemplos famosos de políticos poderosos que se tornaram muito ricos por meios corruptos, apesar de serem de países com altos níveis de pobreza, existem em toda parte do mundo, mas estão ainda mais presentes em locais onde a ausência de democracia permite que alguém adquira muito poder ou assuma o controle de recursos naturais, tais como petróleo, ouro ou madeira. Os números citados no *Global Corruption Report* de 2004 [Relatório Global de Corrupção] da Transparência Internacional para as somas supostamente embolsadas pelo presidente indonésio Mohammed Suharto, pelo presidente filipino Ferdinand Marcos, pelo presidente zairense Mobutu Sese Seko e pelo ditador nigeriano Sani Abacha, cada um, estão na casa dos bilhões. Os números para o ditador haitiano Jean Claude Duvalier, para o presidente peruano Alberto Fujimori e para o primeiro-ministro ucraniano Pavlo Lazarenko são um pouco mais baixos, porém, individualmente, envolvem centenas de milhões de dólares. Lazarenko, que em 2004 ficou preso nos Estados Unidos por nove anos (pena que foi reduzida para oito anos) após sua condenação por uma série de crimes relacionados ao abuso financeiro de sua posição, foi pego extorquindo empresários que operavam na região em que ele tinha sido governador e por ter lavado os rendimentos nos EUA por meio de uma série de veículos corporativos e contas bancárias internacionais na Suíça, Antígua e Bahamas. A Transparência Internacional estimava que Lazarenko havia dado um desfalque na casa dos US$ 114 a US$ 200 milhões nos cofres públicos ucranianos. Desde sua libertação em 2012, promotores norte-americanos decidiram ir ao encalço de alguns dos bens de Lazarenko, entre eles, uma propriedade na Califórnia de US$ 6,75 milhões e uma litografia de Picasso.[17]

Nas mesmas condições, os frutos provenientes das atividades de Teodorin Obiang estão sendo investigados por autoridades norte-americanas e europeias. Os gastos combinados de 2004 a 2011 totalizavam mais de US$ 300 milhões, e ele está sendo investigado em pelo menos três jurisdições: Espanha, Estados Unidos e França.

As acusações contra Teodorin na França nasceram como resultado de uma investigação mais ampla do país sobre *biens mal acquis* (bens obtidos de modo ilegal), que foi lançada após ter sido feita uma queixa-crime em 2007 por três ONGs, que acusavam famílias governantes da Guiné Equatorial, República do Congo, Angola, Burquina Faso e Gabão de terem desviado dinheiro público e usado o mesmo para adquirir propriedades na França.[18] Em setembro de 2011, uma frota de carros de luxo de Teodorin foi apreendida e, no ano seguinte, as autoridades francesas removeram cargas e mais cargas com itens luxuosos abrigados em seu apartamento de € 100 milhões na elegante 16ª circunscrição de Paris — imóvel esse que também foi confiscado.

Quando, na sequência, Teodorin não compareceu perante juízes franceses para os questionamentos de praxe na corte, foi expedido contra ele um mandado de prisão internacional, em julho de 2012. No entanto, em 2011, no outro lado do Atlântico, autoridades americanas entraram com pedidos de confisco na esfera civil, em Washington e na Califórnia, visando a recuperação de um total de US$ 70 milhões em bens mantidos no nome de Teodorin nos Estados Unidos. Os norte-americanos foram levados a investigá-lo quando um monitoramento rigoroso descobriu que o agora extinto Riggs Bank havia guardado milhões de dólares para indivíduos do alto escalão do poder da Guiné Equatorial.

Os métodos utilizados por Teodorin para acumular sua riqueza, conforme documentado nos processos judiciais nos Estados Unidos, eram um verdadeiro manual para estudantes que aspirassem ser protagonistas de corrupção em grande porte.

Uma série de táticas foi revelada; a aplicação de uma "taxa" ilegal retroativa que o próprio Teodorin cobrava pessoalmente de madeireiras estrangeiras, a apropriação indébita de fundos pelo recebimento de milhões de dólares "de contratos de construção superfaturados" (a valores tão altos como 500%) no país, o recolhimento de uma tarifa de US$ 27 por tora cortada das empresas exportadoras de madeira, e outra "tarifa pessoal" das madeireiras que buscassem concessões. Tudo isso apesar de, sob a lei da Guiné Equatorial, os recursos minerais e hidrocarbonetos da nação serem recursos públicos.

Em escala um pouco menor, mas não menos endêmica ou prejudicial para as pessoas cujas terras são afetadas, acredita-se que os governadores de vários estados nigerianos embolsaram enormes somas de dinheiro de regiões ricas em petróleo que eles controlam, enquanto os habitantes vivem numa pobreza que a gestão apropriada das receitas do país poderia reduzir. A expectativa de vida é de 52 anos, e mais de um quarto das crianças menores de 5 anos estão abaixo do peso. Um dos políticos a enfrentar punições apropriadas por seus crimes foi James Ibori, anteriormente condenado por furto na loja britânica DIY em que trabalhou e que, em 1999, tornou-se o governador do Delta State. Nos oito anos seguintes, Ibori roubou e desfalcou repetidas vezes os cofres públicos do Estado, enriquecendo as próprias contas bancárias pessoais com o que a Polícia Metropolitana estimou serem £ 157 milhões em fundos públicos. Apesar de receber um salário oficial anual de £ 4 mil, ele tinha uma vida luxuosa, possuindo casas no estrangeiro avaliadas em milhões. Preso e extraditado para ser julgado em Londres depois de uma complexa perseguição internacional, em 2012, declarou-se culpado de roubo e lavagem de £ 50 milhões, sendo sentenciado a treze anos de prisão.[19]

Também acusado no Reino Unido, Diepreye Alamieiyeseigha, o governador do Bayelsa State, rico em petróleo, foi preso em 2005 no aeroporto londrino de Heathrow. Em uma de suas propriedades britânicas (de acordo com um informante, ele tinha propriedades na cidade que valiam mais de £ 5 milhões), ele mantinha £ 1 milhão de libras em dinheiro vivo, parte de um patrimônio de mais de £ 10 milhões acumulados fora da Nigéria e escondidos em uma série de fundos fiduciários e contas bancárias, muitas das quais em pequenos paraísos fiscais, com sua titularidade como beneficiário disfarçada com muito cuidado. Sua derrocada começou quando a Comissão de Crimes Econômicos e Financeiros da Nigéria (Nigerian Economic and Financial Crimes Commission) descobriu o recebimento de enormes propinas e apropriação de fundos destinados ao desenvolvimento público. Escapando do processo no Reino Unido — supostamente disfarçado de mulher — Alamieyeseigha retornou à Nigéria, onde foi detido e assumiu a culpa das acusações de lavagem de dinheiro (em nome de duas empresas que controlava). Desde então, obteve o perdão presidencial na Nigéria, enquanto o alto-comissário britânico na Nigéria alega dificuldades diplomáticas na tentativa de o Reino Unido extraditar o nigeriano para que enfrente as acusações imputadas contra ele em 2005.[20]

Um fator comum em muitos desses casos de suborno e corrupção é o uso do sistema financeiro para receber os rendimentos dos fundos obtidos de maneira ilícita. As instituições financeiras contribuem com a corrupção de duas formas. A primeira é a prestação de serviços bancários a empresas ou pessoas que têm alto risco de fazer ou receber pagamentos de propinas e, conhecendo ou negligenciando esse fato, autorizar a transferência de dinheiro de suborno. Isso pode acontecer quando um banco auxilia uma construtora ou uma empresa de equipamentos de defesa localizada em um país de alto risco a fazer um pagamento para um servidor público nesse país. O banco não só colaborou para a prática de um delito sob a legislação primária contra suborno, como também transgrediu os requisitos regulatórios de sua própria jurisdição.

A segunda é que um banco ou instituição pode contribuir com a corrupção abrindo uma conta ou montando um veículo estruturado para o benefício de um recebedor de propina. Quando estabelecem um relacionamento com uma ou mais pessoas politicamente expostas, ou pessoas que — em razão da ausência de investigações preliminares por parte do banco — não se sabe se têm participação política, ou ainda quando mantêm uma conta em face de atividades suspeitas e favorecem pagamentos com dinheiro advindo de corrupção, os bancos estimulam o problema.

Esse tipo de comportamento foi revelado pela investigação do Riggs Bank pelo Subcomitê Permanente de Investigações e detalhado em seu relatório de 2004, que examinou a *compliance* do banco com os dispositivos antilavagem de dinheiro do Patriot Act.[21] O subcomitê revelou graves deficiências no modo como o banco lidou com seus clientes PEP. O banco foi multado em US$ 41 milhões e, logo depois, adquirido pelo PNC Financial Services.

Um de seus clientes era o ditador chileno Augusto Pinochet. O subcomitê descobriu que, embora Pinochet estivesse em uma prisão britânica, com grande repercussão na imprensa, enfrentando graves acusações referentes à sua conduta no cargo, e embora seu dinheiro estivesse sujeito a uma ordem de congelamento, o Riggs abrira uma série de contas e emitira certificados de depósito. Apesar das inúmeras alegações de violação de direitos humanos, corrupção e tráfico de armas associadas ao mandato do político, ou talvez por causa delas, o Riggs tomou medidas para dissimular a posse de enormes somas (até US$ 8 milhões) depositadas por Pinochet ao abrir contas fictícias e alterar os nomes das contas. O banco depois disponibilizou o envio de cheques a Pinochet e à sua esposa no Chile, para que recebessem os pagamentos. O Riggs supostamente ocultou a existência das contas de Pinochet do OCC. Não foram encontradas referências nos arquivos do banco sobre a natureza controversa da reputação de Pinochet e, ao que tudo indica, não foram tomadas as devidas medidas para que o banco se assegurasse de que aquela riqueza pessoal não tivesse sido obtida por meios lícitos.

O Riggs também forneceu contas e veículos estruturados para a família Obiang nos Estados Unidos e em paraísos fiscais. Descobriu-se que o banco cometeu muitas falhas ao avaliar os altos riscos corridos ao se lidar com PEPs de um país africano rico em petróleo.

De 1995 em diante, o Riggs abriu contas para diversos membros da família presidencial e para as petroleiras, sem fazer as devidas investigações sobre os óbvios riscos que corria. Isso talvez não seja motivo de surpresa, dado que os negócios que o banco fez com a Guiné Equatorial eram de tal sorte que, em 2003, o país era seu maior cliente, com depósitos na faixa dos US$ 400 a US$ 700 milhões. As contas eram abertas pelo governo, que recebia pagamentos polpudos das petroleiras instaladas no país; entre outros titulares, seja no próprio nome ou no de beneficiários, estavam a esposa do presidente Obiang, seu filho mais velho, seu irmão e ministros do governo. Em 1999, o banco auxiliou o presidente na abertura de uma empresa *offshore* nas Bahamas, que depois recebeu depósitos em dinheiro, totalizando mais de US$ 11 milhões.

O Riggs não era de modo algum o único culpado, tampouco os bancos eram os únicos canais de entrada do dinheiro no sistema financeiro norte-americano. Teodorin foi auxiliado nesse quesito por corretores de imóveis e advogados. Um corretor de imóveis admitiu que não barraria um cliente que esperava firmar contratos bastante lucrativos quando ele mesmo não tinha obrigação alguma de investigar sua fonte de riqueza. Quando um dos corretores se recusou a prestar serviços para a compra de um avião, pois Teodorin havia deixado de fornecer informações sobre a origem de seu dinheiro, não houve dificuldade para se encontrar outro com menos escrúpulos. Sem monitoramento suficiente, Teodorin conseguiu enganar os que lidavam com suas finanças, declarando que sua riqueza provinha de recursos como "herança da família" ou com "comércio de automóveis caros e personalizados". Foram abertas empresas *offshore* com nomes inofensivos, como "Sweetwater Management, Inc.", "Sweet Pink, Inc." e "Beautiful Vision, Inc.", e contas fictícias nos principais bancos do mercado, como o Union Bank of California, Bank of America e Citibank, e o dinheiro foi transferido, apesar de seu claro *status* de PEP. Quando as contas foram fechadas após a ligação com a Guiné Equatorial ter sido descoberta, Teodorin se limitou a mudar de bancos e começou o processo mais uma vez.

Um estudo de 2011 da FSA intitulado *Banks' management of high money--laundering risk situations* [Gestão de situações de alto risco de lavagem de dinheiro pelos bancos] considerou diversas instituições e como elas lidavam com clientes PEP.[22] Foram descobertas várias deficiências nessas instituições, e o fato de que alguns bancos não rejeitavam relacionamentos rentáveis mesmo quando eles incluíam o "risco inaceitável" de administrar dinheiro criminoso. Mais de um terço das instituições examinadas havia fracassado na implantação de controles adequados de PEP ou no gerenciamento correto dos registros de devida diligência. Um fato significativo desse estudo é que, apesar de mudanças legais e regulatórias na década anterior, algumas das deficiências eram as mesmas identificadas no relatório de 2001 da FSA sobre as contas britânicas vinculadas a Sani Abacha.

As instituições financeiras fracassam em seus deveres regulatórios quando não dedicam tempo suficiente para analisar, na medida do possível, o real proprietário dessas estruturas. Isso foi evidenciado quando o Coutts Bank, controlado pelo RBS, foi multado em £ 8,75 milhões em 2012 por lidar de maneira inadequada com seus clientes de alto risco, incluindo as PEPs. A FSA encontrou falhas "sistêmicas" nos procedimentos antilavagem de dinheiro do Coutts entre 2007 e 2010, que resultaram no "risco inaceitável de administrar os rendimentos de crimes".[23]

Não muito tempo atrás, via-se pouca disposição internacional para criminalizar o pagamento de propinas ou limitar a prestação de serviços bancários a dirigentes potencialmente corruptos. Isso levou à perpetuação de estruturas financeiras internacionais que têm enriquecido políticos criminosos da África, Rússia, Ásia e América do Sul.

A corrupção de natureza política pode ter um impacto muito desestabilizante e prejudicial, do ponto de vista econômico, para qualquer país. As principais operações desse tipo de corrupção são a manipulação de eleições, a obtenção ilegal de fundos de campanha e contribuições secretas a partidos. Seja em nível municipal, regional ou nacional, a corrupção política é bastante comum em países com instituições governamentais fracas, não apenas distorcendo a economia do setor público, mas também afetando de modo considerável a prestação de serviços públicos em áreas como a conformidade regulatória e os direitos dos trabalhadores.

A corrupção no Brasil

O escândalo brasileiro do "Mensalão" é um dos casos mais bem conhecidos de corrupção política em larga escala, levado a julgamento nos últimos tempos. O esquema foi exposto por Roberto Jefferson, líder do Partido Trabalhista Brasileiro, em junho de 2005, quando o então chefe do Partido dos Trabalhadores (PT) Luiz Inácio Lula da Silva completava dois anos na presidência do país.

Jefferson acusava o PT de fazer pagamentos mensais ilegais de R$ 30 mil a parlamentares, para que apoiassem o governo nas votações do Congresso. Alegou que o empresário Marcos Valério Fernandes de Souza havia orquestrado o esquema ao utilizar sua agência de publicidade em uma série de propinas escamoteadas em verbas orçamentárias para propaganda de empresas estatais. Um exemplo para destacar a real natureza das práticas de corrupção entre a classe política é o do assessor congressista do PT, José Adalberto Vieira da Silva, que, um mês após as revelações de Jefferson, foi detido no aeroporto de São Paulo com R$ 100 mil escondidos na cueca e R$ 200 mil na bagagem de mão. Adalberto disse às autoridades que o dinheiro era o pagamento pela venda de legumes a um distribuidor paulista, ao contrário do que diziam as alegações: que transportava a propina para seu chefe, José Nobre Guimarães, irmão do então presidente do PT, José Genoíno Guimarães Neto.

O governo Lula sofreu um baque à medida que vieram à tona mais detalhes sobre a disseminação da corrupção política, e muitos de seus principais ministros foram forçados a pedir demissão. Em agosto de 2012, como resultado das investigações do "Mensalão", 38 pessoas foram indiciadas por crimes, entre eles lavagem de dinheiro e mau uso de verbas públicas. O julgamento foi um divisor de águas na Justiça brasileira: 24 pessoas foram condenadas e 12 receberam penas de prisão (entre eles Marcos Valério, sentenciado a 40 anos). Foi a primeira vez na história brasileira que políticos do alto escalão do governo foram condenados e sentenciados a penas de prisão por acusações de corrupção.

Infelizmente, os escândalos não cessaram; pelo contrário, aumentaram.

Agora, a estatal Petrobras está no centro da operação Lava Jato, lançada em 2014 para investigar alegações de que executivos da empresa haviam desviado até 3% dos valores dos contratos para o PT e partidos da coalizão. O esquema de propinas, reconhecido como o mais caro da história brasileira, gerou bilhões de dólares em fundos ilícitos, que fluíram de maneira furtiva para contas em bancos suíços, compras de coleções de arte e uma série de outros esquemas obscuros. As perdas totais estimadas para o Estado estão entre 29 e 42 bilhões de reais.

As estatísticas referentes à crise de corrupção que se espalhou pelo Brasil demonstram como essa questão pode ser endêmica e explosiva em termos políticos. Quando a presidente Dilma Rousseff enfrentou seu *impeachment* em 2016 — por manipular dados contábeis para mascarar o problema do déficit governamental —, 37 dos 65 membros da Comissão do *Impeachment* eram acusados de corrupção ou de outros delitos graves. De acordo com a ONG Transparência Brasil, mais da metade dos legisladores federais do país foram indiciados ou estão sob investigação por graves delitos — um panorama preocupante das engrenagens da corrupção política.

A Convenção contra a Corrupção da ONU (UNCAC) remonta apenas a 2003, sendo mais recente do que esforços similares para coibir outras formas de crimes globais. No entanto, a crescente consciência ética na última década sobre o dano causado pela corrupção por financiadores inescrupulosos tem levado a uma nova e mais rigorosa abordagem regulatória sobre a prestação de serviços de alto risco. Graças ao aumento da pressão de algumas ONGs, como a Global Witness, e de órgãos supranacionais, como a ONU e a OCDE, bem como às reformas legislativas dentro de cada país, tem se elevado a consciência sobre as providências que os bancos podem tomar para bloquear o acesso a dinheiro proveniente de corrupção.

Existem hoje em dia duas correntes no combate à corrupção: a penal e a regulatória. Embora distintas, têm semelhanças em suas características e objetivos. A corrente penal pune o pedido de um suborno ou o pagamento a um corrupto, e inclui, dentro de seu sistema de remessas, indivíduos, empresas e também organizações financeiras que facilitam a corrupção. A corrente regulatória orienta os bancos e outras instituições financeiras no tocante às medidas que devem ser tomadas para identificar PEPs, como essas pessoas devem ser avaliadas em termos de risco, como as atividades de suas contas devem ser monitoradas e o que fazer caso ocorra alguma operação suspeita. A falta de adesão a essas orientações é um delito regulatório que pode resultar em pesadas multas do regulador local. No entanto, ainda há deficiências significativas na maneira como elas são aplicadas.

Muitos países ocidentais instituíram uma legislação criminal para atividades ligadas à corrupção. Os Estados Unidos abriram caminho com a Lei de Práticas de Corrupção no Estrangeiro (Foreign Corrupt Practices Act, FCPA) de 1977, que criminalizava a execução de pagamentos por norte-americanos a dirigentes estrangeiros com o propósito de obter resultados favoráveis nos negócios. O Patriot Act de 2001 também continha medidas para evitar a lavagem de dinheiro e o financiamento a organizações terroristas. No Reino Unido, foi apenas em 2001 que a Lei de Segurança contra o Terrorismo e o Crime (Anti--Terrorism, Crime and Security Act, ACSA) criminalizou em sua jurisdição os subornos cometidos no estrangeiro. A criação do Bribery Act (Lei da Propina) em 2010, uma lei que abrange uma série de crimes pessoais e corporativos nos contextos nacional e internacional, foi uma indicação clara da intolerância com a corrupção e a mudança de vontade política. Em um esforço para haver mais indiciamentos legais, uma alteração pequena mas significativa está sendo negociada agora, o que daria ao SFO poderes mais amplos para punir crimes financeiros. No entanto, a corrupção não é ilegal em todos os países do mundo e surge um problema importante quando um dirigente exige uma "taxa de facilitação" em um país onde o pagamento de propina não é considerado um crime.

A FATF tem liderado o campo da regulamentação, oferecendo recomendações a respeito das medidas que as instituições devem tomar para assegurar a mínima possibilidade de serem utilizadas por envolvidos em atos de suborno ou corrupção. As quarenta Recomendações originais da FATF foram suplementadas por mais nove Recomendações "Especiais", que se referem ao financiamento de organizações terroristas. Muitas das quarenta Recomendações originais dizem respeito aos controles anticorrupção, em especial aos relacionados com PEPs, proprietários de fundos fiduciários, transparência e devida diligência dos clientes; e são essas recomendações que os bancos e demais instituições devem seguir para minimizar sua exposição ao risco de clientes corruptos. No entanto, análises da Iniciativa de Recuperação de Ativos Roubados (Stolen Asset Recovery — StAR), do Banco Mundial revelam que poucas seguem com rigor essas recomendações. Por exemplo, 6% dos países pesquisados tinham "grande" conformidade com a Recomendação 5 (devidas diligências dos clientes), 53% foram classificados como "parcialmente" em conformidade, e os 41% remanescentes não estavam em conformidade. Mesmo entre os países-membros da FATF, apenas 12% estavam em "grande" conformidade.

Em termos regulatórios, o critério mais essencial que deve indicar de imediato se um potencial cliente apresenta risco de corrupção é ele ser uma PEP, o que, de modo automático, ativaria procedimentos aperfeiçoados de devida diligência. Nesse ponto há uma dificuldade, pois as jurisdições definem PEP de forma um pouco diferente: em algumas, uma PEP perde seu *status* alguns anos depois de deixar a posição; em outras, ela continua PEP de forma vitalícia. Algumas jurisdições dão mais peso às avaliações de risco de familiares e sócios; outras consideram apenas dirigentes estrangeiros, e não nativos, como PEP. Essa divergência cria oportunidades de escolha de locais propícios à lavagem de dinheiro para pagadores de propinas, PEP e seus consultores. Por exemplo, em países que definem os crimes subsidiários da lavagem de dinheiro com base no conceito de dupla criminalidade, pode ser muito difícil mostrar que os rendimentos de uma propina constituam frutos de crime quando a

PEP está conectada a um governante de um país que afirme: "Eu estava ciente do suborno e o perdoo". Embora isso possa parecer estranho para um grande número de leitores, a realidade é que ainda há vários países poderosos do ponto de vista econômico administrados como se fossem feudos pessoais, em que o poder do governante, ou de uma família, é absoluto.

Em geral, aplica-se o bom senso quando se avalia o risco de um cliente com ligações políticas, e não há nada errado em si se um banco prestar serviços a uma PEP. O ponto em questão é que o relacionamento da PEP deve ativar um exame detalhado e contínuo dos negócios e das contas do cliente, muito além do que se faria no caso de um cliente comum do banco. Um banco pode decidir que o país de origem e a reputação política de uma PEP são muito arriscados; pode decidir que o risco pode ser gerenciado por revisões regulares e a tomada de medidas se e quando necessário. O banco deve fazer considerações muito cuidadosas antes de aceitar como cliente alguém cuja estrutura de bens não seja completamente clara.

As instituições financeiras devem estar cientes de que podem desempenhar um papel muito importante na prevenção do suborno, não apenas detectando e interrompendo possíveis transferências que possam representar o efetivo pagamento da propina em si, mas também cortando o acesso a estruturas bancárias sólidas que possibilitem ao corrupto se beneficiar. Isso exige uma metodologia rigorosa de devida diligência e uma investigação completa de todos os clientes, de modo que possam ser avaliados de maneira apropriada quanto aos riscos. A legislação primária felizmente irá de alguma forma desestimular o pagamento de propinas por parte de empresas do mundo ocidental; porém, diante da acirrada competição de empresas domiciliadas em outras partes do mundo que, segundo parece, podem pagar propinas com relativa impunidade, é ingênuo presumir que a criminalização do suborno nos Estados Unidos e na Europa conseguirá prevenir todos os casos. Além disso, essas tentativas no mundo desenvolvido ocidental pouco fazem para prevenir os constantes problemas de corrupção ocorridos em países emergentes e em desenvolvimento. Até o país com um Código Civil que contemple leis anticorrupção pode enfrentar dificuldades para indiciar na justiça um político no âmbito interno. Por exemplo, vale notar que a Nigéria fornece imunidade constitucional contra instauração de processos a dirigentes titulares, o que não desestimula a corrupção, para dizer o mínimo. As considerações éticas levantadas pelos catastróficos problemas causados pela corrupção devem desempenhar sua parte também para assegurar que as instituições financeiras reconheçam a responsabilidade que têm para garantir que não estejam sendo exploradas por dirigentes que privam seus países e povos de um futuro mais brilhante.

De modo lamentável, o suborno e a corrupção constituem uma das formas mais comuns de crime com que me deparo na condução de meu trabalho. Uma linha comum que percorre todos os exemplos que tenho testemunhado tem sido o "tratamento especial" concedido a PEPs por parte de instituições financeiras, resultando na sujeição dessas pessoas a um padrão inferior de devida diligência em relação às pessoas comuns, confirmando o velho ditado de haver "dois pesos e duas medidas". Tenho visto tantas metodologias diferentes de corrupção que escolher apenas uma para este capítulo foi muito desafiador. Apresento um cenário que expõe o tratamento de uma propina de US$ 20 milhões paga por um grande fabricante de armamentos europeu a um dirigente governamental do Oriente Médio. O cenário ilustra como os pagadores de propinas abusam do setor de serviços financeiros para fazer esses pagamentos e como os políticos recebem e lavam seus ganhos ilícitos.

CENÁRIO

As cortinas se abrem para mostrar uma empresa de armamentos europeia, com faturamento na casa de bilhões de dólares, que toma conhecimento de que determinado país do Oriente Médio está no mercado em busca de renovação de sua frota desatualizada de caças militares a jato. O contrato renderia à empresa uma soma fantástica de dinheiro, além de ela poder reter milhares de empregos. Correm rumores de que há espaço na mesa de licitação para apenas cinco licitantes e de que cada posição no processo licitatório custa US$ 20 milhões. A fabricante de armamentos considera essa quantia aceitável para a oportunidade financeira de ser considerada uma das cinco licitantes em um contrato desse porte e está bastante disposta a participar. A organização também sabe que essa quantia é apenas para a abertura das negociações e que a obtenção do contrato em si exige uma soma ainda maior. Explorando seus instintos de apostar em negócios de risco, a empresa considera que o desembolso inicial compensa os potenciais retornos.

A participação da empresa é agenciada por meio de um intermediário que representa o ministro da Defesa do país licitador. O intermediário exige uma "taxa" de US$ 2 milhões, equivalente a 10% do valor da propina. Com o fim das negociações, a empresa assegura um lugar provisório na disputa e agora volta suas atenções para transferir os US$ 22 milhões ao representante do ministro sem ser perturbada por transgredir as leis anticorrupção de seu país de origem. Com referência ao novo modelo de habilitação, distanciamento e disfarce no processo de lavagem de dinheiro, tudo o que a empresa quer é utilizar o sistema financeiro para efetuar o pagamento da propina. A desejada desconexão entre a fabricante de armamentos e os US$ 22 milhões é dada a seguir:

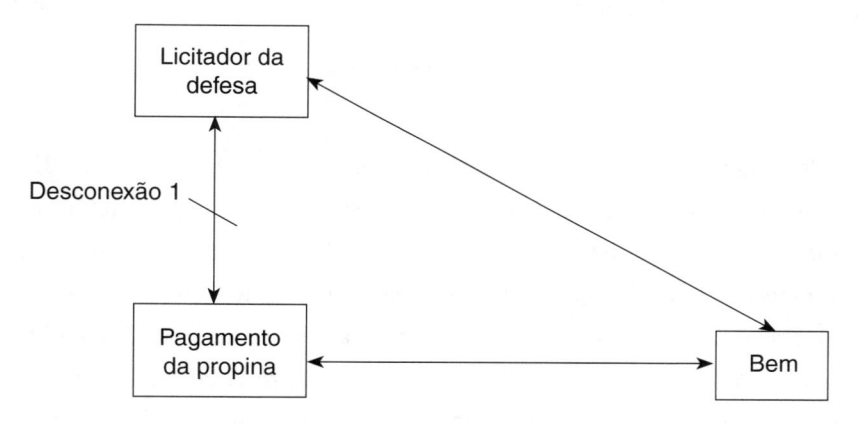

A fabricante de armamentos tem, de forma conveniente, um SPV neutro em termos tributários, com US$ 30 milhões em títulos comerciais em uma jurisdição estrangeira. O SPV foi montado antes da criação de uma *joint-venture* com outra fabricante de armamentos que jamais produziu resultados. A saída do dinheiro que está no SPV já foi contabilizada e portanto, de modo legítimo, ele não faz mais parte do demonstrativo financeiro da empresa e está longe dos olhos argutos de analistas ou de qualquer outra pessoa.

Para disfarçar o recebimento da propina, o ministro da Defesa confia em um grupo de confidentes e consultores que formam um truste e uma estrutura de empresa oculta em seu nome. O ministro tem uma série mais ampla de objetivos ao abusar do sistema financeiro do que a fabricante de armas. Ele deseja: 1) receber o dinheiro da propina sem ser pego, 2) transformar o dinheiro da propina de modo que ele não possa ser ligado ao delito e 3) dissimular sua conexão com o bem lavado. As desconexões de cada um de seus objetivos podem ser ilustradas como segue:

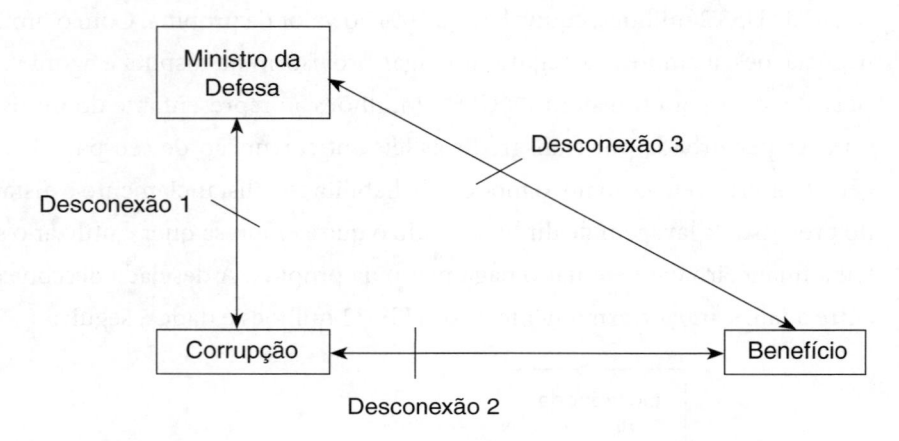

A desconexão 1 entre a fabricante de armamentos e o ministro da Defesa é, então, o pagamento e o recebimento respectivos da propina, enquanto se evita qualquer exame mais acurado por parte das agências reguladoras. Os dois homens estão confiantes a respeito da participação do representante do ministro, cuja estrutura de escolha é uma fundação com uma empresa oculta e uma conta bancária associada. O intermediário é representado por uma firma de advocacia suíça cujos sócios zelam pela confidencialidade do cliente de uma maneira, digamos, mais séria.

A empresa de armamentos, o ministro da Defesa, a firma de advocacia suíça e o intermediário fazem um conluio para participar do seguinte esquema:

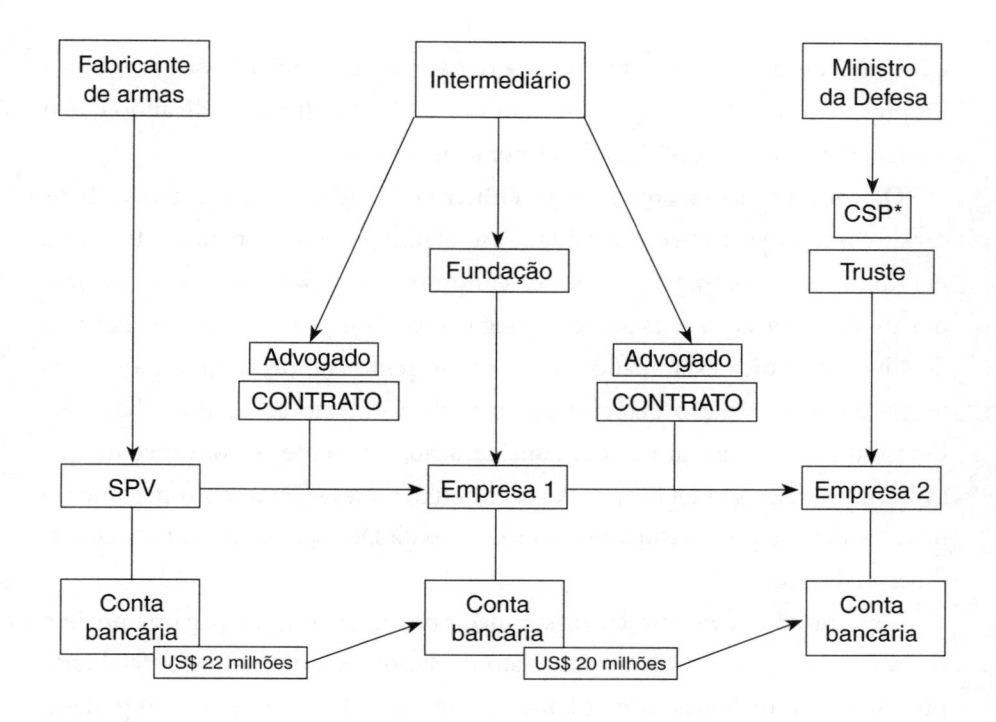

Com as estruturas de cada um dos protagonistas implantadas, o desafio é transferir a propina para o ministro da Defesa através do intermediário.

O representante primeiro instrui a firma de advocacia suíça a "criar" alguns contratos, dando-lhes aspecto de autênticos. A fabricante de armamentos celebra um Contrato de Consultoria Máster (fictício) com a Empresa 1 para a prestação de serviços destinada a identificar potenciais contratos de armamentos em várias regiões do globo. O contrato estabelece que a Empresa 1 prestará uma série de serviços específicos listados em seu cronograma, que se estende por cerca de 75 páginas. Em compensação por esses serviços, o SPV da fabricante de armamentos pagará à Empresa 1 US$ 22 milhões em parcelas iguais de US$ 5,5 milhões nos próximos quatro meses.

A Empresa 1 fecha, ao mesmo tempo, um subacordo de Consultoria com a Empresa 2, consoante a que esta última assuma a responsabilidade de atuar em nome da Empresa 1 em uma região particular do globo. As cláusulas do acordo espelham as do Contrato de Consultoria Máster entre a Empresa 1 e a

---

* Consultoria de serviços empresariais. (N.T.)

fabricante de armamentos. Em compensação pela prestação desses serviços, a Empresa 1 concorda em pagar à Empresa 2 US$ 20 milhões (indicando que o intermediário retém US$ 2 milhões por seus esforços).

Os contratos são assinados e o dinheiro é "irrigado" para as contas bancárias como previsto pela papelada. Caso algum gerente de banco astuto faça perguntas sobre as transferências, os contratos serão elaborados para os propósitos de verificação. Eles parecerão legítimos e "limpos", com o logo da firma de advocacia suíça estampado. O gerente se sente confortável com a consistência da programação de serviços tanto do Contrato como do Subacordo. Levando todos esses fatores em consideração, o gerente se convence de que as transferências são legítimas. Passados quatro meses, quando o pagamento final for depositado na estrutura do ministro da Defesa, ele estará US$ 20 milhões mais rico.

Uma propina evidente foi dissimulada por uma série de pagamentos em troca de serviços de consultoria. O ato de subornar o ministro foi facilitado por estruturas de bens e contas bancárias sem as quais a propina não poderia ter sido paga. O setor de serviços financeiros facilitou um ato de corrupção de grande porte.

Onde estão a colocação e a integração nesse esquema? A resposta por certo é que não há evidências disso. Não há colocação, pois o dinheiro já está depositado no SPV antes de ele se contaminar como propina; nem integração, pois isso acontece depois, quando o dinheiro é depositado na estrutura do ministro. A estrutura forneceu tanto à fabricante de armamentos quanto ao ministro a desejada desconexão entre eles e o delito.

Com o auxílio dessa estrutura, o ministro se distanciou do ato de receber a propina, mas permanece vulnerável. Mostro, então, como ele trata dos seus ganhos ilícitos. Decide investir metade do valor da propina em um rentável hotel luxuoso em Genebra. Os lucros do hotel são distribuídos aos administradores do truste como dividendos, e estes disponibilizam o dinheiro para o benefício do ministro. O ministro, na realidade, jamais é o recebedor direto do dinheiro dos administradores, mas, em vez disso, estes pagam as mensalidades das escolas particulares de seus filhos, as horas fracionadas de transporte por jatos, contas de cartão de crédito e determinadas despesas dos funcionários. Os amigos e familiares do ministro circulam com liberdade pelos corredores do hotel de luxo, durante idas frequentes às compras nas lojas de relógios e roupas de Genebra e visitas aos gerentes de seus bancos privados. Com o tempo, o hotel é usado como garantia para um empréstimo utilizado na compra de um chalé de esqui em Verbier, na Suíça, e de um iate de porte médio ancorado em Mônaco, na França. O ministro, seus familiares e amigos utilizam o chalé no inverno, e o iate, no verão, quando lhes cai no agrado.

O ministro decide investir a outra metade de sua propina em um bem-sucedido fundo de *hedge* na Suíça. Os retornos são espetaculares e, confirmando o velho ditado de que "dinheiro atrai dinheiro", os US$ 10 milhões tornam-se US$ 15 milhões em menos de três anos. Os seus consultores instruem o gestor do fundo suíço a pagar US$ 15 milhões não para a estrutura geradora do investimento, mas sim a uma outra empresa controlada por um administrador que atua em nome do ministro. Essa soma é então investida por essa empresa em um veículo tipo *joint venture* que, devido à influência do ministro, obteve um contrato milagroso para modernizar um grande hotel e um complexo de compras em sua cidade natal. Como resultado do licenciamento do projeto, o investimento do ministro nessa construtora dobra de valor e, assim, a infeliz história continua...

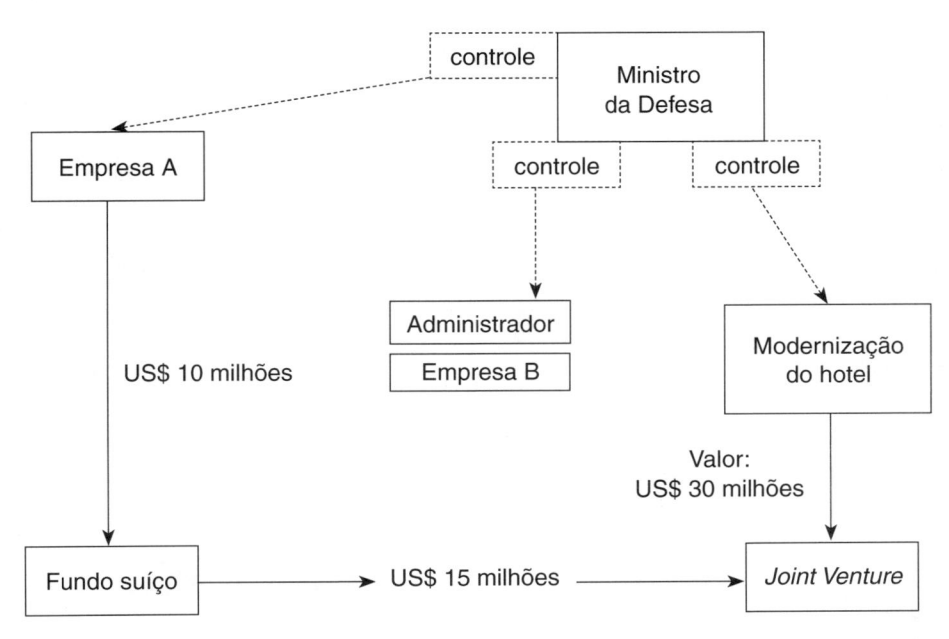

A consequência é que, durante o seu mandato, o ministro engole centenas de milhões de dólares em contas bancárias e outros ativos por meio de estruturas complexas supervisionadas por intermediários profissionais, gerentes de bancos privados e fornecedores de serviços empresariais. O método de todas as partes envolvidas no conluio é caracterizado pela adulação nascida do medo de prejudicar um relacionamento comercial bastante rentável com um homem de relevância política e, portanto, influência comercial em uma jurisdição em que cada um dos fornecedores de serviços tem, ou deseja ter, presença significativa.

O cenário nos leva a perguntar se a facilitação inadvertida do delito poderia ter sido evitada. Há dois momentos em que os sinais de alerta deveriam ter sido acionados. Primeiro, o gerente do banco provavelmente seria capaz de saber quais acordos de consultoria associados a uma sociedade comercial isolada apresentam um risco particular, devendo, portanto, ter comprovado o fundamento comercial legítimo da estrutura. Segundo, a combinação de dois contratos para a prestação de serviços intangíveis (e, portanto, de difícil verificação), uma PEP e um intermediário deveriam ter feito soar o alarme. Se a estrutura sofresse uma análise baseada em riscos, é muito provável que esses dois aspectos tivessem sido explorados ainda mais e, por certo, obstruído o fluxo dos fundos ilícitos.

CAPÍTULO 6

PIRATARIA

Em outubro de 2009, em um incidente que teve grande repercussão na mídia, o casal de aposentados britânicos Paul e Rachel Chandler foi raptado por piratas quando velejava descontraidamente próximo das Ilhas Seychelles em seu iate, o *Lynn Rival*. A embarcação deles foi abordada por um grupo de piratas somalis que forçaram o casal a embarcar em um navio que passava ao lado, o *Kota Wajar*, deixando o iate à deriva. O próprio *Kota Wajar* havia sido sequestrado duas semanas antes, e os piratas usavam-no como um navio-base, a partir do qual poderiam atacar, estendendo sua área de atuação a várias centenas de quilômetros da costa da Somália, de onde se originavam. A tripulação do *Kota Wajar*, um cargueiro que viajava de Cingapura até o Quênia, havia sido capturada, e um pagamento de resgate fora exigido dos proprietários do navio. Apenas dez semanas após o sequestro inicial, seus tripulantes foram libertados depois de ser pago um resgate que, segundo se sabe, chegou a US$ 3,3 milhões. Os Chandler não tiveram tanta sorte; enquanto eram retidos na Somália, foi feito um pedido de resgate de US$ 6,5 milhões pelos piratas. A exigência era impossível. Ninguém da família Chandler possuía essa soma de dinheiro, e, apesar das contínuas discussões com vários corretores e *experts* em segurança, foi relatado que o governo britânico havia evitado o pagamento de uma quantia acordada devido às suas normas de não pagar resgates. O secretário de Relações Exteriores William Hague disse que, após utilizar contatos e tentar influenciar os raptores, era "correto que sucessivos governos britânicos tenham dito que não fazemos concessões para sequestradores".[1]

No verão de 2010, um pagamento no valor de US$ 440 mil, segundo se relata, levantado por familiares do casal, foi lançado de um avião para os piratas, mas, na intenção de captar ainda mais dinheiro, eles seguraram os Chandler por mais alguns meses. Após ser instado a intervir por seus filhos quando souberam da história dos Chandler pela televisão, foi um suposto ex-motorista de táxi somali da zona leste de Londres que assegurou, como negociador, a libertação do casal. Os piratas disseram para a imprensa britânica que um pagamento final de US$ 300 mil havia sido transferido para a Somália via *hawala* e, após 388 dias de cativeiro, os Chandler foram libertados, dando assim um fim ao pesadelo do casal.

A pirataria tem uma história longa e de modo geral romantizada, embora esteja mais para um fenômeno moderno. A pirataria contemporânea global é caracterizada por se basear em sequestros e pagamentos de resgates que acarretam um aumento significativo no custo de fretes de produtos transportados por via marítima. Esse tipo de criminalidade moderna também levanta questões sobre o propósito e o destino das consideráveis somas repassadas como resgate. Apresentar números exatos é muito difícil, mas, para dar apenas uma ideia, o pagamento médio estimado de resgates em 2005 foi de US$ 150 mil; em 2010, ele havia aumentado para US$ 5,2 milhões. O maior resgate registrado para aquele ano foi US$ 9,2 milhões — a quantia paga para a libertação de um navio sul-coreano que havia sido capturado por somalis. O Banco Mundial relatou em seu estudo *Pirate Trails* [Trilhas Piratas] que a pirataria somali, tal como a vivenciada pelos Chandler, custa à economia global uma média de US$ 18 bilhões ao ano, igualando-se a uma hipotética "taxa" adicional de 1,1% sobre as travessias de navios pelo golfo de Áden.[2] A pirataria somali tem acesso a uma das zonas mais estratégicas de travessia de navios do mundo: o canal de Suez. Embora a princípio fosse baseada no litoral, o uso cada vez maior de "navios-base" tem aumentado sua faixa de ação de modo considerável. Os piratas operam em lugares tão ao sul quanto o Quênia, ao norte cobrem todo o golfo de Áden e a leste chegam quase a atingir as águas costeiras indianas — uma faixa total estimada que chega a 2,5 milhões de milhas náuticas quadradas (cerca de 8,5 milhões de quilômetros quadrados). Adicionando-se a isso o custo humano de períodos de cativeiro e, em alguns casos, a morte de reféns, a questão assume uma importância descomunal.

Os incidentes de pirataria têm aumentado de modo acentuado desde o início da década de 1990. A recente queda observada na pirataria somali resultou em uma mudança de foco para o golfo da Guiné, em que piratas que antes operavam no entorno da costa nigeriana ampliaram seus horizontes para leste e oeste nos mares que circundam a Costa do Marfim e o Gabão. De acordo com a Organização Marítima Internacional, que compila dados estatísticos anuais sobre a pirataria global, em 1991 não houve incidentes de pirataria na África, embora houvesse 88 casos no Sudeste Asiático e 14 no Extremo Oriente.[3] Em 2000, esses números tinham crescido para 68 casos na África, 242 no Sudeste Asiático e 20 no Extremo Oriente. Em 2010, a África tinha se tornado, de longe, a localidade predominante de pirataria do mundo, com 259 incidentes; o número de incidentes reportados também aumentou no Extremo Oriente, chegando a 44 casos, enquanto o número de casos no Sudeste Asiático caiu para 70. Os incidentes de pirataria ao largo da costa somali em si aumentaram de forma exponencial, indo de nenhum caso em 1991 a 139 casos em 2010, enquanto na Indonésia eles declinaram de um pico de 119 casos em 2000 a apenas 40 em 2010, subindo de novo para 106 em 2013.

A natureza dos ataques de piratas abrange desde breves tentativas de abordagem repelidas até o sequestro em larga escala de um navio e a captura de sua tripulação, antes de uma longa e custosa negociação pelo resgate. O International Maritime Bureau, órgão da Câmara Internacional de Comércio, constatou que, em 2013, houve 264 casos reportados de tentativas e de ataques efetivos de piratas mundo afora.[4] Uma ampla faixa de embarcações serviu de alvo: entre eles, pequenos iates, barcos, rebocadores, traineiras e enormes petroleiros. Desses 264 ataques, 12 resultaram em sequestros das embarcações. Uma série de incidentes de pirataria reportados se resumiu a roubos oportunistas no sudeste da Ásia, durando em geral menos de uma hora, com uma natureza muito diferente da tomada de reféns em outras partes do mundo.

Embora os piratas somalis respondessem por cerca de metade de todos os ataques reportados entre 2009 e 2011, essa proporção está caindo com rapidez. Apenas 15 dos 264 ataques (ou 5%) em 2013 (dois dos quais sendo sequestros) foram localizados em áreas navegadas por piratas somalis, ou seja, o Golfo de Áden, o Mar Vermelho, Somália, o Mar Arábico, o Oceano Índico e Omã. A dimensão adquirida pela pirataria somali nos últimos tempos é, em parte, a razão de sua exitosa redução, pois tem havido um esforço conjunto e direcionado para diminuir o número de ataques. As marinhas aumentaram o patrulhamento dessas áreas e seguranças armados privados estão sendo utilizados com maior frequência a bordo dos navios que transitam por esses mares. O apoio público aos piratas em seu país de origem parece também estar desvanecendo. Esses fatores combinaram-se ainda com uma relativa estabilização do governo central somali, de maneira a reduzir de modo significativo os casos de pirataria somali em 2012 e 2013.

Apesar da perspectiva promissora, as constantes medidas adotadas por armadores de navios para limitar e lidar com ataques de piratas somalis, bem como os investimentos financeiros necessários para isso, demonstram quão perigosas ainda podem ser as águas em torno do Chifre da África. Desde a década de 1990, piratas que operam no litoral somali, em geral agrupados em torno de linhagens de clãs, têm conseguido fazer do Chifre da África a área náutica mais perigosa do mundo para a travessia comercial de navios. As técnicas usadas pelos somalis diferem das utilizadas em outras partes do mundo em um aspecto importante: os pagamentos de resgate. Os piratas no Extremo Oriente, e também na África Ocidental, em geral sobem a bordo das embarcações (de modo geral, enquanto elas estão ancoradas) e furtam itens como cargas, dinheiro ou pertences pessoais dos tripulantes antes de partirem de novo. O *modus operandi* típico dos piratas somalis, em contraposição, é o sequestro de navios e tripulações para fins de resgate. Essa forma de pirataria tende a tomar os navios de suas vítimas quando eles estão em trânsito e tende a ser consideravelmente mais violenta do que a praticada em outras partes. Além de armas, os piratas somalis, segundo alegações, têm acesso a lançadores de granadas impelidos por foguetes, que aumentam de forma drástica a eficiência de suas incursões. Entre abril de 2005 e dezembro de 2012, o Banco Mundial estima que cerca de US$ 339 a US$ 413 milhões foram arrecadados por piratas que operam nas proximidades do Chifre da África. Essas somas substanciais levantam questões a respeito da origem dos apoiadores dessas expedições (inclusive, se estão ou não vinculados ao terrorismo), e até que ponto o sistema financeiro global é utilizado para lavar os rendimentos da pirataria.

A Somália tem uma população de cerca de 10 milhões de pessoas e um Produto Interno Bruto (PIB) anual *per capita* de apenas US$ 248. Duas regiões ao norte do país, Puntland e Somaliland, se separaram na década de 1990 para formar regiões semiautônomas com leis civis mais amplas, mas não são reconhecidas de modo oficial. Até pouco tempo atrás, a pirataria somali operava em um país destituído de regras governamentais funcionais ou de um regramento legal. Alguns piratas e dirigentes somalis têm alegado que as atividades de pirataria começaram como resposta à pesca ilegal e ao despejo de lixo tóxico por barcos estrangeiros em águas somalis, ambos os quais se tornaram comuns quando a ausência de um governo eficaz fez com que o litoral somali se tornasse um alvo fácil para essas atividades. Deter os barcos ilegais ou exigir dinheiro logo passou a ser um comércio lucrativo, que se estendeu para o sequestro organizado de embarcações, o qual por sua vez não tem nada a ver com a pesca ilegal ou o despejo de lixo. A falta de um governo centralizado ou de um regramento legal no país teve como consequência o aumento da pirataria sem o monitoramento das forças nacionais, pois as normas jurídicas e de governança reverteram-se para os antigos sistemas tribais na década de 1990.

Ao que tudo indica, as fortunas do país mudaram com a eleição de um novo Parlamento Federal em 2012. Isso após oito anos com uma autoridade provisória — o Governo Federal Transitório — formada com o intuito de restabelecer um nível básico de controle civil no país, mas que se viu rivalizado pela União dos Tribunais Islâmicos, um grupo de organizações radicais que tinha tomado o controle de grande parte do sul da Somália. O GFT conseguiu recuperar grande parte do território tomado pela UTI, mas este grupo depois dividiu-se em vários outros grupos que visavam uma campanha contínua contra o GFT. O mais popular desses subgrupos era o Al Shabaab, formado em 2006 e supostamente com cerca de 8 mil combatentes. O líder do Al Shabaab "jurou obediência" a Ayman Al Zawahiri, líder da Al Qaeda, em 2012, e o grupo assumiu a responsabilidade pelo ataque ao *shopping center* no Quênia no ano seguinte, segundo se sabe, em represália contra a alocação das forças militares do país na Somália. Designado como um grupo terrorista por vários países, entre eles, Estados Unidos e Reino Unido, o Al Shabaab é responsável por alta escala de violência, raptos e imposição de militância religiosa ao longo de grande parte do sul do país. A região de Puntland tem procurado ativamente expulsá-los e opor-se às suas atividades, e tropas etíopes juntaram-se à missão de paz sul-africana na Somália para reprimir as atividades do grupo. O enraizamento do Al Shabaab em vários territórios somalis enfim pode estar enfraquecendo.

Fala-se muito na ligação entre piratas somalis e terroristas islâmicos, mas não há provas conclusivas que mostrem que uma atividade está apoiando a outra de forma explícita, sendo difícil distinguir entre fatos e boatos. Um comentarista do *New York Times* reconheceu "tentativas isoladas de cooperação entre piratas e terroristas". Tal repercussão se deu pelos achados da FATF, publicados em seus relatórios *Organized Maritime Piracy and Related Kidnapping for Ransom* [Pirataria Marítima Organizada e sua Relação com a Extorsão Mediante Sequestro], que, em um cenário particular de rapto, o Al Shabaab havia aconselhado os piratas a afundar ou queimar o navio.[5] Um conselheiro da Organização das Nações Unidas (ONU) descreveu uma "ligação natural" entre o Al Shabaab e as gangues de piratas por causa da fonte de receitas que os últimos representam para o grupo.[6]

Às vezes se diz que os piratas pagam "dinheiro de proteção" aos insurgentes e tem havido relatos de que 20% dos pagamentos de resgate foram dados ao Al Shabaab pelo fato de a milícia controlar o porto de Harardheere, conhecido por suas conexões com gangues de piratas. No entanto, o comentarista do *New York Times* por fim concluiu pela inexistência de vínculos entre os dois grupos, afirmando que, na realidade, o "Al Shabaab havia feito um trabalho extraordinário na erradicação da pirataria em seus portos, devido à sua estrita interpretação da Charia (Lei Canônica do Islã) e do conflito entre a busca de lucros dos piratas e a dos militantes islâmicos". Seja como for, o cenário montado no final deste capítulo examina os riscos de qualquer tipo de provável parceria entre os dois grupos.

Estimar o custo da pirataria em todo o mundo é difícil, e qualquer ataque de piratas resulta em uma elevação dos custos globais com o tempo. Os cálculos de US$ 18 bilhões anuais do Banco Mundial são baseados em vários fatores: por exemplo, além dos pagamentos de resgates em si, as empresas de navegação enfrentam prêmios de seguro mais altos devido ao aumento dos riscos encontrados. Entre as medidas tomadas para evitar as ações da pirataria somali estão os serviços de inteligência e as alterações das rotas de navios (em geral contornando o Cabo da Boa Esperança) para evitar a região em que esses grupos são mais ativos, o que acrescenta semanas ao tempo de viagem e reduz o número de viagens rentáveis que um navio pode fazer a cada ano. Agora, mais populares são as tentativas de dissuadir os piratas com a contratação de guardas armados (antes algo incomum, mas, desde 2011, permitido pelo governo do Reino Unido), ou equipar os navios com arame farpado, canhões de água e *sprays* de espuma. O aumento da segurança, no entanto, acarreta um custo mais alto. Estima-se que o preço das patrulhas por força naval (da ONU, Estados Unidos e forças-tarefas internacionais) atinja US$ 2 bilhões ao ano. No topo desse valor têm-se as despesas de processar e prender os protagonistas capturados. Muito além dos custos para as nações (em particular, as desenvolvidas) que sofrem com esses gastos, há perdas significativas para as economias frágeis de outros países na zona da pirataria, que sofrem com o aumento dos preços de alimentos e a redução nas receitas com o turismo.

Há também dificuldade na obtenção de informações confiáveis sobre como as operações de pirataria são financiadas. O Banco Mundial propõe que os atos da pirataria somali seguem três modelos de negócios possíveis — *artesanal, cooperativo e individualista*. Os que praticam os esquemas artesanais de pequena escala em geral pertencem à mesma família, seus desembolsos são na casa dos US$ 300 e os retornos sobre o investimento, relativamente baixos. Em contraste, no esquema de "associação" cooperativa, um grupo de financiadores lança ataques em maior escala com custos iniciais de cerca de US$ 30 mil. Esse é um método muito mais estruturado em que líderes e comitês assumem determinados papéis. O esquema individualista envolve um investidor básico que controla a operação e coleta até 75% do resgate. Em 2009, a Reuters relatou que uma espécie de bolsa de valores para a pirataria havia sido montada em Harardheere. Com cerca de setenta empresas de piratas em seus registros, o sistema parecia possibilitar aos membros da comunidade auxiliar com dinheiro ou armas em troca de uma porcentagem dos eventuais lucros auferidos com a empreitada.[7]

Portanto, é provável que o estágio de financiamento (bem como o estágio de distribuição do resgate) envolva a movimentação de quantias substanciais de dinheiro. Os financiadores podem ter necessidade de acessar o dinheiro para desembolso inicial, na Somália ou no exterior. Nas fases iniciais de planejamento de um ataque, se um investidor pirata precisa que seu dinheiro chegue à Somália vindo de uma conta bancária no exterior, ele pode usar um método comercial para fazer isso. Por exemplo, um pirata pode colaborar com um empreendedor local idôneo que deseje importar produtos do Quênia. O empreendedor contrata os serviços de um parceiro localizado naquele país para que compre os produtos e então paga com o dinheiro do pirata depositado em uma conta bancária nas Ilhas Seychelles. Assim que os itens quenianos chegam à Somália, o empreendedor local paga ao financiador pirata em moeda local, e este último agora está preparado para gastar também em moeda local.

A exatidão das informações referentes a pagamentos de resgates é difícil de mensurar, pois há um forte incentivo para que os armadores de navios não relatem o valor total pago em forma de resgate ou, em alguns casos, deixem de relatar tais incidentes por completo. Surgiram temores de que, ao se divulgar os verdadeiros valores que os armadores estão preparados para pagar por seu navio, estimular-se-iam os piratas a pedir valores mais altos, tornando assim as negociações mais agressivas no futuro. Os armadores também podem querer evitar a publicidade e o atraso que resultaria de uma investigação, caso o sequestro fosse revelado. Com base nas informações relatadas, as exigências de resgate variam muito e, às vezes, parecem depender da natureza da carga do navio. Os piratas sabem que o custo humano da recusa e os custos econômicos da perda da carga e do próprio navio quase impossibilitam a recusa do pagamento por parte dos armadores, muito embora a soma final com que concordem seja em geral uma fração do que se pede a princípio.

No caso da pirataria somali, depois de um sequestro bem-sucedido, o navio em questão muitas vezes é pilotado até as águas do país, após o que a tripulação é deixada em terra e o pedido de resgate é apresentado aos donos do navio. As negociações podem ser demoradas e de modo geral levam diversos meses. Em setembro de 2008, os piratas somalis sequestraram um navio ucraniano, o *MV Faina*, que transportava um carregamento de armas destinado ao Quênia. O pedido inicial de resgate foi superior a US$ 35 milhões. Cinco meses depois, e com negociações posteriores envolvendo vários países e a Organização do Tratado do Atlântico Norte (OTAN), foi pago um resgate de US$ 3,2 milhões, e o navio e a tripulação foram libertados. Não ficou claro o que aconteceu com os milhões de dólares em forma de carga, embora as reportagens sugerissem que teriam permanecido no navio depois de ele ser cercado e bloqueado por navios de guerra norte-americanos. Em novembro do mesmo ano, os piratas atacaram o superpetroleiro *Sirius Star*, que transportava mais de US$ 100 milhões de petróleo bruto, afastado a 450 milhas (cerca de 750 quilômetros) da costa queniana. Foi feito um pedido de resgate de US$ 25 milhões, e os audaciosos sequestradores especificaram que o dinheiro seria contado com máquinas que conseguiam detectar notas falsas. Durante a fuga do navio, vários piratas morreram afogados; segundo relatos, um dos corpos foi encontrado com uma sacola contendo US$ 153 mil, o que sugeria que o dinheiro havia sido dividido entre eles logo depois de haver chegado às suas mãos.

As negociações ocorrem com os donos dos navios, em geral por meio de um negociador que fale inglês. O pedido inicial do resgate geralmente é muito alto, e esse valor diminui com o tempo. Quando se atinge um acordo, o dinheiro é trazido para a localidade específica por diversos métodos. Às vezes, empregam-se combinações simples, envolvendo uma pessoa e uma maleta, mas o método de entrega preferido é o lançamento de dinheiro por avião em uma localidade específica, após o que o navio e a tripulação são libertados. De modo geral, o pagamento do resgate gera a liberação do navio e da tripulação. No entanto, em alguns casos raros, membros da tripulação são assassinados. Em fevereiro de 2011, o *SV Quest*, um iate modesto com quatro marinheiros a bordo, foi sequestrado por somalis. Após o pedido do resgate, a Marinha norte-americana conseguiu entrar nas negociações com os piratas. No entanto, por razões obscuras, os piratas atiraram em toda a tripulação antes de serem capturados pelos marinheiros norte-americanos. Na época em que eu escrevia este livro, Mohammad Saaili Shibin, um somali que fala inglês, cumpria 12 penas de prisão perpétua após ser acusado na Virgínia por pirataria e tomada de reféns quando capturou um navio de bandeira alemã na costa somali em 2010 e pelas negociações que se seguiram à captura do *SV Quest* no ano seguinte. Em julho de 2013, foi negado ao réu um recurso em que seus advogados alegavam que, como suas atividades eram baseadas em terra firme, ele não poderia ser acusado de pirataria.[8]

Ainda precisam ser descobertos muitos elementos sobre a distribuição, a movimentação e os gastos com as somas de resgates, que foram investigados com certo detalhe pelo estudo *Pirate Trails*, do Banco Mundial. Apesar de uma série de desafios na coleta de dados confiáveis, o relatório fornece uma visão fascinante e útil sobre o que tem se transformado em uma indústria multimilionária, com fluxos de dinheiro dentro e fora da Somália.

O relatório descreve que, assim que os piratas recebem o resgate, o dinheiro é distribuído entre os participantes da operação. Mercadores que fornecem alimentos, combustível, *khat* e bebidas alcoólicas durante o período em que as vítimas são mantidas reféns operam na base da confiança e são pagos assim que os piratas recebem o resgate. Cria-se uma atmosfera bem capitalista, e os participantes concordam em atender às exigências do mercado. O Banco Mundial constatou que o *khat*, uma planta folhosa que induz um estado moderado de euforia quando mastigada, é vendida aos piratas por cerca do triplo do preço normal de mercado. Esse relatório comenta que os "piratas aceitam a situação e concluem que este é o custo e a regra social de se fazer negócios". Nem é preciso dizer que, apesar dessas aparentes "oportunidades" para as comunidades e os negócios locais se beneficiarem de uma injeção imediata de dinheiro após o pagamento de um resgate, o fluxo de fundos criminosos também é um fator de desestabilização nos cenários econômico, político e social do país.

Quando as dívidas locais são quitadas, a maior proporção dos fundos é reservada para os investidores iniciais; eles podem receber entre 30% e 70% do valor total do resgate. Uma segunda série de pagamentos então é feita aos "soldados rasos", que sequestraram o navio e ficaram com os reféns. Cada um recebe algo próximo de US$ 30 a US$ 70 mil. Um prêmio extra, segundo relatos, de US$ 10 mil, pode ser dado ao primeiro pirata que abordou o navio em razão do maior risco a que ele se expôs.

Somas menores de dinheiro podem ser gastas com itens de luxo e prostitutas, em especial pelos "soldados rasos". É fato conhecido que somas maiores são transferidas para Djibuti, Quênia e Emirados Árabes Unidos (EAU), em particular pelo contrabando entre fronteiras e pela lavagem de dinheiro com base em operações comerciais. Pertencente a essa última categoria de lavagem de dinheiro, o superfaturamento é um método usado para transferir dinheiro através das fronteiras. Digamos que o patrocinador de nossos piratas somalis deseje transferir uma parte de seus rendimentos para uma conta bancária no Quênia. Ele abre uma empresa legítima para comercializar produtos da linha branca, depois encomenda US$ 500 de geladeiras a serem importadas de uma empresa queniana. Ele pede a seu parceiro, talvez um parente no Quênia, que lhe envie o pedido superfaturado para US$ 700. O patrocinador paga os US$ 500 com fundos legais e o excedente é pago com os rendimentos da pirataria. A pessoa localizada no Quênia deposita os US$ 500 no banco, mas deposita os US$ 200 adicionais na conta queniana do patrocinador dos piratas. O dinheiro agora está depositado no exterior e tem uma marca de legitimidade por ter sido processado por meio de uma operação comercial que aparenta ser regular. O dinheiro também pode, de modo alternativo, ser lavado por meio de métodos mais tradicionais, utilizando atividades com alta movimentação de caixa, tais como hotéis e restaurantes. Os fundos de resgate também parecem transitar por outros comércios, como imóveis, *khat*, transporte e agricultura. Quaisquer que sejam os meios de lavagem de dinheiro, é preocupante que os envolvidos possam estar usando os rendimentos dos ataques de pirataria para comprar influência política, além de fomentar um ciclo de crimes ao investir em mais ataques piratas, tráfico de pessoas, tráfico de migrantes, milícias e instalações militares terrestres na Somália.

Deter a infiltração de dinheiro de pirataria no sistema financeiro global não é tarefa fácil. Em essência, há a situação jurídica referente aos pagamentos de resgates. Eles não são ilegais em si no Reino Unido nem em muitos outros países, mas o que é problemático é o destino do dinheiro. A maioria dos países tem legislações que tratam do uso de dinheiro conectado a atividades criminosas. No Reino Unido, tanto o Terrorism Act (Lei Antiterrorismo) de 2000 como o Proceeds of Crime Act 2002 (POCA — Leis dos Produtos do Crime) contêm artigos que criminalizam pagamentos que assistam terroristas ou o auxílio prestado a pessoas para reter os rendimentos de um crime. Não há dúvida de que a pirataria em si é uma atividade criminosa e que o dinheiro que ela gera constitui um "bem fruto de crime", mas também há certa preocupação internacional de que atos de pirataria possam estar ligados, em termos financeiros, a redes terroristas. Isso significa que as pessoas que pagam resgates podem estar sujeitas a um aumento de sanções sob o POCA e legislações similares em outros países. Como resultado, as pessoas dispostas a pagar um resgate não raro pedem autorização às agências reguladoras de seu país, de modo que as operações possam ser autorizadas e, depois, monitoradas. Deixar de emitir uma declaração não só causa o risco de o pagador do resgate ser criminalizado como também impede que os investigadores financeiros sigam o rastro do dinheiro.

O Comitê Europeu do Parlamento britânico considerou essa posição em um relatório de 2009 intitulado *Money Laundering and the Financing of Terrorism* [Lavagem de Dinheiro e o Financiamento do Terrorismo].[9] O Comitê declarou que o pagamento de resgate é legal no Reino Unido e deve permanecer com esse *status* de modo a evitar a criminalização das pessoas que buscam comprar a libertação de parentes, funcionários ou bens. Depois, considera a posição legal do pagador de um resgate. Apesar de ser dito que não há nenhuma ligação conhecida entre os piratas e os terroristas que operam nas mesmas regiões pelo mundo afora, o Comitê foi da opinião de que, se alguma conexão for estabelecida no futuro, uma pessoa que pagasse um resgate poderia cometer uma transgressão segundo o Terrorism Act ou o POCA. Após criticar as atitudes da Secretaria do Interior sobre o tema, eles estabeleceram que o governo deveria traçar diretrizes no caso de os resgates virem a auxiliar no financiamento de grupos terroristas. Criticaram a ausência de uma ligação concreta entre pirataria e terrorismo, e observaram o "nítido contraste" entre os esforços navais de grande escala empregados internacionalmente para interromper atos de pirataria em si e a "falta de qualquer ação elaborada para inibir a transferência dos rendimentos desses atos criminosos, ou, ainda, para determinar se estavam auxiliando o financiamento do terrorismo".

Há também um debate para determinar se um plano da ONU para impor sanções à pirataria tornaria os pagamentos de resgate ilegais, e se as iniciativas da comunidade internacional para combater a pirataria têm sido prejudicadas por uma falta de consenso sobre essas possíveis medidas. Os Estados Unidos têm proposto que a ONU adicione duas organizações que parecem ser de piratas — Abshir Abdillahi e Mohamed Abdi Garaad — à sua lista de sanções, mas essa ideia foi rejeitada pelo governo britânico em 2010 devido ao temor das consequências de se criminalizar pagamentos de resgate. Os Estados Unidos têm se posicionado de modo isolado, e a Abdillahi e a Garaad são duas das 11 organizações somalis sob sanções no regime do OFAC. O movimento inquietou bastante uma parte do setor marítimo, devido ao receio de que os Estados Unidos e outros países pudessem proibir também os pagamentos de resgate.

Os acordos e a cooperação internacional se estendem a outros aspectos de combate à pirataria que fazem uso de empresas de transporte marítimo, seguradoras, agências reguladoras, unidades de inteligência financeira e investigações após incidentes. Sem dúvida, o sucesso desse tipo de cooperação é amparado pelo conhecimento dos fatos, e isso torna muito importantes os relatos de detalhes dos sequestros e resgates, bem como a coleta de dados pelas forças de inteligência. O ato de não informar o pagamento de resgate a uma força policial nacional tem ramificações mais amplas do que deixar de garantir imunidade ao indiciamento penal. Na luta contra o abuso do sistema financeiro e dos grupos do crime organizado, é essencial termos uma fonte constante de dados precisos. Sem o conhecimento de que foi pago um resgate aos piratas, a comunidade internacional de agências reguladoras perde mais uma chance de investigar a questão. Com operações baseadas em dinheiro, a execução de tarefas simples como anotar os números de séries das notas bancárias envolvidas pode ser de vital importância para possibilitar que as notas sejam rastreadas caso entrem no sistema bancário.

A FATF identificou diversos exemplos em que foram perdidas oportunidades de rastrear o dinheiro entregue em pagamentos de resgate por fraca comunicação ou uma metodologia pouco robusta. No sequestro de um navio dinamarquês em 2007, o pagamento do resgate foi coletado de um banco norte-americano com o conhecimento do FBI. Foi dito que embora as autoridades norte-americanas fornecessem às autoridades dinamarquesas os números de série das notas de dinheiro, essa informação jamais foi recebida pela unidade de inteligência financeira dinamarquesa. Os US$ 723 mil em dinheiro foram entregues em um hotel em Dubai por uma empresa privada contratada, mas todos os rastros do dinheiro sumiram, pois a unidade de inteligência financeira dinamarquesa não conseguiu fornecer os números de série para as autoridades dos Emirados Árabes Unidos. Apesar de se ter a impressão de que uma reunião organizada em um país com um sofisticado sistema bancário, que não era o país em que ocorrera o ataque, teria proporcionado uma excelente oportunidade para se investigar o fluxo do dinheiro, as partes, é evidente, não reconheceram a importância de fornecer-se mutuamente detalhes que poderiam ajudar a rastrear o dinheiro. Um caso similar em 2008 também resultou no não fornecimento, à unidade de inteligência financeira dinamarquesa, dos números de série das notas de um pagamento de resgate totalizando US$ 1,7 milhão e na falta do preenchimento de um SAR, apesar da retirada das somas de um banco dinamarquês, interrompendo de novo as vias normais para o compartilhamento de informações e a investigação.

Em algumas operações de piratas, tem havido recuperação de dados úteis para investigadores, mas, de modo lamentável, devido à ausência de coordenação entre as autoridades envolvidas, as informações não têm sido utilizadas de maneira a resultar na descoberta de novos indícios ou do dinheiro a ser rastreado. Em um exemplo, as forças navais da União Europeia descobriram detalhes de contas bancárias ligadas a piratas somalis e repassaram as informações a autoridades belgas. Parece ter se sucedido uma série de falhas de comunicação e, por fim, os contatos não foram rastreados.

A FATF identificou dois outros fatores específicos que aumentam a vulnerabilidade do sistema financeiro global aos rendimentos da pirataria: primeiro, o dinheiro destinado para o pagamento de resgates raramente tem seu montante total revelado quando cruza fronteiras, tornando o rastreamento muito difícil; e, segundo, os SARs quase nunca são investigados por unidades de inteligência financeira, que talvez não estejam cientes de que está sendo feito o pagamento do resgate.

Além de tentar seguir os fluxos do dinheiro, a comunidade internacional também tem investido recursos substanciais para responder à pirataria com embarcações navais armadas, em particular no golfo de Áden. Há três operações nessa área estabelecidas entre 2008 e 2009 — a Operação Atalanta da União Europeia; a Ocean Shield, da OTAN; e a Força-Tarefa Combinada Multinacional 151. Elas parecem ter obtido sucesso, como se pode evidenciar por uma queda significativa do número de ataques de piratas na região em 2012 e 2013, se comparados aos anos anteriores. Todavia, há a preocupação de que, devido à natureza de suas regras de combate, as forças envolvidas tenham sido incapazes de fazer algo mais além de simplesmente patrulhar o oceano.

No entanto, tem havido certo sucesso no indiciamento penal internacional de piratas capturados. A pirataria é um crime de jurisdição universal e, portanto, não precisa ser levado a juízo no país em que ocorreu. Têm-se estabelecido tribunais para julgar casos de pirataria nas Ilhas Seychelles e no Quênia, e os dois territórios têm sido ativos em dar uma resposta jurídica ao problema. Há também tribunais especializados nesse tipo de crime nas Ilhas Maurício, na Tanzânia e em Somaliland. As prisões nessas jurisdições são em geral abarrotadas, e a entrada de novos detentos as tem colocado sob enorme pressão. A ONU tem trabalhado para construir e modernizar centros de detenção na Somália, de modo que os piratas não se aproveitem dos recursos dos países que os ajudaram a condená-los; criou-se uma prisão especial para piratas condenados no exterior em Hargeisa, Somaliland, em 2010. O custo cada vez maior dos promotores e dos agentes carcerários necessários para administrar o processo de julgamento é uma despesa adicional que a comunidade mal consegue sustentar.

Na própria Somália, as reações à pirataria são variadas, e a situação está evoluindo à medida que as bases de poder se alternam e o novo governo introduz, de forma gradual, certo nível de estabilidade no país. É difícil que a situação sofra uma rápida reviravolta; o Banco Mundial ressalta que, apesar do progresso, a Somália "ainda é caracterizada por conflitos continuados, falta de um monopólio legítimo no uso da força, um fraco atendimento social e de relações entre as comunidades, alta dependência de ajuda humanitária externa e de remessas para a população, além da forte presença de atividades econômicas ligadas à guerra, como a pirataria e o tráfico de armas". Um estudo elaborado pela acadêmica Anja Shortland, da Universidade Brunel, em Londres, para o instituto Chatham House (especializado no estudo de políticas públicas), analisou dados detalhados dos preços dos alimentos e dos salários dos trabalhadores na Somália, mediu as emissões de luz e comparou imagens de satélites de importantes regiões do país entre 2006 e 2010.[10] A análise sugere que algumas cidades do interior, em Puntland, pelo que se pôde observar, lucraram muito com a pirataria, enquanto alguns vilarejos costeiros não parecem ter lucrado tanto. Essa e outras evidências de aumento de riqueza como resultado da pirataria têm indicado que a riqueza acumulada pelos piratas desencoraja as autoridades da região a tomar as medidas necessárias para conter o delito, pois as áreas locais se beneficiam dos investimentos ou gastos do dinheiro dos piratas. A FATF chega ao ponto de dizer que as autoridades de Puntland têm "apoiado ou participado" de redes de pirataria. Em contrapartida, a Somaliland tem, segundo relatos, firmado acordos com a indústria de transporte marítimo para sustentar esforços no combate à pirataria. Há também um reconhecimento crescente de que uma grande parcela do potencial de deter os atos de pirataria reside nos membros mais idosos dos clãs, e o novo governo tem estendido uma anistia parcial aos "soldados rasos" para poder negociar com esses líderes comunitários. De fato, apesar da correlação bastante conhecida entre o aumento do patrulhamento e a redução da pirataria, o artigo do comentarista no *New York Times* subestimou o papel das marinhas internacionais na diminuição dos ataques, afirmando que a "razão mais provável para o declínio da pirataria é que a guerra que os quenianos e os egípcios estão travando contra o Al Shabaab [...] tem perturbado as condições de negócios e de redes de patrocínio ao longo da costa somali que habilitava a operação dos piratas".

No tocante à avaliação da eficácia das respostas internacionais e locais, em matéria de causa e efeito, é algo difícil de determinar. Como quer que seja, os incentivos em terra firme ainda são desconhecidos e pouco está sendo feito para investigá-los. É evidente também que não tem havido nenhuma forma de resposta coordenada internacional aos desafios apresentados pelo fluxo financeiro da pirataria. É necessário um esforço concentrado para rastrear as pessoas por trás das operações de pirataria e interromper os fluxos de dinheiro, bem como maior consciência das instituições financeiras sobre o papel que elas, de modo involuntário, possam desempenhar no tratamento dos rendimentos desse delito.

CENÁRIO

Este cenário destaca exatamente como os fluxos de dinheiro podem ser canalizados sem serem detectados pelo sistema bancário global. Pagar resgates parciais ou totais pelo sistema financeiro é algo sensato, tanto para quem paga como para quem recebe, por duas razões. Primeiro, quando o proprietário de um navio tem dúvidas sobre a legalidade de fazer o pagamento de um resgate e não deseja correr o risco de descumprir a lei que proíbe esse pagamento, ele pode efetuá-lo de maneira dissimulada utilizando estruturas *offshore*. Em segundo lugar, caso uma organização terrorista financie um sequestro, ela pode querer o retorno sobre o seu investimento acessível em uma conta bancária em Londres, em vez de pôr as mãos no dinheiro em Djibuti. O risco desses tipos de pagamento lateral aumenta devido ao registro de muitos dos navios comerciais do mundo em jurisdições *offshores* obscuras como o Panamá e as Ilhas Cook. Isso se agrava ainda mais pelo fato de que vários navios são detidos por empresas *offshore*, e as informações pertinentes a essas estruturas empresariais podem ser difíceis de obter.

Esse cenário propõe uma parceria entre o Al Shabaab e os piratas somalis e examina uma situação em que pagamentos de resgate são utilizados para financiar um ataque da Al Qaeda (o líder do Al Shabaab "jurou obediência" ao líder da Al Qaeda em 2012). Apresenta uma situação em que um membro operacional sênior do Al Shabaab na Somália orquestra o sequestro de um navio no golfo de Áden, enquanto um membro operacional baseado em Djibuti estabelece uma ligação com uma célula terrorista da Al Qaeda em Londres, liderada por um somali, e cujos membros incluem um aluno de pós-graduação dos Emirados Árabes Unidos. Sem ser do conhecimento do proprietário do navio que está pagando o resgate, parte do pagamento que ele faz pelo sistema bancário é destinado ao financiamento de uma atrocidade empreendida pela Al Qaeda.

O Al Shabaab decide reunir a soma de dinheiro necessária para financiar o sequestro de um cargueiro de grande porte. O sequestro é audacioso e visa levantar fundos para suas operações no Quênia e, pela primeira vez, no Reino Unido. A organização conta com os serviços de inteligência de um "informante" na Dinamarca que relata que o navio contém itens perecíveis, e que tanto o proprietário do navio como os exportadores dos produtos ficarão satisfeitos se os recuperarem no menor prazo possível.

Comandado por membros operacionais do Al Shabaab em Djibuti, um líder pirata com ótimas atuações no mar organiza um grupo de piratas experientes para tentar o sequestro, que será controlado e lançado a partir de um navio-base tomado há algumas semanas. Armados com metralhadoras automáticas e lançadores de granadas, os piratas pulam para dentro de quatro esquifes e navegam em grande velocidade em direção ao alvo. Apesar dos melhores esforços da tripulação na tentativa de conter os piratas com canhões de água, eles sobem a bordo do navio e tomam o controle. No tumulto resultante, um marinheiro é abatido a tiros.

Os piratas estão em comunicação com seu líder a bordo do navio-base, que, por sua vez, está em contato por rádio com o membro operacional do Al Shabaab em terra firme, em Djibuti. Um experiente negociador de resgates é indicado por esse terrorista para se comunicar com o proprietário do navio. Ao saber que um de seus tripulantes foi morto durante a ação, o proprietário do navio fica muito abalado. Apesar de ser aconselhado por seus assessores de que precisa se manter calmo durante as negociações, ele não tem disposição para recuar, pois teme que mais vidas possam se perder. De um pedido inicial de US$ 10 milhões, as negociações chegam a um impasse nos US$ 5 milhões, ponto em que o proprietário do navio cede e instrui seus representantes a fazer o pagamento do resgate com a maior rapidez possível. Uma parte dessa soma acaba tendo a seguinte estrutura.

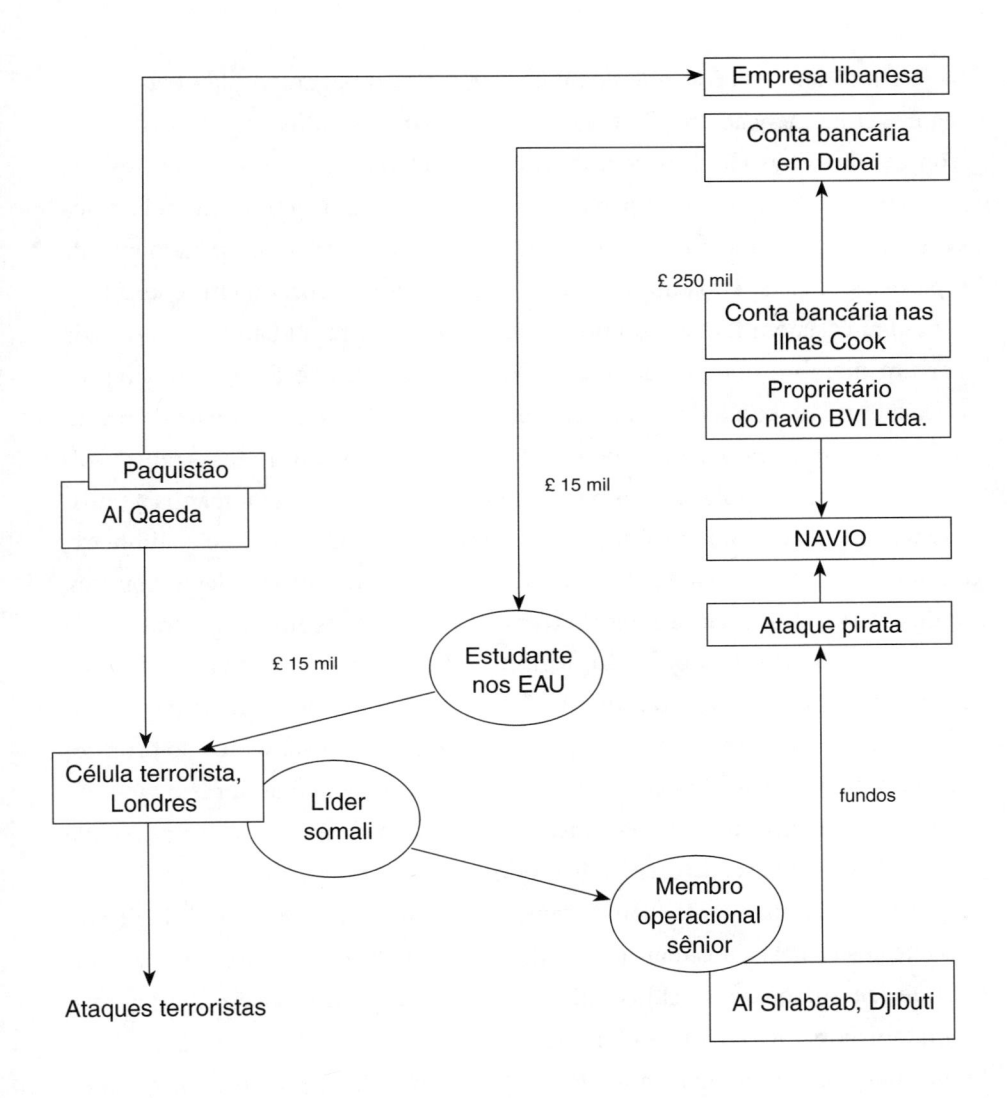

Sob as instruções do membro operacional do Al Shabaab, o negociador dos piratas informa ao assessor do proprietário do navio que o pagamento do resgate deverá ser feito em duas partes: a primeira, no valor de US$ 4,75 milhões, por meio de um depósito em dinheiro, e a segunda, no valor de US$ 250 mil, por meio de uma transferência eletrônica a uma empresa com conta bancária em Dubai. O navio sequestrado está registrado nas Ilhas Cook e é propriedade de uma empresa nas Ilhas Virgens Britânicas. Essa empresa é, por sua vez, administrada e controlada nas Ilhas Cook, onde possui uma conta bancária usada para fins operacionais, entre eles, o pagamento da tripulação, seguros, manutenção etc. Os US$ 250 mil são transferidos em operações eletrônicas das Ilhas Cook para uma conta em Dubai. O banco da empresa de navegação pede algumas informações sobre o propósito da transferência, e fica satisfeito quando lhe é informado que o dinheiro se refere ao pagamento de reparos essenciais feitos no navio enquanto ele está ancorado em Jebel Ali. A conta bancária em Dubai está no nome de uma empresa libanesa, controlada por um membro operacional da Al Qaeda localizado no Paquistão. Com os US$ 250 mil na conta de Dubai, ele converte uma fração dos dólares em £ 15 mil e o transfere para a conta do estudante natural dos Emirados Árabes Unidos e membro da célula terrorista londrina. A descrição que acompanha a transferência é "despesas do dia a dia e taxas de matrícula". Utilizando esse dinheiro, a célula londrina pratica três ataques terroristas suicidas na cidade de Londres, onde diversas pessoas inocentes morrem ou ficam feridas em estado grave.

Graças a esse método, fundos legítimos são pagos com a intenção de assegurar a libertação do navio sequestrado, de sua tripulação e sua carga. Financiar o terrorismo, é óbvio, não passou nem perto dos pensamentos do proprietário do navio ou dos bancos envolvidos, mas uma pequena porcentagem do resgate total dentro do sistema bancário foi desviada para financiar uma célula terrorista e, com isso, favorecer, de modo indireto, três ataques terroristas.

A história, no entanto, não termina aqui. Tendo distribuído o dinheiro do resgate aos piratas e aos mais idosos da comunidade local e financiado a compra de armamentos e veículos militares contrabandeados da vizinha Eritreia, o membro operacional do Al Shabaab é instruído a transferir US$ 20 mil dos rendimentos a um simpatizante da Al Qaeda em Minnesota, que abriga cerca de um terço da população somali nos Estados Unidos. Como não há sistema bancário operacional na Somália, ele não pode apenas fazer uma transferência eletrônica de dinheiro, de modo que recorre a um agente *hawala* de remessa de dinheiro em Djibuti. O agente é integrante de uma extensa rede de *hawaladares* que atendem a toda a população somali. Ele está muito interessado em obter dinheiro para financiar as coletas feitas por somalis nativos em troca dos fundos que são transferidos para eles, através do sistema *hawala*, por membros que vivem fora da Somália.

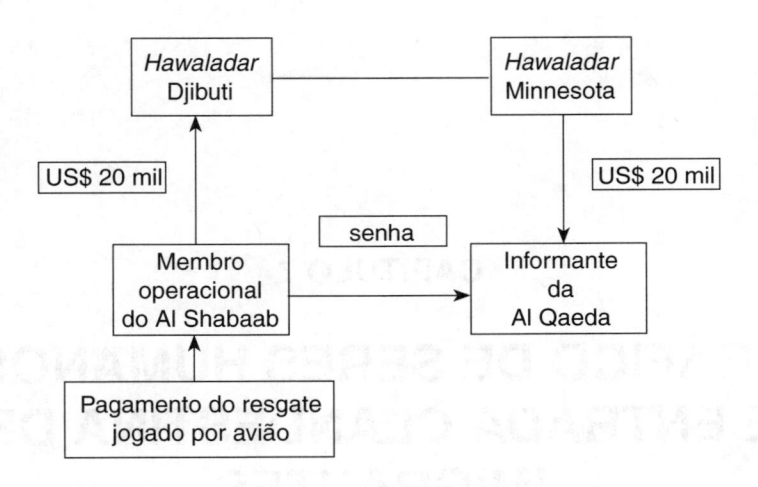

O membro operacional dá US$ 20 mil ao *hawaladar* e, em troca, recebe uma senha. Sem confiar em ligações telefônicas ou comunicação por e-mail, a senha é transferida verbalmente por uma cadeia de operadores do Al Shabaab e da Al Qaeda, até alcançar o informante em Minesotta. Ele vai até um *hawaladar* local, apresenta-lhe a senha e recebe os US$ 20 mil. Em seguida, utiliza o dinheiro para cobrir suas despesas diárias e permanece fora do radar, tanto em relação às autoridades norte-americanas como ao sistema bancário do país.

CAPÍTULO 7

TRÁFICO DE SERES HUMANOS E ENTRADA CLANDESTINA DE IMIGRANTES

Em junho de 2000, os funcionários da alfândega de Dover, no Reino Unido, abriram o baú de um caminhão que acabara de cruzar o Mar do Norte e parecia transportar uma carga de tomates. No entanto, em meio à escuridão, encontraram dois chineses inconscientes junto com os cadáveres de 58 outros, que haviam sido asfixiados quando o motorista fechara a única entrada de ar para impedir que fossem vistos. Acredita-se que cada um dos imigrantes que tentavam passar de modo ilegal havia pago em torno de £ 20 mil para a jornada, vindos de suas províncias natais até o Reino Unido em busca de trabalho. A viagem tinha sido organizada por membros da gangue chinesa Snakehead [Cabeça de Cobra], que tinham fornecido documentação falsa e planejado o transporte ao longo de diversos países por vias marítima, aérea e terrestre, tendo obtido um lucro substancial, livre de riscos. Dois indivíduos, que negaram as acusações imputadas a eles, foram presos pelas mortes: o motorista holandês do caminhão, Perry Wacker, que foi sentenciado a catorze anos (e cujo recurso foi rejeitado), e um intérprete chinês, Ying Guo, que atuava como coordenador no Reino Unido para os imigrantes, sentenciado a seis anos.[1] Eles teriam recebido uma fração da soma total originada com a tragédia, deixando o grosso do pagamento nas mãos dos aliciadores chineses. Estes contavam com uma probabilidade muito baixa de verem algo dar errado em uma série regular desses arranjos em que pessoas crédulas e vulneráveis ofereciam a própria confiança e dinheiro a criminosos motivados apenas por lucros, sem nenhuma piedade humana.

A atividade clandestina relacionada à entrada ilegal de imigrantes, bem como o relacionado tráfico de seres humanos, afeta milhões de pessoas em todo o mundo. As duas atividades estão entre as formas de crime organizado mais disseminadas e lucrativas do mundo e têm sido ligadas a outros delitos, como conspiração para a prática de assassinato, fraudes com cartões de crédito, fraude hipotecária, fraude de imigração e rede organizada de prostituição. O promotor que indiciou Perry Wacker deplorou a entrada ilegal de seres humanos dizendo que "essa atividade havia se tornado tão rentável quanto o tráfico de drogas"[2]; a Organização das Nações Unidas (ONU) classifica o tráfico de seres humanos em terceiro lugar entre os crimes que obtêm os maiores benefícios financeiros, atrás apenas do tráfico de drogas e de armas.[3] Apesar disso, ele é quase invisível para as sociedades em que opera e, em comparação, pouco se sabe sobre sua operação. Esses delitos se baseiam na exploração comercial de pessoas vulneráveis com o propósito de lucro, seja cobrando imensas somas por uma viagem ilegal e perigosa em busca de um futuro melhor, seja coagindo alguém a entrar em uma situação da qual não consegue escapar e em que é forçado a executar trabalhos degradantes por um salário miserável. Os agenciadores desse tipo de delito lucram por exigir a cobrança de uma tarifa para o transporte clandestino da pessoa até um novo país, bem como cama e comida durante o trajeto e a obtenção de documentos falsos. Os traficantes de pessoas lucram com os rendimentos das vítimas, que são exploradas sexualmente ou forçadas a trabalhar e viver em locais determinados pelos traficantes, além de entregar a maior parcela do dinheiro que recebem. As vítimas desses dois tipos de delito não raro trabalham em condições desumanas, além de serem ilegais em um país onde não existem de modo oficial, ficando, portanto, sem direito aos sistemas judiciário, de saúde e de previdência social. De maneira geral, habitam em casas sem segurança ou superlotadas. As vítimas do tráfico são destituídas do direito de partir quando lhes convier e, às vezes, têm seus documentos de identidade ou passaportes confiscados; são, sem sombra de dúvida, escravas.

Os agenciadores de entrada ilegal de imigrantes e os traficantes de pessoas têm sido submetidos a exames mais apurados desde que a Convenção da ONU sobre Crime Organizado Transnacional entrou em vigor em 2003. A Convenção foi complementada por dois protocolos-chave: o Protocolo Relativo à Prevenção, Repressão e Punição do Tráfico de Pessoas, em Especial Mulheres e Crianças, e o Protocolo contra o Crime Organizado Transnacional, Relativo ao Combate ao Contrabando de Imigrantes por via Terrestre, Marítima e Aérea.[4] Os protocolos apresentam definições acordadas sobre os dois tipos de delito no arcabouço de um instrumento global juridicamente vinculante. Enquanto, no início dos anos 2000, poucos países tinham uma legislação que criminalizasse o tráfico de seres humanos, essa atividade agora é considerada ilegal na maioria das jurisdições, ainda que com consideráveis deficiências em sua aplicação e na falta de cooperação internacional. O movimento ilícito de pessoas continua sendo um delito difícil de detectar, com suas vítimas ocultas em meio a uma cultura de medo e sigilo. As taxas de condenação permanecem muito baixas, apesar da extrema rentabilidade e prevalência. Ao contrário da consciência cada vez maior referente ao fluxo de dinheiro resultante da corrupção e do tráfico de drogas, a consciência relativa aos lucros do tráfico de pessoas e da entrada ilegal de imigrantes é pequena, assegurando que os regimes de *compliance* ativos no rastreamento dessas atividades não sejam de alta prioridade. Apesar das últimas iniciativas, a lavagem de fundos gerados com essas manifestações em particular de crime organizado rende pouca cobertura da mídia, continuando a não chamar tanto a atenção da consciência pública. Dito isso, o termo de compromisso da Western Union para pagar US$ 94 milhões em 2010 a fim de extinguir, por meio de acordo, uma disputa judicial com o Arizona, que acusara a empresa de não se prevenir o suficiente no tocante à utilização de seus serviços por cartéis de drogas e por traficantes mexicanos de pessoas para lavar dinheiro de um lado a outro da fronteira é um exemplo do tipo de risco operacional e de reputação associado à ausência de *compliance* nessa área e pode anunciar o início de uma maior consciência.

O tráfico de seres humanos e a entrada ilegal de imigrantes não raro se fundem; no entanto, embora os dois lidem com a realocação ilícita de pessoas para fins de trabalho, há diferenças muito importantes, algumas das quais afetam a maneira como devem ser policiados e o modo como são feitas as tentativas para rastrear seus rendimentos. Uma diferença significativa é o consentimento; uma "pessoa traficada", ou seja, vítima do tráfico ilegal, será recolocada e, então, trabalhará sob coerção, ou desde o início ou como resultado de uma situação enganosa da qual não consiga escapar. Ao contrário, um imigrante introduzido de modo ilegal toma parte em um ato consensual: desejando entrar de modo ilegal em um território diferente, ele busca ajuda de um profissional para fazer isso e então, de forma voluntária, empreende uma jornada organizada pela rede de agentes da atividade. Além disso, o tráfico de pessoas sempre envolve a exploração da vítima, enquanto, por outro lado, embora uma pessoa introduzida ilegalmente possa acabar, devido a seu *status* ilegal e vulnerável, em um mercado de trabalho explorador ou trabalhando para restituir parte do custo de sua viagem, essa não é uma característica necessária de sua situação. E mais: ao contrário de diversas concepções equivocadas, o tráfico de pessoas não precisa envolver o cruzamento das fronteiras de um país, embora essa seja a característica essencial da entrada ilegal de imigrantes.

Há outra distinção importante no que diz respeito à forma pela qual o dinheiro é obtido, distinção essa que tem a ver com as medidas que podem ser tomadas para evitar o acesso aos serviços financeiros. Assim que o imigrante introduzido de modo ilícito atinge seu destino e paga o valor da taxa, ele não tem mais nenhum relacionamento com seu agente, embora haja relatos de casos em que os agentes raptaram os imigrantes e tentaram extorquir um pouco mais de dinheiro deles antes de sua libertação. O imigrante depois segue seu caminho, de modo geral em trabalhos não especializados, por baixos salários e sem suficiente proteção trabalhista. As pessoas traficadas, no entanto, jamais saem do controle daqueles que as transportaram. Os homens em geral são forçados a trabalhar em fábricas ou ao ar livre, na agricultura ou na construção civil, em condições estressantes e perigosas, insalubres e inseguras. É mais provável que tal situação ocorra em países subdesenvolvidos, onde os locais de trabalho são menos controlados e as operações comerciais de larga escala podem passar despercebidas, sem o devido monitoramento. As mulheres também podem ser forçadas a trabalhar em fábricas, mas, em geral, em situações menos visíveis, que podem existir tanto no mundo desenvolvido quanto no subdesenvolvido. São comuns os trabalhos de empregada doméstica ou faxineira, ou outros trabalhos subalternos. No entanto, uma alta porcentagem de mulheres traficadas é explorada sexualmente, em circunstâncias violentas e perigosas. Crianças são obrigadas a trabalhar em fábricas, ingressar em milícias armadas, ou são forçadas a mendigar em cidades mais populosas, podendo ainda ser vendidas para executar trabalhos domésticos e prestar serviços sexuais. Uma porcentagem bem pequena é introduzida de forma ilegal com o propósito de doação de órgãos para transplantes. Um desses casos suspeitos foi identificado por um banco francês, quando um cidadão do país fez pagamentos a uma mulher no exterior citando a razão como "doação para transplante"; porém, nem todos os casos de tráfico são tão fáceis de detectar.

As redes de entrada ilegal de imigrantes e de tráfico de pessoas são, de modo geral, formadas por grupos globalizados, com membros em uma série de países de trânsito que assumem a responsabilidade por vários aspectos dos delitos: acompanhar e supervisionar os viajantes, encontrá-los e hospedá-los em pontos de parada, apresentá-los a outros membros da organização, instruí-los sobre a próxima forma de transporte e encontrá-los no destino. Além disso, é provável que uma rede de tráfico inclua uma ampla rede de recrutadores no país de origem que identifique potenciais vítimas e tome medidas para iludi-las; guardas para assegurar que o contingente de vítimas não seja roubado por outra gangue; e outra ampla rede no país de destino, que controlará a acomodação e o trabalho das vítimas, além de outros aspectos do seu dia a dia, como o acesso a serviços bancários e médicos. Algumas gangues parecem ter conexões com organizações criminosas em outros países.

Nos dias atuais há indícios crescentes e preocupantes de que a facilitação da entrada ilegal ou do tráfico de pessoas é um atraente sub-ramo de outros crimes organizados, como o tráfico de armas ou de drogas. O cartel de drogas mexicano Los Zetas supostamente está envolvido nessas atividades, tendo diversificado seu portfólio de tráfico de drogas a uma faixa mais ampla de crimes, entre eles, sequestros e extorsão. As mulas das drogas, em geral mulheres vulneráveis forçadas a engolir pacotes de narcóticos antes de cruzar fronteiras, são em muitas circunstâncias vítimas do tráfico, servindo a um propósito duplo e, às vezes, fatal. O porta-voz de uma ONG que lida com prostitutas mexicanas disse à *Time*: "À medida que a guerra contra as drogas tem se tornado mais intensa, as redes que fazem tráfico de mulheres têm feito pactos com os cartéis".[5]

As redes de recrutamento envolvidas no tráfico de pessoas empregam diferentes táticas, dependendo de sua localização. Em um cenário clássico, jovens rapazes iludem mulheres vulneráveis para trabalhar com sexo oferecendo promessas de romance, em geral a certa distância de sua casa. Apresentam-se como alguém confiável que alega, de coração, importar-se muito com a mulher, e, então, uma vez que essa dependência é estabelecida e a mulher está fora de seu ambiente normal, ele consegue escravizá-la e explorá-la. No Sudeste Asiático, segundo relatos, é comum o recrutador ser membro da família extensa da vítima. Há também casos em que o tráfico envolve um casamento forçado ou nos quais, em exemplos extremos, os pais vendem os filhos aos traficantes. Embora a maioria dos traficantes condenados seja composta por homens, as mulheres, segundo dados estatísticos, têm maior probabilidade de estarem envolvidas no tráfico do que em outros crimes. Em algumas áreas, elas desempenham papel essencial no processo de recrutamento, ganhando a confiança de outras mulheres e iludindo-as com promessas de trabalho bem remunerado; em outras, assumem um papel gerencial, tal como supervisionar vítimas e administrar bordéis.

Apesar do conceito de consentimento no que diz respeito à entrada ilegal de imigrantes, eles geralmente acabam viajando ou trabalhando em circunstâncias precárias ou perigosas, em particular devido à sua clandestinidade e aos riscos do transporte e apesar da soma significativa que pagaram. À medida que as autoridades restringem a movimentação de imigrantes ao longo de certas fronteiras que vêm se mostrando mais fáceis de atravessar, a demanda por agentes "especialistas" em rotas mais difíceis e perigosas tem aumentado. Segundo estimativas, entre 1.500 e 2 mil imigrantes e refugiados morrem afogados no Mediterrâneo a cada ano, quando viajam em botes sem condições de navegação, de localidades que concentram essas atividades no litoral do norte da África até ilhas como a Sicília, a Sardenha, as Ilhas Canárias e regiões da Grécia, onde praias remotas permitem um desembarque mais discreto. Em uma única viagem em 2013, mais de 360 imigrantes, principalmente da Eritreia e Somália, que pagaram US$ 3 mil por cabeça, morreram afogados em lugares distantes da costa da pequena ilha italiana de Lampedusa.[6] Visando litorais tranquilos, um grande número de imigrantes em busca de asilo e imigrantes ilegais da China continental e do Sudeste Asiático também morre afogado todo ano em águas próximas da Austrália.

Conflitos e crises de refugiados pelo mundo afora têm apresentado uma enorme oportunidade de negócios para redes especializadas na entrada ilegal de imigrantes. De acordo com estimativas, no final de 2014, o número de pessoas deslocadas por motivos de força maior atingiu a marca de cerca de 60 milhões, o maior nível desde o fim da Segunda Guerra Mundial. Ao longo de todo o ano seguinte, mais de 1 milhão de imigrantes e refugiados se deslocaram pelo continente no que ficou conhecido como a "crise dos refugiados na Europa". Acampamentos como a famosa "Selva de Calais" aumentaram de tamanho para acomodar milhares de pessoas em barracos improvisados.

O Gabinete de Estatística da União Europeia (Eurostat, na sigla em inglês) informou que os países-membros da União Europeia receberam mais de 1,2 milhão de pedidos de asilo em 2015, número esse que mais do que dobrou em comparação com o de 2014. Dos que conseguiam cumprir a jornada, provenientes de países em guerra — principalmente Síria (49%), Afeganistão (21%) e Iraque (8%) —, a maioria chegava por mar, mas uma proporção pequena, porém significativa, viajou por terra, em geral vinda da Albânia ou da Turquia. O custo humano dessa empreitada foi chocante: mais de 3.700 pessoas morreram ou se perderam fazendo a travessia, apenas em 2015.

Os dados sobre a entrada ilegal de imigrantes são fragmentados, devido à natureza clandestina e variável do delito. Informações obtidas com agentes de controle demonstram lucrativas possibilidades associadas a esse tipo de atividade criminosa. Uma embarcação que transportava 360 imigrantes, interceptada no início de 2015, havia pago aos agenciadores cerca de € 2,5 milhões pela viagem. A União Europeia (UE) voltou-se então para a tentativa de criar diretrizes, que resultarão em investigações financeiras proativas, de modo a congelar bens advindos do crime e conter a lavagem de dinheiro associada à entrada ilegal de imigrantes e refugiados. O Plano de Ação da União Europeia para 2015-2020 reconhece a importância das agências da UE, e da cooperação com bancos, fornecedores de serviço de transferência de crédito e emissores de cartões de crédito, a fim de rastrear bens relacionados a aliciadores e seguir o rastro do dinheiro até o ponto central de onde criminosos controlam as rotas de imigração ilegal.

É a vulnerabilidade de muitos imigrantes ilegais que os tornam presas tão fáceis dos agentes ou traficantes. Jovens que ouviram histórias fantasiosas sobre os salários obtidos em outros países e que acreditam (às vezes de modo correto) na possibilidade de conseguir dinheiro suficiente para sustentar suas famílias se forem para o exterior são, de modo geral, participantes voluntários nessas travessias ilegais. Eles, no entanto, não estão cientes dos gravíssimos riscos que correrão em algumas das rotas de desembarque mais perigosas. As vítimas do tráfico não raro são escolhidas por causa das desesperadoras circunstâncias pessoais: moças que vivem na pobreza, talvez com suas jovens famílias; órfãos ou adolescentes que fugiram de casa e são suscetíveis à atenção de pessoas que se dizem amigas e fingem lhes oferecer uma vida melhor; além de viciados em drogas e estudantes que abandonaram os estudos, sendo iludidos com facilidade em situações que convenham aos aliciadores. O Departamento de Estado norte-americano elabora um relatório anual, *Trafficking in Persons Report* [Relatório sobre Tráfico de Pessoas], contendo as experiências de vítimas do tráfico que procuram sua ajuda. No relatório de 2013, constam as histórias de duas birmanesas de 16 anos que foram atraídas para a Tailândia com a promessa de trabalhar como empregadas domésticas, mas foram enviadas para cumprir um turno de dezenove horas por dia em uma fábrica de processamento de carne; de uma salvadorenha desempregada a quem foi prometido um trabalho nos Estados Unidos, mas que depois acabou sendo "vendida" para ser prostituta no México (tendo sido marcada pelo cartel Los Zetas com a tatuagem de um "Z"); e de 12 imigrantes do Cazaquistão e do Uzbequistão que foram mantidos reféns durante uma década em um supermercado russo, após promessas vãs de um emprego lícito.[7]

As condições de trabalho de imigrantes que entram de modo ilegal em um país podem ser também perigosas. Acredita-se que 23 catadoras de berbigão* que se afogaram em 2004 na baía de Morecambe, no Reino Unido, faziam parte de uma gangue de trabalho ilegal; ficaram sem supervisão, sem assistência e eram incapazes de falar inglês, além de não terem conhecimento das informações básicas que poderiam ter salvado a vida delas. O chefe da gangue, Lin Liang Ren, foi condenado por 21 homicídios culposos (dois corpos não foram recuperados), por perverter o curso da justiça e favorecer a transgressão das leis de imigração para as jovens, sendo sentenciado a catorze anos de prisão. Ren, um apostador viciado em jogos de azar e contador habilitado, negou sua responsabilidade pelas mortes. Foi libertado após oito anos e deportado para a China em 2012. Embora os indiciamentos fossem, em certo sentido, uma vitória, o *Guardian* entrevistou alguns familiares das pobres moças depois de alguns anos. O jornal descobriu que, embora a gangue "Cabeça de Cobra" que levou as meninas para o Reino Unido tivesse sido paga havia muito tempo, as famílias das vítimas ainda estavam em dívida com ela; uma família ainda devia £ 19.900 pela travessia de seus parentes até a baía de Morecambe.[8]

Há algumas estimativas para os números de entrada ilegal de imigrantes e do tráfico de pessoas, mas os dados primários para cada uma das atividades são irregulares e incompletos. Por razões óbvias, o tópico é de difícil pesquisa, e o número relativamente pequeno de processos judiciais indica que há poucos dados sólidos.

A Organização Internacional do Trabalho (OIT) estimou — com seus próprios dados, e de forma conservadora — que há, no mínimo, 2,4 milhões de pessoas sendo traficadas a todo momento.[9] O UNODC classificou o tráfico de pessoas como o terceiro tipo mais rentável de crime organizado, e os lucros estimados pela OIT chegam a US$ 32 bilhões ao ano, dos quais US$ 28 bilhões são gerados por exploração sexual.

A OIT estima que uma mulher que está sendo explorada sexualmente possa render por ano US$ 100 mil de lucros a seus captores, e a Europol estima que o rendimento anual de uma criança traficada possa chegar a € 160 mil;

---

* Berbigão é um molusco bivalve comestível. (N.T.)

uma margem enorme, considerando que o preço médio para a "compra" de uma criança é de apenas € 20 mil.[10]

A UNODC relata que os rendimentos de agentes que operam na rota da África Oriental/Norte da África/África Ocidental para a Europa somam cerca de US$ 150 milhões ao ano; para os que operam na rota América do Sul para os Estados Unidos, o total é de US$ 6,6 bilhões.[11] Um cálculo sugere que a entrada ilegal de imigrantes pela Europa movimenta anualmente £ 8 bilhões, com cerca de 600 mil imigrantes entrando de modo ilegal nos Estados Unidos a cada ano, 80% deles camuflados pela gangue "Cabeça de Cobra".[12] Tendo fugido dos Estados Unidos em meados da década de 1990 e depois instalado sua sede no bairro chinês de Roterdã, a denominada "Sister Ping" [Irmã Ping] foi uma das maiores beneficiárias dessa atividade. Segundo uma estimativa, acredita-se que essa senhora tenha ganhado mais de £ 15 milhões, introduzindo mais de 200 mil pessoas na Europa durante sua carreira; o FBI informou que seus ganhos quase superavam a marca dos US$ 40 milhões.[13] Ela foi presa na Holanda em 2003 e, depois de dois anos, condenada a 35 anos de prisão por um tribunal nova-iorquino.

As taxas para a entrada ilegal de imigrantes variam bastante, dependendo do destino e do tipo de benefícios de estilo de vida e de trabalho disponíveis, da distância percorrida, do risco ou conforto da viagem e do tipo de documentação exigida. As localidades mais caras são também as mais desejáveis, como Estados Unidos, Canadá e países escandinavos, que, segundo parece, envolvem custos mais altos. As viagens pelo continente europeu podem ficar na faixa de meras centenas de euros, enquanto uma viagem da China para os países ocidentais pode custar mais de US$ 13 mil. As somas exigidas por esse tipo de serviço são, de modo geral, muito altas, dada a renda média nos países de origem; em alguns casos, elas se equiparam a uma ou duas décadas de trabalho. Sem dúvida, até os agentes com pouco movimento conseguem ganhar somas substanciais de dinheiro em seu país natal, o que torna a compreensão do papel das instituições financeiras decisivamente importante.

Os padrões da entrada ilegal de imigrantes e do tráfico de seres humanos são muito influenciados pela geografia e pelos fatores econômicos de determinada região. Isso tem possibilitado aos analistas distinguirem alguns padrões específicos de atividade associados a regiões particulares, que assistem às agências reguladoras, na tentativa de aumentar os índices de rastreamento, e aos organismos financeiros, na tentativa de fornecer orientação para as instituições com o fim de saberem lidar com o fluxo de dinheiro resultante desses delitos.

A Europa é um importante destino global da imigração, com pessoas chegando da Ásia e da África como parte dessas atividades ilegais: estima-se que anualmente 55 mil pessoas saem dessa forma da África, sendo a Nigéria o principal país de origem. De modo geral, há ligações entre os países de origem e de destino que tiveram alguma conexão no passado colonial, pois isso pode favorecer o tráfico de vítimas e imigrantes para que se enquadrem em comunidades étnicas e linguísticas. No entanto, também há padrões marcados de movimentação dentro do continente em si. A Europol constatou que as gangues mais envolvidas no tráfico europeu são de países dos Bálcãs e da ex-União Soviética: Albânia, Bulgária, Romênia, Lituânia e a ex-Iugoslávia. Acredita-se que elas visem pessoas do próprio país, bem como da Rússia, Moldávia e Ucrânia. As rotas mais populares envolvem os Bálcãs, a Europa Oriental e o Mediterrâneo Oriental, além do norte da África/sul do Mediterrâneo. Brasil e Portugal também são países de destino populares para as pessoas nascidas na América do Sul, talvez devido aos vínculos culturais e linguísticos. Os imigrantes "camuflados" ou ilegais da África chegam pelas Ilhas Canárias e pela Espanha; do Marrocos, por via marítima à Espanha; da Líbia ou Egito para o sul da Itália, e por via terrestre ou marítima para a Grécia ou Turquia.

Nas Américas, os imigrantes, tanto forçados como voluntários, deslocam-se para o norte, da América do Sul até os Estados Unidos e o Canadá, passando pela fronteira com o México. Os sul-americanos migram para uma série de destinos, entre eles o Caribe, o Extremo Oriente e a Europa. A UNODC relata que por volta 3 milhões de latino-americanos utilizam o México como país de trânsito ano após ano como parte da imigração consensual e que 90% dos imigrantes mexicanos recorrem à utilização de aliciadores profissionais, conhecidos também por "coiotes". Centenas dos que migram para o norte morrem ao ano, sobretudo por desabrigo e desidratação. Foi precisamente esse fluxo de imigração que, de acordo com a Statement of Admitted Facts — parte do termo de compromisso firmado em 2010 —, certos agentes da Western Union, ao que tudo indica, favoreceram entre 2003 e 2007, pelo envolvimento em um padrão de violações de lavagem de dinheiro.[14] A instituição depois cortaria a conexão com 7 mil agentes no México que não seguiram os padrões de *compliance*.[15]

Grande parte do tráfico na Ásia é constituído de pessoas que mudam de áreas menos desenvolvidas para as mais prósperas; as vítimas do tráfico em geral são transportadas dos países mais pobres do Sudeste Asiático para países mais ricos. No entanto, há também uma movimentação significativa para a Oceania e ainda em direção à Europa. O tráfico nessa região é em grande parte supervisionado por gangues chinesas e pela Yakusa japonesa, e não raro ocorre em associação com outros delitos, como o tráfico de drogas, roubos e furtos.

As somas de dinheiro geradas pela exploração de pessoas, quer forçada ou consensual, são enormes. A estimativa de US$ 32 bilhões da OIT é bem interessante; um estudo da FATF mostrou que uma gangue de tráfico búlgara obteve um lucro de € 10 milhões em quatro anos (tendo os organizadores pago apenas 30% da remuneração para as mulheres, e apenas quando eram consideradas "produtivas").[16] Ambas as formas de atividade são consideradas ocupações com alto rendimento e baixo risco; as prisões são relativamente raras, e a desconexão jurisdicional entre o país de origem e de destino, onde é provável que a pessoa traficada ou camuflada será localizada, indica que o organizador continua a ter pouquíssima chance de ser rastreado. Não causa surpresa, portanto, o pouco progresso efetuado para se entender os métodos usados para lavar os rendimentos dessas atividades, ou o fato de essas atividades, em comparação com outras, quase nunca serem descobertas. Estudos incentivados pela Moneyval do Conselho da Europa e pela FATF, que pesquisaram situações específicas de modo a aprender mais sobre os sistemas financeiros usados por traficantes e aliciadores de pessoas, mostraram a identificação de certas tendências, porém com base em um número relativamente pequeno de casos individuais. Não foram descobertos novos métodos de lavagem de dinheiro ou de exploração, mas sim diversas estruturas financeiras que também se mostram vulneráveis ao abuso por parte de outras áreas do crime organizado.

Enquanto a entrada ilegal de imigrantes em geral envolve uma taxa única, os lucros do tráfico de pessoas são gerados de modo constante, e os tipos de empresa em que as pessoas traficadas trabalham não raro são as que geram operações frequentes de baixo custo envolvendo dinheiro. Um bordel em uma capital europeia com cinco prostitutas pode render milhares de euros por dia em dinheiro vivo, dos quais apenas uma diminuta porcentagem será paga às mulheres. Como as empresas que contratam pessoas traficadas em geral são ilegais, não registradas e têm uma natureza comprometedora, elas talvez não possam operar contas comerciais normais. O dinheiro, de modo geral, é gerado no destino do tráfico e deverá ser remetido com regularidade para os organizadores da gangue do tráfico em seu país natal, que quase sempre é o país de origem das vítimas do tráfico.

Em termos de lavagem, o uso de dinheiro em espécie e de empresas de serviços financeiros para a transferência dos rendimentos é quase universal. No entanto, como o tráfico ocorre não só entre países, mas também, às vezes, dentro de um mesmo país, uma operação suspeita pode não ser internacional. Empresas de fachada parecem ser comuns na Europa, e os rendimentos são gastos em imóveis e itens de luxo de alto valor, por exemplo, carros. Nos Estados Unidos, entre os métodos de lavagem estão cassinos e empresas de importação/exportação, bem como métodos universais, como empresas de serviços financeiros ou firmas de contabilidade. Em casos referentes à África ou partes da Ásia, o uso de empresas de remessa tradicionais, como a *hawala*, é comum; na Ásia, a lavagem acontece pela combinação de dinheiro criminoso com fundos legais, enquanto na África os estudos têm mostrado que o dinheiro pode ser investido em clubes ou imóveis.

A Moneyval e a FATF fizeram uma revisão de uma série de casos e os catalogaram em listas de tipologias e indicadores que deveriam desencadear um sinal de alerta junto às instituições. Também se consideraram os métodos pelos quais os casos de tráfico e entrada ilegal de pessoas foram descobertos; e, embora houvesse investigações desencadeadas por monitoramento de bancos, o relatório de 2011 da FATF versou sobre uma pesquisa que mostrava que o tráfico e a entrada ilegal de seres humanos geravam proporcionalmente um menor número de SARs todos os anos em relação a outros supostos delitos. Muitas investigações se iniciavam devido a uma outra investigação criminal, evidenciando assim que o conhecimento sobre esse tipo de crime no setor financeiro é bastante restrito e que as pesquisas feitas nem sempre identificam os fatos pertinentes.

A verificação do perfil dos clientes ocupa lugar de destaque na lista de prioridades de *compliance* que podem auxiliar na indicação de clientes envolvidos em tráfico de seres humanos, quer nos países de origem ou de destino. Isso não é o mesmo que dizer que qualquer albanês ou ucraniano que abra uma conta em Amsterdã logo deva se tornar suspeito, mas que os bancos devem estar cientes dos países com alto risco dessas atividades ilegais e assegurar que essa seja uma parte das medidas de seleção quando combinadas a outros fatores. Obter informações adequadas e confiáveis sobre as fontes de fundos dos clientes e suas áreas de trabalho também é importante.

O comportamento efetivo das pessoas em agências bancárias ou de serviços de remessa de dinheiro nos países de destino pode ser informativo: há casos de vítimas que remetem pessoalmente o dinheiro para o país de origem e o líder da gangue de tráfico. As mulheres traficadas podem ser orientadas a abrir contas que podem ser usadas para enviar dinheiro a suas famílias e seus controladores e podem ser supervisionadas quando vão aos bancos para fazer essas transferências. Portanto, podem-se levantar suspeitas legítimas quando uma mulher abre uma conta supervisionada por outra mulher, em particular se ela for acompanhada com frequência até a agência para realizar outras operações. Também bastante suspeitas são as contas que apresentam o mesmo endereço ou o mesmo número telefônico, e contas que são abertas com a especificação de que o cliente trabalha em um setor com risco de trabalho forçado ou trabalhos servis.

A maneira pela qual as contas são usadas pode também ser de grande valia. Operadores bancários ou de casas de remessa podem ser alertados por pessoas que fazem ou recebem numerosas transferências de pequenas quantias em dinheiro vivo, em particular quando envolvem a mesma localidade. Informações simples acerca do cliente podem demonstrar que o perfil operacional de uma pessoa e o uso de sua conta não correspondem a seu estilo de vida ou rendimento conforme descrito em sua documentação. Têm sido detectados muitos casos em que pessoas recebem depósitos regulares de montantes substanciais quando se sabe que estão desempregadas, e investigações posteriores sobre seu histórico levantam a suspeita de estarem envolvidas em tráfico ou na entrada ilegal de pessoas. As contas de empresas que recebem lucros polpudos, mas improváveis, podem também indicar atividade criminosa; mais uma vez: investigações posteriores às vezes conseguem levantar uma conexão com delitos relacionados a imigrantes.

Uma situação encontrada em alguns dos estudos de caso foi a exploração de contas bancárias para se ter acesso a crédito: a documentação das vítimas é retirada delas na chegada a seu destino, sendo aberta uma conta com seus documentos, que, depois, são usados de forma maliciosa para fazer empréstimos e saques a descoberto, além de cartões de crédito e débito. Às vezes, as mesmas contas são usadas para acessar a previdência social ou outros empréstimos antes de a vítima retornar ao país de origem para evitar os esforços do banco na recuperação do dinheiro.

As empresas de remessa de dinheiro são usadas com frequência para lavar rendimentos por causa de seus *status* menos controlados. Uma investigação feita pelas autoridades chinesas e de Hong Kong, e mencionada em estudo da FATF, acusou uma agência de remessa, administrada por cinco membros de uma mesma família, de ter transferido cerca de US$ 25,7 milhões de rendimentos da entrada ilegal de imigrantes. No entanto, o aumento de consciência tem pressionado essas empresas a tomarem medidas de conformidade, provavelmente por causa do acordo feito pela Western Union. Remessas numerosas para a mesma jurisdição de alto risco poderiam ser indício de envolvimento com o tráfico, em particular se não se enquadrarem no perfil comum de transações legítimas, em que uma pessoa envia parte de seu salário para a família. Entre outros comportamentos suspeitos estão remessas estruturadas exatamente aquém do limite de crédito ou do limite acima do qual a agência terá de informar a transferência às autoridades, e a utilização ilógica de empresas de remessa com taxas mais caras em uma situação em que a pessoa poderia transferir a mesma soma pequena por uma taxa muito menor em qualquer outra agência, mas prefere fazê-lo em um fornecedor de serviços particular.

Alguns comportamentos são associados a setores específicos do tráfico de seres humanos. Por exemplo, os envolvidos na exploração comercial do sexo podem buscar anunciar os serviços de suas "vítimas" em um diretório on-line ou por meio de breves anúncios. Uma pessoa que faça pagamentos regulares de pequena monta a essas empresas de listagem pode ser causa de interesse; pagamentos com cartões de crédito a serviços de acompanhantes on-line para a exibição de anúncios foram identificados por uma investigação nos Estados Unidos relacionada a uma gangue de tráfico de pessoas em San Diego.

Os veículos financeiros que correm o risco de ser explorados por organizações que comandam essas duas atividades são similares aos encontrados em outras operações de lavagem de dinheiro. Empresas de fachada, em geral com grande movimentação de dinheiro, tais como restaurantes e revendedoras de carros usados, além de empresas facilitadoras, como agências de viagens e empresas de importação/exportação, são métodos populares de dissimular lucros. Uma operação em larga escala no combate à entrada ilegal de imigrantes revelada pela polícia britânica e descrita pela FATF constatou que lojas de *kebab*, *outlets* populares e um salão de bilhar eram usados para lavar seu dinheiro. Os imigrantes, em grande parte de nacionalidade turca, tinham que pagar € 14.500 pela primeira etapa da jornada pela Europa, e mais £ 3.500 pela travessia do canal. Considerando-se que a gangue presa em 2005 tenha introduzido de modo ilegal 20 mil indivíduos, a ordem de confisco resultante de £ 1,2 milhão foi muito modesta.

A exemplo de outras formas de lavagem de dinheiro, há as mesmas vulnerabilidades existentes a respeito de empresas estrangeiras ou fictícias, em particular nos locais em que isso auxilia a retenção do dinheiro que cruzou fronteiras até chegar aos países dos traficantes ou aliciadores de pessoas. Os fundos fiduciários são tão vulneráveis a esse tipo de criminalidade quanto a todas as outras formas. O anonimato e o sigilo são fundamentais. Em um caso identificado pela FATF, uma quadrilha de exploradores sexuais da África do Sul que operava usando mulheres traficadas da Europa Oriental conseguira ocultar mais de £ 40 milhões num truste baseado em Guernsey.

Têm sido estabelecidas várias iniciativas a fim de estimular as instituições financeiras a incluir uma filtragem para os delitos de imigração em seus procedimentos de conformidade. Nos Estados Unidos, o projeto Bens, Verbas e Lucros de Contrabandistas e Traficantes (Smuggler and Trafficker Assets, Monies and Proceeds, STAMP) implementa estratégias para estimular o setor financeiro a extrair o máximo das ferramentas que podem auxiliar na investigação de lavagem do dinheiro recebido por delitos de imigração. Incentiva o uso do Bank Secrecy Act [Lei do Sigilo Bancário] e lembra aos profissionais da área financeira a importância dos SARs, de relatórios de operações com moedas, de instrumentos de transporte internacional de moedas e de relatórios sobre contas bancárias estrangeiras. Propuseram-se análises ainda mais complexas em um estudo do JP Morgan que examinava os meios com que bancos e outros setores de risco poderiam inserir em seu sistema de tecnologia algo que sinalizasse atividade suspeita de clientes de modo mais abrangente; em vez de se basear em operações individuais que talvez, em si, não fossem suspeitas, detectaram-se padrões. Um desses padrões indicava clientes que tinham pago por pequenos anúncios em serviços da internet mais de cem vezes. Entre as Recomendações da FATF, há uma série delas que lida com questões levantadas por delitos de imigração: ênfase na implementação das Recomendações Especiais VI (remessas), VII (transferências eletrônicas) e IX (entregadores de dinheiro em espécie), bem como foco nas recomendações relativas aos proprietários beneficiários das empresas, ao papel das unidades de inteligência financeira e aos benefícios da cooperação internacional. Como parte de sua estratégia para erradicar o tráfico de pessoas, a Europol fez uma análise da investigação sobre o tráfico de seres humanos na União Europeia, cujos resultados saíram em 2015.

Nos últimos anos, foram feitas mudanças na legislação de vários países, que passaram a criminalizar o tráfico de pessoas e a entrada ilegal de imigrantes, mas ainda pouco se sabe sobre a lavagem dos rendimentos dessas duas atividades. Um problema identificado por muitos desses relatórios sobre o tema é que a maioria dos países concentra-se no crime em si, em vez de investir esforços para seguir o rastro do dinheiro e tentar obter melhor conhecimento dos sistemas financeiros utilizados. Isso talvez não surpreenda, mas o problema é piorado pelo fato de o tráfico de pessoas em geral manifestar-se através de outros crimes, como a prostituição, o que indica que o problema superficial é detectado, mas não sua causa específica. A falta de disposição das próprias vítimas de admitirem sua situação e testemunharem também pode atrapalhar. Além do mais, em várias jurisdições, o processo legal para a recuperação e o confisco dos rendimentos dessas atividades depende de se conseguir uma condenação criminal. Torna-se difícil, portanto, interromper uma rede financeira se, por qualquer razão, não tenha sido possível provar quem é o culpado do delito. Há uma falta geral de coesão não só entre a polícia e as unidades de inteligência financeira, não só dentro de cada país como também no âmbito internacional, indicando que não estão sendo investidos esforços suficientes para analisar os métodos de lavagem de dinheiro relacionados a esse tipo de delito. Dado que talvez não seja do interesse de alguns dos países de origem investigar tais tipos de crime, a natureza complexa da atividade exigida para seguir o rastro do dinheiro torna-se ainda mais aparente.

O tráfico de seres humanos e a entrada ilegal de imigrantes são, em geral, crimes secretos; as histórias das vítimas e as condenações dos perpetradores são menos publicadas e compreendidas do que em outros tipos de crime organizado. No entanto, os serviços financeiros estão sendo utilizados para transferir bilhões de dólares pelo mundo afora, em geral em consonância com outras formas de criminalidade que dão motivo e oportunidade para que os criminosos continuem com suas atividades. O cenário que criei a seguir evidencia isso, justapondo o sofrimento humano de mulheres traficadas da Europa Oriental para a Ocidental e a sofisticação de uma estrutura de fundo de investimento.

CENÁRIO

Este cenário, em particular, envolve uma gangue criminosa albanesa que engana garotas de programa naturais da Albânia e dos países dos Bálcãs, utilizando seus membros para que se finjam de clientes. Essa gangue depravada e implacável faz tráfico de jovens mulheres escravizadas para trabalharem no mercado de prostitutas do submundo em cidades como Londres, Paris, Amsterdã e Frankfurt. Eles ainda vendem mulheres para trabalhar para outras gangues, em cidades onde não controlam esse mercado. Assim que as mulheres caem na armadilha, são despojadas de seus bens e documentos, ficando sem identidade, o que as torna completamente impotentes. Além do tráfico de pessoas, a gangue trafica armas pequenas e munições. A corrupção disseminada existente nas forças policiais da maioria dos ex-países soviéticos permite que a gangue conduza suas atividades sórdidas com relativa impunidade.

As mulheres são transportadas por terra, em caminhões. Os guardas das fronteiras e agentes alfandegários são subornados nos locais necessários, e a maioria das mulheres é transportada com sucesso, sem interdição. Quando chegam a seu destino, ganham um suprimento de drogas viciantes para mantê--las dependentes dos captores. Algumas são vendidas a uma gangue criminosa do norte da Itália, que também compra armamentos e drogas dos albaneses. A gangue italiana é uma organização bastante sofisticada, com um longo e bem--sucedido histórico de crime organizado na Europa e nos Estados Unidos. Ela conta em seu quadro com diversos lavadores de dinheiro profissionais, entre eles ex-funcionários de bancos e advogados envolvidos em delitos financei-ros — fraudes em televendas e na compra e venda de propriedades, tudo em benefício da organização criminosa. Uma fraude audaciosa envolve um fundo de investimento estabelecido em uma jurisdição livre de tributação, que gera os fundos que os italianos usam para pagar os albaneses pelas mulheres trafi-cadas, por armamentos e drogas.

A gangue italiana primeiro orquestra a formação de um fundo de inves-timento privado com uma estrutura de multifundo. Ela se beneficia com o processo rápido de autorização dos chamados "Professional Investors Funds" [Fundos para Investidores Profissionais], sendo assistida por um fornecedor de serviços autorizado. O fundo é estruturado com um fundo máster e três subfundos subjacentes que são investidos, cada um, em uma classe diferente de ativos. Um dos subfundos é descrito em um folheto chamativo para in-vestidores como um fundo imobiliário da Europa Oriental que supostamente detém parques logísticos, *shopping centers* e imóveis usados antigos. Esse sub-fundo é alimentado a princípio com recursos desviados de uma fraude em televendas perpetrada pela gangue do norte da Itália. Nesse ponto, o cenário tem o seguinte aspecto:

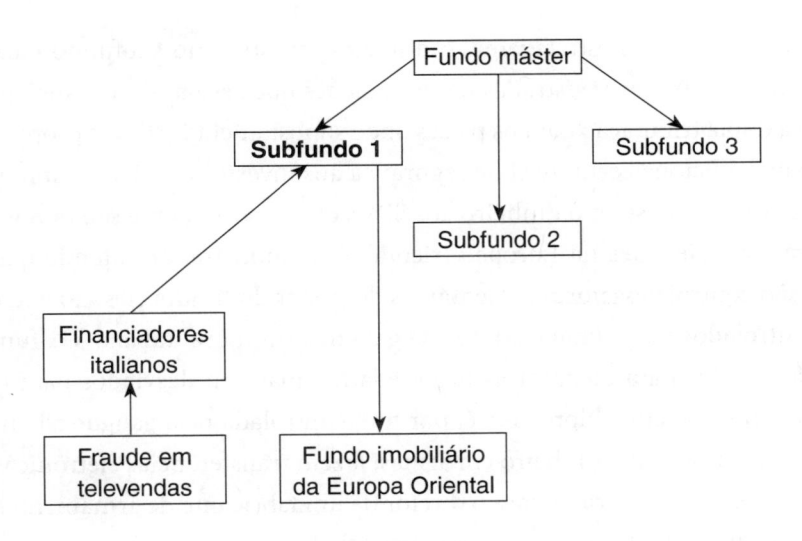

Como muitas vezes acontece numa estrutura como essa, o subfundo tem um "depositário", que tem o dever legal de deter o direito aos ativos do fundo (em geral um banco), sendo administrado por um fornecedor de serviços empresariais. Esse último deixou há pouco de administrar estruturas de gerenciamento de riquezas privadas e passou a enfocar a administração de fundos, sendo escolhido porque estava ávido por participar do negócio, além do que os italianos percebem que sua falta de sofisticação e experiência reduzirá o risco de quaisquer perguntas com fim de sondagem. Com base em um curto registro de retornos positivos, o subfundo atrai um pequeno fundo de pensão com um palpite de que imóveis comerciais da Europa Oriental são a próxima grande aposta. O preço unitário do fundo aumenta, mas, embora seja de desconhecimento dos investidores e do administrador, o subfundo não possui ativo algum. A avaliação do subfundo é calculada pelo administrador, que se baseia, para fazer isso, em avaliações de propriedades fundamentadas em documentos. O administrador entende que as avaliações, fornecidas pelo gestor do fundo, foram feitas de maneira adequada por agentes de avaliação de propriedades na Europa Oriental, mal sabendo que são inteiramente falsas. O depositário do fundo acredita que possui cópias dos títulos de propriedade dos ativos do fundo, mas esses documentos (que jamais foram traduzidos) são falsos.

Ainda dentro do estratagema, o dinheiro investido no subfundo é canalizado para empresas registradas em jurisdições que assinaram tratados proibindo a dupla tributação com os países onde supostamente estão as propriedades, o que adiciona certo nível de segurança aos investidores. Essas empresas, por sua vez, emprestam o dinheiro aos SPVs que supostamente são donos das diversas propriedades na Europa Oriental. O administrador entende que os SPVs são controlados por representantes do gestor do fundo; eles, no entanto, são controlados pelos financiadores da gangue criminosa italiana. Os fundos não são usados para comprar as propriedades, mas sim desviados para uma terceira empresa em Chipre, que é, por fim, controlada pela gangue albanesa. Os albaneses gastam o dinheiro em armas; fazem transferências eletrônicas de fundos da empresa cipriota para o diretor de um fabricante de armamentos da Europa Oriental que vende armas não licenciadas.

Desse modo, os albaneses são pagos pelas mulheres traficadas, pelas drogas e pelas armas, sem o risco de transportar somas relativamente substanciais de dinheiro, ficando muito satisfeitos em receber fundos "limpos" sem a necessidade de inseri-los no sistema. Quando os investidores e as autoridades descobrem que o fundo de investimentos é um golpe, seu propósito, da perspectiva dos italianos, já foi obtido. O fundo situa-se no núcleo da estrutura a seguir, que foi usada para fraudar investidores, financiar a criminalidade da gangue italiana e transferir o valor criminoso aos albaneses.

Vale a pena, nessa conjuntura, considerar o golpe no contexto do modelo habilitação, distanciamento e disfarce em comparação com o modelo tradicional de lavagem de dinheiro, de colocação, ocultação e integração. Começando com o modelo tradicional, em que ponto do esquema acontece a atividade de colocação? A resposta é, por certo, que não há atividade de colocação, pois os rendimentos da fraude usados para pagar pelas mulheres traficadas, pelas drogas e pelas armas já estavam no sistema antes de ele ser conspurcado pela criminalidade. Não houve uma atividade de ocultação transformadora; os fundos se limitaram a ser desviados por uma estrutura a uma empresa controlada pelos albaneses. Também não há um estágio de integração evidente, visto que os albaneses transferiram fundos, por meio de operações eletrônicas, ao distribuidor de armas da Europa Oriental.

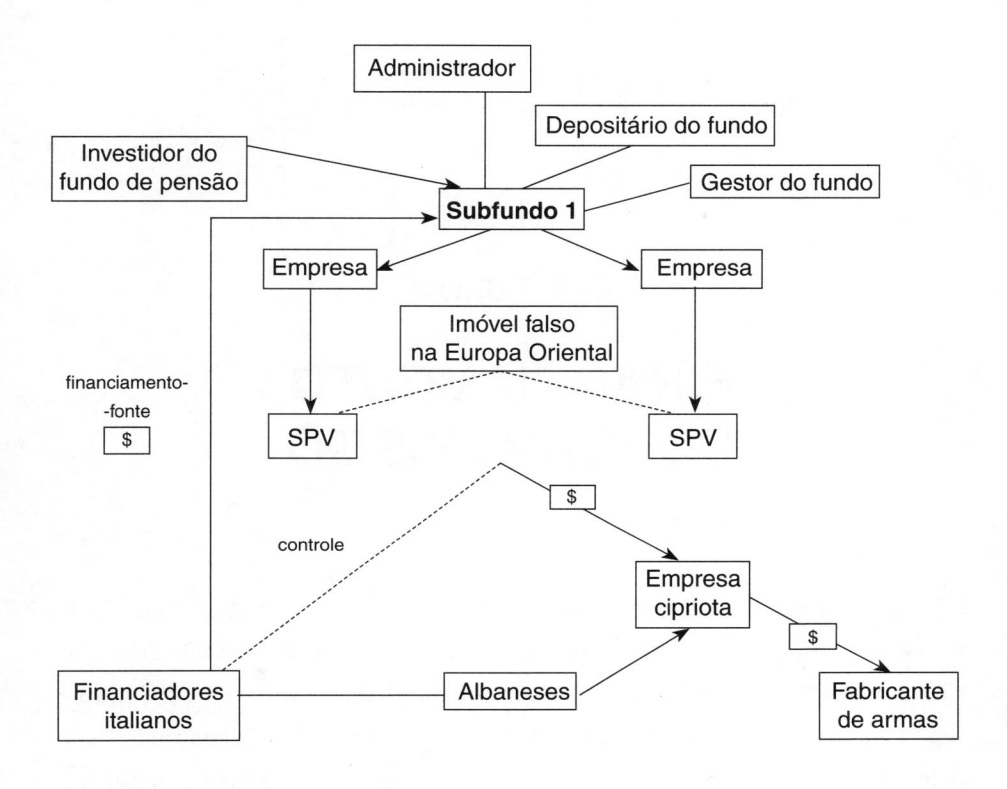

Resumindo, toda a estrutura foi esboçada para auxiliar os italianos a cometer uma fraude (desconexão 1), pagar pelas mulheres escravizadas (desconexão 2) e dissimular sua conexão com os albaneses e a propriedade transferida a eles (desconexão 3).

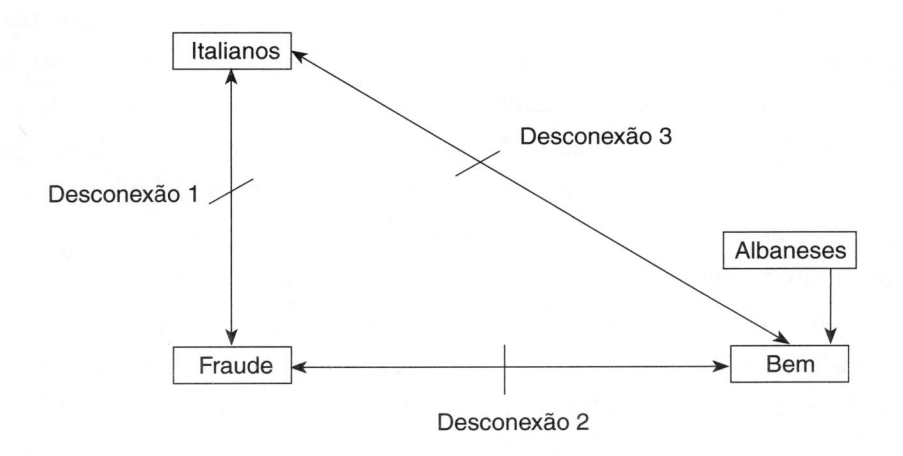

CAPÍTULO 8

FINANCIAMENTO DO TERRORISMO

Em fevereiro de 2013, três homens foram condenados no tribunal de Woolwich Crown Court, em Londres, por terem preparado um ato de terrorismo. O trio, extremistas islâmicos de Birmingham, começou planejando e organizando um ataque que, esperavam, seria "outro 11 de Setembro"; dois deles tinham frequentado campos de treinamento de terroristas no Paquistão antes de começarem a fabricar explosivos caseiros. Eles e três outros extremistas conseguiram também levantar mais de £ 13.500, que pretendiam investir nessa empreitada. O dinheiro não foi obtido solicitando doações de aliados solidários que desejavam apoiá-los no planejamento da atrocidade, mas sim por meio de falsas coletas beneficentes, que exploraram a boa vontade de muçulmanos comuns que acreditavam estar doando o dinheiro para causas humanitárias de boa-fé. Com o grupo usando roupas e carregando baldes de coleta customizados com o logotipo de uma genuína instituição de caridade, a Muslim Aid, que havia sido legitimamente registrada como sociedade beneficente, eram solicitadas doações junto à população local, de porta em porta. O grupo não tinha nenhum escrúpulo em enganar seus companheiros muçulmanos no financiamento inadvertido do terrorismo em nome da instituição de caridade e, segundo relatos, fizeram-no inclusive no período do Ramadã, quando a doação para fins beneficentes é considerada uma importante obrigação islâmica. Apesar das polpudas somas obtidas, apenas cerca de £ 1.500 foram doadas de fato à Muslim Aid; o grupo gastou parte da soma restante em equipamentos e perdeu a maior parte em uma tentativa infeliz e incompetente de especular no mercado de câmbio.[1] Os milhares de libra arrecadados pelo simples fato de se passarem por coletores de uma instituição de caridade, dentro de uma comunidade composta de doadores dispostos, evidenciam a facilidade com que potenciais terroristas podem obter fundos substanciais para cometer atrocidades sem recorrer a atos abertamente criminosos.

O terrorismo é uma das maiores ameaças à segurança global. A percepção pública do Ocidente sobre o terrorismo é, de modo geral, influenciada pelos desastres em larga escala, de impacto colossal, da última década, tais como o 11 de Setembro; os atentados a bomba em Londres, Madri e Bali; os tiroteios em Mumbai; as tentativas de ataques a bomba em Londres e na Times Square, que por muito pouco não se concretizaram; e, em época muito recente, os ataques terroristas à França, à Bélgica e à Alemanha. No entanto, além das massacrantes atrocidades consideradas de modo isolado, há muitos países em que redes de guerrilheiros ou terroristas impõem um domínio quase constante sobre os habitantes, disseminando o temor entre eles, bem como colocando em risco o ambiente político, em geral frágil. Países como Afeganistão, Paquistão, Somália, Colômbia, Sri Lanka, Indonésia e Nigéria sofrem violência regular por parte de grupos que buscam impor as próprias agendas política, ideológica ou religiosa através de atentados a bomba ou com tiroteios.

Nos últimos dez anos, tem havido maior consciência de que o financiamento do terrorismo ocorre por meio do sistema financeiro padrão, e de que não apenas as instituições terão de tomar medidas radicais para identificar e interromper esses fluxos, mas também que as informações fornecidas por uma instituição ativa e vigilante são fundamentais para investigar e punir terroristas. As verificações têm sido mais minuciosas, e uma série de novas estruturas legislativas e reguladoras têm auxiliado a elevar a consciência sobre o papel essencial que bancos e outras instituições podem desempenhar. No entanto, ainda existem pontos cegos muito importantes, relacionados à maneira como o dinheiro do terrorismo é detectado e desviado.

O financiamento do terrorismo pode ser muito mais difícil de detectar do que a lavagem "normal" de dinheiro, pois muitos dos fatores que geram operações suspeitas em outras áreas de abuso financeiro estão ausentes. Os fundos são compostos com frequência tanto por dinheiro "limpo", de fontes legais, quanto por atividades criminosas. Pesquisas recentes e trabalhos de inteligência têm evidenciado que os terroristas são financiados não apenas por doações ou patrocínios de países, mas que estão cada vez mais recorrendo ao tráfico de drogas, ao comércio de armas, ao contrabando de moedas correntes e a vários tipos de fraude para gerar capital. A aplicação apropriada da legislação antilavagem de dinheiro e uma devida diligência, portanto, tornam-se essenciais, pois as pessoas vinculadas a crimes financeiros podem ter também ligações não detectadas com o terrorismo. Embora haja exemplos de operações em bancos vigilantes que desencadearam investigações, revelando informações vitais, há também exemplos preocupantes de instituições financeiras de renome sendo implicadas no financiamento do terrorismo. É de suma importância que as instituições abordem com seriedade a ameaça do financiamento do terrorismo, conheçam os métodos mais empregados e implantem os próprios procedimentos para assegurar que qualquer anormalidade detectada seja supervisionada com rigor.

"As diversas definições acadêmicas e jurídicas propostas para o terrorismo são mais numerosas do que os 150 cavaleiros que buscam o Cálice Sagrado, e um consenso sobre elas tem sido pelo menos tão difícil de encontrar quanto o próprio Cálice."[2] Esse é o comentário de um jurista, e tal sentimento tem repercutido entre vários outros acadêmicos, profissionais liberais, historiadores e políticos. Um bom lugar para se começar a busca pela definição do terrorismo é na resolução do Conselho de Segurança da ONU, que designa a atividade como:

> [...] atos criminosos, inclusive contra civis, cometidos com a intenção de causar-lhes graves ferimentos ou mortes, ou a captura de reféns, com o objetivo de provocar um estado de terror nas pessoas em geral, em um grupo de pessoas ou determinadas pessoas, intimidar uma população ou forçar um governo ou organização internacional a executar ou se abster de qualquer ato, que constituam delitos no âmbito e conforme a definição das convenções e protocolos referentes ao terrorismo [...] [esses atos] não

são, sob nenhuma circunstância, justificáveis por considerações de natureza política, filosófica, ideológica, racial, étnica, religiosa ou de natureza similar.[3]

A ONU pode ter sido capaz de colocar essa definição no papel, mas seus países-membros estão encontrando dificuldades para chegar a uma definição unânime do conceito. Entre os obstáculos mais citados que permanecem no caminho para o consenso estão a questão da violência sancionada pelos governos contra civis e o direito daqueles que estão em terras estrangeiras ocupadas de resistir aos ocupantes.

Os argumentos são complexos e o tópico envolve alta carga emocional. O norte-americano John Bowyer Bell, historiador especialista em conflitos, expressou o aspecto subjetivo de se definir a ideia ao dizer: "Conte-me o que você pensa sobre o terrorismo, e eu lhe direi quem você é".[4] Jornalistas que se esforçam para relatar "fatos" são cautelosos e empregam a linguagem mais neutra possível ao descrever atos terroristas. No manual de estilo da Reuters, são aconselhados a não usar o termo em si, mas empregar "termos mais específicos, como 'homem-bomba' ou 'ataque a bomba', 'sequestrador' ou 'sequestro', 'agressor' ou 'ataques', 'atirador' ou 'atiradora' etc."[5]

Considerando a visão quase consensual de que o terrorismo usa a violência para atingir fins políticos, ideológicos ou religiosos, é difícil negar que os terroristas têm sido um grande problema internacional há décadas. O perfil do terrorismo, no entanto, mudou de modo significativo nos últimos dez anos. Nas décadas de 1980 e 1990, os ataques terroristas com fins políticos eram comuns em diversas regiões da Europa: a campanha do Exército Republicano Irlandês (IRA) no Reino Unido provocou a morte de 1.800 pessoas. O número oficial de mortes desde 1968 provocadas pela Pátria Basca e Liberdade (ETA), organização separatista basca, é de 829 pessoas, e o grupo, ao longo do tempo, organizou frequentes campanhas com sequestros e extorsões. Em outras localidades do mundo, redes terroristas realizaram campanhas nos próprios países para fins políticos ou religiosos: na Colômbia, o grupo Forças Armadas Revolucionárias da Colômbia (FARC), de bandeira marxista-revolucionária, foi o responsável por numerosos raptos e sequestros, execuções, ataques e atos de violência contra índios. O Hezbollah, um grupo militante islâmico de orientação xiita, com sede no Líbano, iniciou ataques com foguetes nas regiões de disputa entre Israel e Palestina, e os lançamentos de bombas continuam a ser ocorrências regulares. Outros grupos, como o Exército de Libertação do Kosovo ou ELK (em albanês: Ushtria Çlirimtare e Kosovës, UÇK), o Partido dos Trabalhadores do Curdistão (em curdo: Parti Karkerani Kurdistan, PKK) e os separatistas chechenos também organizaram atos violentos em resposta às situações políticas de seus países.

Desde então, esses tipos de terrorismo doméstico têm arrefecido, às vezes devido a acordos de cessar-fogo relativamente bem-sucedidos. Enquanto eu escrevia este livro, acontecia um avanço histórico para garantir um acordo de paz com as FARC,* e em 2011 o ETA determinou um cessar-fogo permanente unilateral, começando uma campanha de desarmamento. A atenção tem se voltado cada vez mais para o terrorismo radical islâmico que opera não apenas em países muçulmanos, mas também na Europa e nos Estados Unidos. Trata-se de um fenômeno global com várias ramificações identificáveis: eventos como o 11 de Setembro, em que os perpetradores viajaram para os Estados Unidos vindos de seu país de origem com o propósito de executar os ataques; células "domésticas" localizadas, como as dos homens-bomba dos ataques de Londres, nascidos no Reino Unido, que pareciam integrados à cultura britânica; e ataques disseminados por grupos radicais em países nos quais a maioria da população é islâmica, mas em geral mais moderada. Exemplos de ataques perpetrados por fundamentalistas islâmicos no próprio país são comuns e incluem a violência do Estado Islâmico (EI) em regiões da Síria e do Iraque, a campanha do Al Shabaab na Somália, os ataques do Boko Haram a cristãos na Nigéria, os ataques do Talibã, no Afeganistão, a políticos e membros das Forças Armadas, e a violência de extremistas separatistas na Indonésia. Em 2013, forças francesas intervieram em Mali após uma violenta rebelião de insurgentes islâmicos da linha dura. Nesse mesmo ano, um ataque e a captura de reféns em uma unidade de gás natural próxima a In Amenas, no deserto argelino, organizada por um grupo muçulmano, terminou com um cerco feito por forças legais do país e um número significativo de mortes. Os raptos de

---

* O acordo foi oficializado em Havana, capital de Cuba, em junho de 2016. (N.T.)

ocidentais, como jornalistas ou profissionais da saúde, em países muçulmanos também são comuns. Fazer reféns para pedir de resgate parece ser uma das principais fontes de rendimentos para o grupo terrorista jihadista EI, que, em 2014, exigiu um pagamento de US$ 132 milhões pela libertação do jornalista norte-americano James Foley, pagamento esse recusado de forma definitiva pelo governo dos Estados Unidos. Foley foi, depois, decapitado.

A violência interna em países menos desenvolvidos talvez nem sempre consiga atrair a publicidade e a atenção internacionais que se voltam para ataques no Ocidente ou contra cidadãos de países ocidentais, mas pode ameaçar a população local e a estabilidade política de regiões inteiras, o que, de modo geral, é lamentável nessas localidades. Isso também tem o efeito de desestimular as relações diplomáticas e as campanhas de ajuda e desenvolvimento internacionais de que esses países tanto necessitam. A justificativa ética para cortar as fontes de financiamento é igual para quem organiza ataques no próprio país e para quem faz o mesmo no exterior!

O financiamento do terrorismo é o fornecimento de dinheiro direcionado para custear um ataque ou campanha terrorista ou para operações de longo prazo de uma rede de pessoas que estão trabalhando na promoção e preparação dessas campanhas. No primeiro caso, os fundos podem ser transferidos para operações específicas, em localidades específicas, com a intenção particular de que sejam usados como parte de um complô, como compra de armas, bombas, o aluguel de uma base, compra de carros e para cobrir os custos de subsistência de curto prazo. O segundo tipo de financiamento abrange os custos operacionais de uma organização terrorista que podem exigir fundos para: serviços de recrutamento, comunicação e propaganda (às vezes promovidos por canais de televisão, estações de rádio, redes sociais e sites de propriedade da organização); treinamento de terroristas; e as operações de seguridade social administradas por algumas redes, que desempenham um papel fundamental no aumento do apoio popular local. Os fundos são levantados de diversas formas: doações, desvio de dinheiro dado para caridade, tráfico de drogas, fraude de cartões de crédito e outras fraudes, sequestros, além de patrocínio de nações. Esses casos são mais suscetíveis de rastreamento, exigindo maior ou menor interação com o sistema financeiro formal.

Um dos fatos mais alarmantes sobre os principais ataques terroristas é que as somas de dinheiro requeridas para financiá-los são muito pequenas. As estimativas sugerem que os ataques do 11 de Setembro custaram menos de US$ 500 mil para o planejamento e a execução. Estima-se que os atentados a bomba de Londres custaram menos de £ 8 mil, e os dos trens de Madri, menos de € 10 mil. Sob certos aspectos, o fator mais importante por trás de uma célula terrorista é, de modo geral, a mentalidade de seus membros, e não equipamentos sofisticados ou financiamentos significativos. Uma pessoa determinada, com uma bomba caseira, barata, pode causar danos enormes; os maiores fatores de risco são seu comprometimento, e a lealdade e discrição daqueles que a cercam, além de sua capacidade de dissimular suas atividades, sem atrair a atenção de agências investigativas ou monitoramento. No entanto, as redes que em geral são a força motriz ou inspiração subjacente a esses ataques exigem polpudas somas de dinheiro para suas operações diárias. Embora o uso de sistemas bancários por parte de terroristas e rebeldes tenha sido conhecido e compreendido por décadas, foi apenas nos últimos tempos que vimos ser lançadas iniciativas globais no combate à utilização do sistema de serviços financeiros por parte de organizações terroristas. A *Monograph on Terrorist Financing* [Monografia sobre Financiamento de Terroristas], redigida para a Comissão Nacional sobre os Ataques Terroristas nos Estados Unidos, admitiu que, antes de 2001, "o financiamento de terroristas não era prioridade, nem para as forças de inteligência nacionais, nem para as estrangeiras".[6]

O terrorismo recebe seus fundos de diversos modos, muitos dos quais tornam muito difícil o rastreamento do fluxo financeiro a eles associado. Algumas contribuições derivam de fontes legais, como doações. Outras, de fontes ilícitas, incluem o tráfico de drogas, vendas de armas e fraudes. Sabe-se que o EI arrecada por mês milhões de dólares graças à venda de petróleo — obtido de campos petrolíferos capturados — no mercado negro. Correm rumores que a organização também extorque com regularidade empresas locais e gera dinheiro pelo comércio de antiguidades contrabandeadas. De acordo com o ICIJ, o contrabando de cigarro tem gerado o grosso dos fundos para a Al Qaeda argelina no Magrebe islâmico, cujo antigo líder era conhecido por "Mr. Marlboro".[7] As quantias geradas por essas atividades são muito difíceis de estimar.

Depois dos ataques do 11 de Setembro, os Estados Unidos empreenderam uma investigação demorada sobre os métodos de financiamento da Al Qaeda. Até aquele momento, a crença geral era de que Osama bin Laden, que nascera de uma proeminente e rica família saudita, financiara sozinho a maior parte das operações da rede. No entanto, ficou claro para a CIA que, após sua mudança para o Afeganistão, ele não havia bancado pessoalmente a organização. Foi descoberto que a Al Qaeda recebera cerca de US$ 30 milhões de entidades beneficentes islâmicas e de indivíduos da região do Golfo Pérsico; cerca de US$ 20 milhões desse montante foram gastos para o suporte do Talibã. O estudo norte-americano descobriu que não havia indícios para sustentar a teoria de que a própria Al Qaeda recebia apoio de tráfico de drogas, venda de diamantes, operações com títulos ou patrocínio de nações.[8]

Os ataques do 11 de Setembro foram, em si, financiados por uma série de pequenas transferências da Alemanha e dos Emirados Árabes Unidos, que não levantaram suspeitas e foram acessadas por caixas automáticos e cartões de crédito. Os participantes também receberam doações de dinheiro no Paquistão, pelo "chefe" Khaled Sheikh Mohammed. Nada sobre qualquer uma das atividades associadas ao complô teria sido detectado por modelos-padrão de monitoramento de bancos, que, na época, estavam mais focados em delitos associados a drogas do que ao terrorismo, tendo afirmado o estudo norte-americano: "Os mecanismos existentes para evitar abusos do sistema financeiro não falharam, pois eles jamais foram concebidos para detectar ou interromper operações do tipo das que financiaram o 11 de Setembro". De acordo com o *Report of the Official Account of the Bombing in London in 7th July 2005* [Relatório da Explicação Oficial sobre os Atentados a Bomba em Londres em 7 de julho de 2005] do Parlamento britânico,[9] as investigações revelaram que o grupo, de modo geral, se autofinanciara. Eles pareciam depender dos fundos pessoais de seu líder, Sidique Khan, que incluíam um empréstimo de £ 10 mil, que mais do que cobria as despesas para o complô. Os gastos incluíram verba para custear viagens a campos de treinamento no exterior. Havia pouco sobre a atividade de sua conta que teria levantado suspeitas: Khan estava empregado e o empréstimo não era tão alto. O atentado a bomba de Madri de 2004, que matou 191 pessoas, parece ter sido financiado em grande parte por negócios com drogas. Segundo relatos, os explosivos utilizados foram comprados de um operário de uma mineradora em troca de drogas.

Esses três exemplos mostram que o que torna o financiamento do terrorismo mais difícil de ser detectado e evitado é que os fatores que deveriam levantar interesse — por exemplo, uma pessoa envolvida em tráfico de drogas — em geral estão ausentes. Os fundos usados são pequenas somas de dinheiro legal de fontes "limpas" que não precisam ser lavadas do modo tradicional. Com problemas como o tráfico de drogas, uma operação de colocação pura ou uma série de operações latentes de sobreposição serão, é evidente, suspeitas e passíveis de ser detectadas de modo antecipado por algum operador da área financeira. A origem ou a quantia de dinheiro podem ser suspeitas, ou pode haver uma série de operações idênticas para a mesma conta. Todavia, no caso de alguém fazer uma transferência de dinheiro relativamente pequena, dissimulada com facilidade — por exemplo, uma transferência legal de salários para o sustento de familiares —, há menos chance de rastreamento. Milhares de transferências como essas são feitas todos os dias por razões legítimas, e identificar a que é destinada para um terrorista é muito difícil.

Contudo, além da vigilância normal, há duas áreas principais de aumento de suspeitas em relação ao financiamento de terroristas com base em indivíduos ou grupos: o uso de sistemas alternativos de remessas para transferir dinheiro para o exterior e o abuso de doações beneficentes. Essas duas áreas têm se mostrado linhas importantes de financiamento de terroristas, e há maior pressão sobre esses setores para que se conformem às normas regulatórias.

Grande parte do financiamento ao terrorismo chega sob o disfarce de doações beneficentes, que oferecem uma justificativa conveniente e confiável para a transferência de dinheiro. Muitas das regiões que sofrem com níveis altos de terrorismo doméstico ou são usadas por células terroristas para recrutamento e planejamento são países com alto nível de pobreza que, por sua natureza, atraem intervenções humanitárias e organizações beneficentes. A prevalência de fundos fiduciários em esquemas de caridade também promove o anonimato do dinheiro e a dissociação entre este e as organizações terroristas. Sociedades beneficentes e Organizações sem Fins Lucrativos (OSFL) são utilizadas de três formas: ou o coletor desvia, de modo desonesto, fundos que o doador honestamente acredita estarem sendo bem empregados; ou recebe contribuições de caridade com fins de assistência humanitária, mas a organização é a ala beneficente de uma organização terrorista; ou, ainda, a sociedade beneficente é uma organização fictícia cujo propósito é "mascarar" o real destino dos fundos.

Os dois primeiros casos, em particular, são explorados em regiões com grande número de imigrantes, que querem efetuar doações a uma causa relacionada à sua terra natal, como educação ou assistência à saúde, mas também são comuns em regiões com presença islâmica. A *Zakat*, doação para fins beneficentes, é uma obrigação social seguida por todos os muçulmanos, sendo um dos cinco pilares do islamismo; e doações para organizações que buscam ajudar crianças ou fundar escolas islâmicas em áreas de conflito são solicitadas com regularidade em reuniões nas mesquitas.

Há numerosos exemplos de exploração da *Zakat* em que o dinheiro da caridade acaba caindo nas mãos de terroristas. Em 2012, os gêmeos de 25 anos Shabir e Shafic Ali, instalados em Londres, confessaram-se culpados de levantar £ 3 mil, alegando que o dinheiro seria enviado a beneficiários merecedores, quando, na realidade, foi enviado ao irmão deles, que estava em treinamento terrorista na Somália. A decisão do juiz foi que eles tiveram "interesse ideológico" quando transferiram os fundos, condenando os dois rapazes a três anos de prisão.[10]

O julgamento da Fundação da Terra Santa para Apoio e Desenvolvimento (Holy Land Foundation for Relief and Development), uma das maiores instituições de caridade islâmicas nos EUA, que pretendia oferecer ajuda humanitária a palestinos, é um exemplo do segundo tipo de financiamento. A organização foi inserida na lista de indivíduos, grupos e entidades especialmente designados para sanções nos Estados Unidos [US's Specially Designated Nationals] em 2001, e, alguns anos depois, a fundação e alguns de seus diretores foram indiciados com acusações criminais. Alegou-se que, embora uma parcela do dinheiro da fundação seria de fato para iniciativas humanitárias, milhões de dólares tinham sido desviados e usados pelo Hamas. Por sua vez, descobriu-se que a organização palestina usava uma parcela desses recursos "para apoiar escolas [...] incentivando crianças a se tornarem homens-bomba, e para recrutar homens-bomba, oferecendo sustento às suas famílias".[11] No novo julgamento do caso em 2008, cinco participantes foram condenados por um total de 108 crimes. O veredito foi muito dividido; um porta-voz da fundação lamentou os achados do júri, dizendo que pareciam ter concluído que "ajuda humanitária é crime", embora um procurador do Estado houvesse afirmado sem rodeios que "os cidadãos norte-americanos não tolerarão aqueles que forneçam suporte financeiro para organizações terroristas".[12]

A comunidade financeira internacional está ciente dos riscos do terrorismo apresentados pela exploração das OSFL. A FATF tem reconhecido que o uso inadequado dessas organizações é um "ponto fraco crucial na luta global para reter tais financiamentos na fonte", e foram publicadas orientações para garantir maior vigilância em relação a entidades beneficentes que poderiam estar envolvidas em atividades terroristas.[13]

Além dos vínculos entre OSFL e terroristas, há sempre laços entre grupos terroristas e traficantes de drogas, em particular nas regiões produtoras de drogas: as FARC possuem fortes conexões com o mercado colombiano de cocaína, exercendo considerável controle sobre grande parte da produção na região; o Talibã tomou o controle de grande parte do comércio afegão de ópio quando chegou ao poder, tendo obtido vastas somas com isso e, segundo alegações, acumulado safras para aumentar seu valor e, assim, liberar depois o produto a preços mais altos. Além do mais, as conexões entre grupos criminosos internacionais inescrupulosos, que podem se beneficiar mutuamente de suas competências individuais para fornecer drogas, armamentos e dinheiro, não são um fato novo.

Ao longo das últimas décadas, cada vez tem se tornado mais óbvia a ligação entre redes terroristas islâmicas e o tráfico de cocaína na América do Sul. Segundo um relatório de 2002 elaborado pelo Departamento de Pesquisa Federal da Biblioteca do Congresso norte-americano, intitulado *A Global Overview of Narcotics-funded Terrorist and Other Extremist Groups* [Um Panorama Geral de Grupos Terroristas e outros Grupos Extremistas Financiados por Narcóticos], cerca de 6 milhões de pessoas de ascendência muçulmana vivem na América Latina, possuindo fortes ligações com o fundamentalismo, como, por exemplo, nos ataques terroristas na região ao longo da década de 1990.[14] Em época mais recente, alegou-se que a Al Qaeda no Magreb havia auxiliado as FARC a transportar cocaína para a Europa, e estimou-se que os traficantes ligados a esse grupo tinham lucrado US$ 130 milhões em apenas alguns anos por auxiliarem no tráfico de drogas e em sequestros.[15] A presença libanesa é significativa na Colômbia, e acredita-se que as principais organizações terroristas como o Hezbollah e o Hamas se beneficiem da influência estratégica em uma região bastante propícia ao levantamento de fundos ilícitos. A sofisticação dessas operações pode ser explorada pelo fato de que, de acordo com fontes citadas no relatório da Biblioteca do Congresso, uma série de dispositivos secretos de comunicação global via satélite foram descobertos na América do Sul, com registros de centenas de ligações para o Oriente Médio e a Ásia, que pareciam ter escapado ao exame a que são submetidas as redes telefônicas comuns. O desafio de rastrear elos com o terrorismo em operações financeiras associadas à América Latina exigirá novos métodos nas comunidades que lidam com as duas regiões.

É difícil encontrar estimativas confiáveis sobre a quantia de dinheiro arrecadada no Ocidente para redes terroristas que operam em especial na África e na Ásia. Todavia, é certo que largas somas passam pelas fronteiras graças ao sistema financeiro, às vezes por meio de entregadores de dinheiro e em outras por sistemas baseados em operações que possibilitam ao valor ser transferido para fins aparentemente legais. Transferências de dinheiro são mais comuns em regiões em que as operações bancárias são raras e a maior parte das compras é efetuada com dinheiro vivo, ou onde os controles de fronteira são mais frouxos. No entanto, acredita-se que a maior parte do dinheiro associado ao financiamento do terrorismo seja movimentada por meio de sistemas alternativos de remessa, muitos dos quais regulados de maneira insuficiente e operando fora do radar do sistema bancário formalizado. Várias jurisdições com alto risco de terrorismo são nações politicamente instáveis ou subdesenvolvidas, em que as operações bancárias formalizadas são raras ou onde uma comunidade em particular tem ligação com um sistema de transferência tradicional. Embora vários países estejam em mudança para melhorar a regulamentação de sistemas de remessa, eles ainda apresentam um risco significativo. Sistemas alternativos de remessa fornecem meios para movimentar o dinheiro, em geral sem nenhum movimento físico dele. Muitos deles são baseados nos princípios do *hawala*.

Embora a regulamentação dos sistemas de transferência informais esteja melhorando, ainda existem problemas potenciais: o corretor *hawala* pode não ser registrado, ou, por razões culturais, não estar ciente da (ou ser resistente à) legislação aprovada em determinado lugar para evitar a lavagem de dinheiro e o fomento ao terrorismo. É provável que seja pouco o que o corretor *hawala* poderá fazer para interpretar os motivos implícitos em certas operações. Transferências efetuadas por grande parcela da população somali nos Estados Unidos, por exemplo, têm finalidades lícitas, tais como enviar parte da renda a familiares no país natal. Portanto, é fácil dissimular somas de dinheiro enviadas com outros propósitos. Em outubro de 2011, duas mulheres de Minnesota, estado com a maior comunidade somali em solo norte-americano, que transfere um montante de cerca de US$ 100 milhões por ano nos Estados Unidos, foram condenadas por enviar mais de US$ 8.600 para a Somália a fim de patrocinar o Al Shabaab. Alguns meses depois, um homem de Ohio se declarou culpado de acusação similar. Em ambos os casos, relatou-se que os fundos tinham sido levantados sob o falso pretexto de que o recurso seria doado a uma instituição de caridade, mas, pelo contrário, o valor foi transferido à Somália para uso da milícia terrorista. Ao que tudo indica, em resposta a esses casos, relatou-se que o Sunrise Community Banks, o banco mais popular a oferecer comodidade para numerosas operações de transferência de dinheiro da comunidade somali em Minnesota, havia cancelado seus serviços devido aos riscos apresentados, deixando, infelizmente, muitos somalis sem nenhum meio de enviar o dinheiro que suas famílias aguardavam.[16] Uma abordagem de comum acordo, bem como uma solução de longo prazo, são mais que necessárias a esse respeito, pois os bancos britânicos têm seguido a conduta norte-americana. No Reino Unido, a Dahabshiil obteve uma liminar provisória da Suprema Corte no final de 2013 para impedir que o Barclays fechasse sua conta. O banco havia tentado fechar uma série de contas de remessas, entre elas, a da Dahabshiil, temendo que pudessem servir de canal para dinheiro lavado e financiamento de terroristas. Cerca de £ 100 milhões por ano são enviados para a Somália por somalis residentes no Reino Unido, e, caso o Barclays ganhasse essa causa, tal iniciativa poderia ter consequências drásticas para aqueles na Somália que dependiam das transferências para suas necessidades básicas de sobrevivência.

O setor de *compliance* está em alta. O sistema SWIFT estimou que os custos gerais de *compliance* para as instituições financeiras deverão dobrar de quatro em quatro anos e que a supervisão de listas de terroristas não é uma parte pequena desse trabalho. À luz disso, pode ser que várias instituições percebam que as consequências de permitir que pequenas quantias de fundos sejam repassadas a terroristas são ínfimas se comparadas aos custos, em termos financeiros e de mão de obra, de tentar eliminá-las. Em um artigo que discute a eficácia dos sistemas de *compliance*, o diretor de um banco chegou a comentar na *Economist* que o custo de uma supervisão mais rigorosa "mal valia o esforço", em face das chances relativamente pequenas de se descobrir o planejamento de um ataque por meio de operações financeiras suspeitas.[17] Além disso, em casos como o do Estado Islâmico, grupo baseado no controle de economias locais e no acúmulo de dinheiro, quaisquer ações executadas pelo setor de serviços financeiros para impactar o financiamento do terrorismo teria apenas um impacto muito limitado. No entanto, muito além das amplas consequências humanas, eventos recentes têm mostrado que os danos financeiros e de reputação que podem ser causados pelo suposto fornecimento de serviços financeiros a organizações ligadas ao terrorismo podem ser significativos.

Atualmente, três bancos não americanos enfrentam reivindicações de indenizações imensas na esfera civil dos Estados Unidos por seu suposto papel na prestação de serviços financeiros a grupos terroristas. Sob a legislação antiterrorismo norte-americana, as vítimas ou familiares das vítimas de atentados terroristas podem mover ação civil de reparação de danos contra as pessoas que possam ter auxiliado terroristas ao fornecer-lhes "assistência material", que inclui serviços bancários. Resumindo: isso significa que cidadãos norte-americanos vítimas, ou com grau de parentesco com vítimas, de um atentado terrorista, não importa onde ele ocorra, podem processar qualquer instituição sujeita à jurisdição norte-americana que tenha prestado serviços financeiros que auxiliaram terroristas. Há, agora, três processos em curso: *Weiss vs. National Westminster Bank*, *Licci vs. Lebanese Canadian Bank* e *Wultz vs. Bank of China*.

Os requerentes no primeiro caso são pessoas feridas ou familiares de cidadãos norte-americanos mortos em uma série de atentados liderados pelo Hamas em Israel entre 2002 e 2003. Há denúncias contra o banco britânico National Westminster sobre a abertura de contas em nome da Interpal, instituição de caridade sediada em Londres que se propõe a prestar ajuda humanitária a palestinos. Após investigações, foram feitas diversas acusações, embora sem respaldo substancial, de que a Interpal fornecia ajuda financeira ao Hamas. No entanto, a organização sofreu sanção dos Estados Unidos apenas em 2013, alguns anos depois de as contas no NatWest terem sido abertas. Os requerentes alegam que o banco tinha ciência de uma ligação entre a entidade beneficente e o terrorismo. Pelas conexões das filiais do banco nos Estados Unidos, receberam permissão para transferir o processo para Nova York, apesar do fato de que nenhuma das contas bancárias, bem como nenhum dos ataques, tinha se dado nos Estados Unidos. Em 2013, um juiz distrital norte-americano deu um veredito sumário a favor do NatWest, concordando que os requerentes não poderiam provar que o banco sabia ou ignorara de modo deliberado que a Interpal financiava o Hamas. Os requerentes, depois, recorreram da decisão.[18]

No caso *Licci*, os familiares de pessoas mortas durante ataques com foguetes do Hezbollah em 2006 alegavam que o Lebanese Canadian Bank (LCB) fora o responsável por organizar a transferência de milhões de dólares destinados para o grupo, sendo estes utilizados para financiar os ataques. Em 2009, o LCB solicitou que todas as ações contra ele fossem anuladas por incompetência jurisdicional e ausência de objeto, mas, no final de 2012, um juiz ordenou que os requerentes teriam liberdade para dar continuidade ao processo em Nova York, pois o LCB mantivera um relacionamento bancário correspondente com o Amex na cidade, o que, portanto, submetia-o à jurisdição nova-iorquina.[19]

No terceiro caso, a família Wultz visa a uma indenização milionária do Bank of China pelos ferimentos de Yekutiel, membro norte-americano da família, e pela morte de seu filho mais velho, Daniel Wultz. Os requerentes alegam que o banco — que negou qualquer tipo de má conduta — estava ciente de ter facilitado transferências do Irã e da Síria para o grupo militante Jihad Islâmica Palestina, sob sanção dos Estados Unidos. O grupo assumiu a responsabilidade pelo ataque a bomba suicida em Tel Aviv que matou Daniel e dez outras pessoas. Para aumentar a confiança dos requerentes, os Wultz foram contemplados com uma decisão favorável que lhes concedeu uma indenização de US$ 332 milhões em 2012, a ser paga por Irã e Síria.[20] Foi o primeiro julgamento a penalizar a Síria com acusações de terrorismo, embora se espere que os dois países venham a contestar a decisão.

A legislação na maioria dos países europeus e nos Estados Unidos tornou o levantamento de fundos para fins terroristas um delito penal. O termo "narcoterrorista" era aplicado no passado a senhores das drogas como Pablo Escobar, que corrompia dirigentes e influenciava políticos, mas hoje se tornou uma palavra mais abrangente, alcançando a sobreposição entre os dois crimes — e esse conceito foi inscrito na legislação norte-americana. O US Patriot Improvement and Reauthorisation Act, promulgado em 2006, instituiu como delito o tráfico de drogas em qualquer parte do mundo cuja intenção seja oferecer ganhos financeiros ao terrorismo. Em 2008, Khan Mohammed, um afegão, foi o primeiro homem julgado pela nova transgressão e, depois de ser acusado de terrorismo e tráfico de ópio, foi condenado à prisão perpétua. O julgamento revelou uma oportunidade adicional no tráfico de drogas para satisfazer aos objetivos ideológicos do traficante, depois de Mohammed ter sido gravado dizendo que as drogas em si serviriam para realizar a *jihad*: "que Deus os elimine já, e nós também os eliminaremos. Seja por ópio ou por tiros, este é nosso objetivo comum". Um tribunal recursal confirmou a condenação e ao mesmo tempo concordou em remeter ao tribunal distrital a alegação de Mohammed de que o advogado não o defendera com a diligência devida.[21] Em junho de 2012, Haji Bagcho, cidadão afegão, foi condenado à prisão perpétua nos Estados Unidos por fornecer heroína e apoiar comandantes talibãs com os rendimentos. O tribunal descobriu que, apenas em 2006, Bagcho realizara operações com heroína avaliadas em mais de US$ 250 milhões.[22] Ele também foi obrigado a devolver o montante fruto dos rendimentos com as drogas, além de propriedades no Afeganistão.

O *Terrorist Assets Report* [Relatório de Ativos Terroristas] de 2012 do OFAC declarava que tinham sido bloqueados US$ 21 milhões como resultado de conexão com o terrorismo internacional ou outras partes correlacionadas. A lista incluía a Al Qaeda, o Hezbollah e o Hamas (US$ 20 milhões ao todo), bem como outros grupos menores, como Tamil Tigers e a organização filipina Rajah Solaiman Movement.[23] Os Estados Unidos alegam também ter identificado US$ 2,4 bilhões em ativos retidos no país que pertenciam a "países patrocinadores do terrorismo" (Irã, Sudão, Cuba e Síria), a maioria dos quais bloqueada por sanções econômicas. A maior parte desses ativos bloqueados — no valor de US$ 1,9 bilhão — pertence ao Irã e está sujeita a uma ação legal em curso. Tais estimativas nasceram dos números que tinham sido relatados ao OFAC, e é provável que não representem todos os fundos vinculados ao terrorismo mantidos nos Estados Unidos.

Iniciativas e grupos internacionais tais como a FATF e a Convenção Internacional para a Supressão do Financiamento do Terrorismo [International Convention for the Supression of the Financing of Terrorism], da ONU, fornecem consultoria, estabelecem padrões, desenvolvem políticas, conduzem pesquisas e promovem a implementação de medidas reguladoras, legais e operacionais. O regime de sanções internacionais também tem permitido que os países criminalizem pagamentos a indivíduos — por exemplo, membros conhecidos de grupos terroristas —, e as estruturas regulatórias têm estreitado de modo considerável seus requisitos antilavagem de dinheiro e contra o financiamento ao terrorismo, com o objetivo de que os bancos considerem com mais seriedade a necessidade de se fazer investigações completas sobre fontes e destinos do dinheiro, bem como os riscos implícitos em cada operação. Há indícios de que o aumento de supervisão e a pressão internacional tenham diminuído o nível de patrocínio de alguns países ao terrorismo, mas o mesmo deveria se estender a todas as formas de operações perigosas em potencial.

CENÁRIO

O gabinete pessoal do membro de um clã dominante no Golfo Pérsico mantém uma série de contas físicas e jurídicas em dois bancos em um país do Golfo. Apesar dos esforços internacionais para se evitar o terrorismo e o fato de que uma significativa economia à base de dinheiro em espécie opera em seu território, o país em questão ainda não criminalizou o financiamento do terrorismo. Ambos os bancos lidam com sistemas de controle de risco que, na prática, mostraram-se ineficazes por fatores culturais, desestimulando os funcionários locais a relatar problemas ou suspeitas sobre conexões com membros da elite governante do país. O gabinete pessoal é controlado, em nome do membro do clã dominante, por um ex-banqueiro britânico. Este é diretor de uma empresa de energia de grande porte que também tem quantias significativas depositadas nos dois bancos. Os gerentes seniores de ambos os bancos estão bastante cientes de que o tratamento inapropriado dessas contas carrega o risco de uma contaminação cruzada das contas da empresa de energia, algo que poderia causar muitos danos do ponto de vista comercial. Os dois bancos são fortes concorrentes e reconhecem o potencial crescimento do país, bem como o de seus vizinhos na região do golfo.

O membro do clã dominante apoia com vigor (embora sem fazê-lo de modo público) a corrente política sunita do islamismo. Consternado com as atrocidades cometidas contra os sunitas pelo regime sírio do presidente Assad e acreditando que os dias do ditador estão contados, ele havia canalizado apoio financeiro a um grupo islâmico sunita, o Jaish al Islam, ligado à Frente Al Nusra, que se autodescrevia como a ala síria da Al Qaeda. Esse apoio financeiro tinha como fonte uma das contas jurídicas do gabinete pessoal do membro do clã dominante, da qual houve retiradas durante meses, no valor de centenas de milhares de dólares em valores da moeda local, aparentemente para pagar imigrantes oriundos do subcontinente indiano que trabalhavam como operários na construção civil e numa refinaria de petróleo, empregados em uma série de diferentes empresas de propriedade do membro do clã dominante. Uma parte do dinheiro foi desviada e repassada aos representantes do Jaish al Islam na Turquia, a partir do qual o dinheiro foi utilizado na compra de armas e explosivos.

Com a ascensão do Estado Islâmico (EI) no Iraque e na Síria e a intensificação dos conflitos sectários entre sunitas e xiitas, o banco alterou suas políticas de combate à lavagem de dinheiro e enrijeceu o controle, administrando os saques de dinheiro, dificultando assim o apoio continuado do membro do clã dominante. Este, no entanto, está seduzido pela perspectiva cada vez mais realista de um califado no século XXI, e seu desejo de apoiar a fundação deste é bastante estimulado pelos atos de terror bastante divulgados do EI. Em consequência, começa uma nova forma de apoio do membro do clã dominante ao EI após a tomada que o grupo fez dos campos petrolíferos Qyara e Najma, perto da cidade de Mosul, no norte do Iraque. O EI reconhece o enorme valor dos campos petrolíferos, até então controlados por empresas de petróleo estrangeiras que os abandonaram por questões de segurança, mas o grupo não possui *know-how* técnico para administrar os campos nem mantê-los. Após uma reunião com um intermediário do EI, o membro do clã dominante concorda em auxiliar. Ele não o faz por meio de um financiamento direto, mas opta por um apoio indireto, pagando viagens de engenheiros e técnicos de produção ao norte do Iraque para colocarem os campos capturados em funcionamento. Tais profissionais (alguns dos quais previamente contratados por empresas petrolíferas do membro do clã dominante) são identificados e contratados por outra empresa recém-criada pelo gabinete pessoal.

Essa nova empresa abre uma conta no segundo banco e fecha um contrato com uma agência de emprego para "prestação de serviços de busca, seleção e prestação de mão de obra" para a empresa financiada pelo primeiro banco, da qual o dinheiro foi sacado e transportado para a Turquia. Os fundos são assim transferidos sob o disfarce de um acordo comercial a distância e o dinheiro é usado para financiar os técnicos que mantêm os poços de petróleo em funcionamento. Devido à sensibilidade cultural interna que cerca os relacionamentos ligados ao clã dominante em ambos os bancos, e por causa da competição entre eles, nenhum deles conduz a devida diligência para determinar a autenticidade do contrato comercial entre as duas empresas, com receio de prejudicar seu relacionamento com o membro do clã dominante e a empresa de energia local.

De Qayara, o Estado Islâmico transporta uma parte do volume de petróleo para refinarias móveis na Síria, onde é convertido em gasolina de baixo grau. Desse ponto, a gasolina ou é vendida, obtendo dinheiro do regime sírio do presidente Assad, que, por causa das sanções internacionais, é obrigado a comercializar com seu inimigo; ou então, no estado bruto, não refinada, é contrabandeada para a Turquia, onde é vendida a distribuidores por um preço significativamente menor do que o de mercado. As operações com o petróleo geram cerca de US$ 2 milhões por dia ao EI, sendo que não seria possível obter nenhum lucro sem a *expertise* técnica financiada pelo membro do clã dominante e sem as facilidades bancárias e de transferência eletrônica de dinheiro fornecidas pelos dirigentes dos bancos às empresas de seu gabinete pessoal. O modo como os fundos são canalizados para o EI, partindo do membro do clã dominante, está ilustrado a seguir:

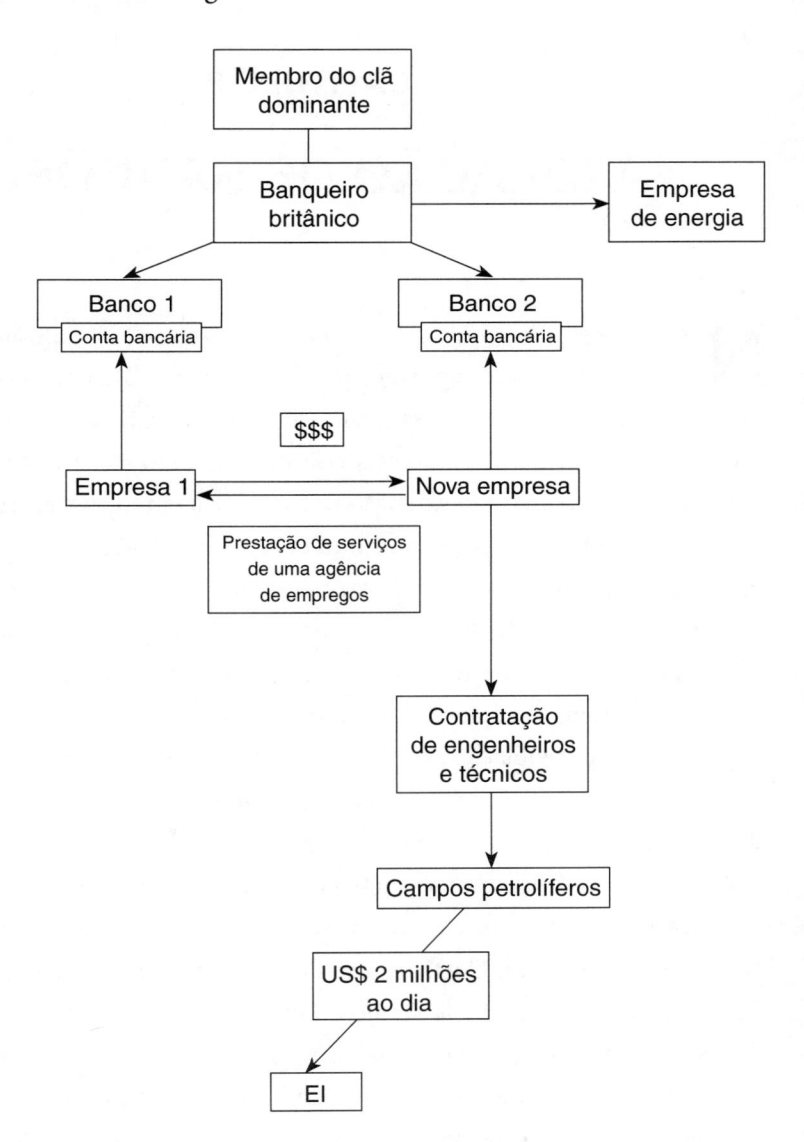

CAPÍTULO 9

VIOLAÇÃO DE SANÇÕES

Nos últimos anos, multas e acordos indenizatórios totalizando cerca de US$ 11,5 bilhões foram pagos por uma série de bancos globais por transgredirem sanções. Embora essa atividade — ao contrário do suborno e da evasão fiscal, por exemplo — não seja classificada como lavagem de dinheiro ou favorecimento ao crime, a extensão dessa prática em importantes instituições financeiras tem sido revelada em numerosas investigações ao longo dos últimos anos. Exatamente como ocorre na prática de assumir riscos excessivos e na venda inapropriada de produtos, os tipos de falhas nos mecanismos para se prever e impedir esse tipo de atividade são os mesmos que caracterizam a lavagem de dinheiro e o favorecimento ao crime.

As multas por violação de sanções têm sido aplicadas a bancos por inúmeras agências de controle americanas em razão da suposta violação sistemática do regime de sanções econômicas imposto pelos Estados Unidos. Em 2014, pelo menos seis órgãos americanos penalizaram os maiores bancos franceses por transgredirem as sanções do país: o FBI, um tribunal do Distrito Sul de Nova York, a Suprema Corte do Estado de Nova York, o Sistema do Federal Reserve, o Departamento de Serviços Financeiros de Nova York e o Escritório de Controle de Ativos Financeiros do Tesouro contribuíram em conjunto, e os bancos envolvidos nesses casos não eram norte-americanos; as operações em questão, em sua maioria, não ocorreram no território dos Estados Unidos: foram captadas pelo regime de sanções norte-americano porque usaram o dólar americano. Enormes somas de dinheiro continuam a ser pagas a agências norte-americanas em acordos que pretendem enviar a clara mensagem de que os Estados Unidos não tolerarão que instituições financeiras estrangeiras transgridam suas leis. Outras nações e organismos supranacionais (como a Organização das Nações Unidas [ONU] e a União Europeia [UE]) também impõem sanções, mas nenhum país ou órgão é tão rigoroso na aplicação de seu regime de sanções como os Estados Unidos. Apesar das consideráveis somas envolvidas e do risco de reputação que essas ações em geral acarretam, as instituições financeiras parecem se mostrar despreocupadas com a possibilidade de que seus nomes estampem as manchetes por favorecerem a violação de sanções. Por outro lado, não há nenhum sinal de que a onda de ações repressivas empreendida pelos Estados Unidos se abrandará no curto prazo.

Devido em parte à sua natureza unilateral, o regime norte-americano de sanções é controverso. Instituições não domiciliadas nos Estados Unidos (denominadas "Instituições Financeiras Estrangeiras" [Foreign Financial Institutions, FFI]) ressentem-se de sofrerem limitações quanto às partes com quem podem operar, e nem todos os países ou empresas concordam com a tese de que países como Cuba ou Birmânia (ambos sancionados pelos Estados Unidos) representam uma ameaça à segurança global, de modo a merecerem o isolamento financeiro que os Estados Unidos visam impor.* Contudo, a maioria dos países e empresas reconhece que as sanções são legítimas em casos mais extremos, exemplos correntes dos quais incluem operações com a Coreia do Norte e a tentativa de isolamento de membros individuais da elite política russa após a anexação da Crimeia pelo país. Apesar desse reconhecimento, um número surpreendente de bancos conhecidos foi apanhado em flagrante violação dos regimes de sanções internacionais nos últimos tempos. Com a consciência corrente do dano que se dá por fazerem parte da lavagem de dinheiro, da evasão fiscal e da corrupção política, a percepção de que um banco ou instituição possa fazer parte do esquema de violação de sanções é — ou deveria ser — bastante prejudicial à sua reputação. De modo lamentável, nem sempre uma coisa parece decorrer da outra.

---

* Em janeiro de 2016, os Estados Unidos anunciaram algumas mudanças que aliviam sanções impostas a Cuba envolvendo exportações e autorização de viagens aéreas. (N.T.)

As sanções são penalidades ou embargos impostos por uma parte a outra a fim de demarcar uma posição política sem ter de agir em termos militares. Também podem ser impostas a organizações, indivíduos e até navios. Em geral, envolvem uma restrição comercial ou financeira esboçada para impedir a parte sancionada de funcionar economicamente ou participar da economia global. O formato preciso de uma medida de sanção depende de onde ela foi aprovada e quem ela afeta; não raro, de uma sanção autorizada por uma jurisdição fará com que, para as instituições financeiras ou pessoas domiciliadas nessa jurisdição, seja um delito negociarem com o país, organização ou parte identificada na medida, sem permissão.

Sanções contra países ou governos considerados indesejáveis ou perigosos sob o ponto de vista político não são novidade, mas nos últimos anos sua importância e perfil têm crescido de maneira considerável no cenário financeiro internacional, e a violação de sanções por intermédio de comércio ou operações tem se tornado um dos principais meios pelos quais bancos e fornecedores de serviços financeiros podem vir a colidir com a lei. Esse desenvolvimento se deve, em grande parte, à abordagem agressiva adotada pelos EUA para a imposição e o cumprimento de sanções.

No nível global, há três principais fontes correntes de sanções comerciais: os Estados Unidos, a União Europeia (UE) e a ONU, embora alguns países, individualmente, também tenham o próprio regime.

As sanções da ONU, administradas pelo Conselho de Segurança, aplicam-se a todos os países-membros da organização. A princípio, foram aplicadas contra os regimes de *apartheid* da África do Sul (em 1963) e da Rodésia do Sul (em 1965). Tinham originalmente natureza voluntária, mas se tornaram obrigatórias em 1977 e 1968 respectivamente. A década de 1990 presenciou um fluxo pesado de sanções direcionadas, entre elas as contra a Libéria (1992-2001), Ruanda (1994-2008) e Kosovo (1998-2001). Entre os países hoje sujeitos às sanções da ONU estão Afeganistão, Costa do Marfim, Irã, Iraque, Coreia do Norte, Libéria, Serra Leoa, Somália e Sudão.

A ONU descreve seus objetivos amplos na aplicação de sanções como "resolução de conflitos, não proliferação, contraterrorismo, democratização e proteção de civis (inclusive em matéria de direitos humanos)".[1] As sanções tendem a ter natureza sensível e se referem ao comércio com países considerados risco de segurança, ou à troca de mercadorias que contêm elementos de risco. Entre outras, as sanções atuais da ONU proíbem a importação e exportação, para a Coreia do Norte, de certos materiais que contribuam para a fabricação de armas, além de congelar os ativos e impor proibição de viagens a empresários ligados à ditadura de Charles Taylor na Libéria e a terroristas conhecidos da Al Qaeda.

Em 2009, a firma de engenharia britânica Mabey & Johnson Limited foi multada em £ 2 milhões e pagou £ 618 mil ao Fundo de Construção do Iraque depois de ter admitido a violação de sanções norte-americanas a esse país.[2] O SFO havia lançado uma investigação sobre a firma em 2007 no seguimento das descobertas do Comitê de Investigação Independente da ONU (publicadas no Relatório Volcker) de que ela havia pago propinas ao regime de Saddam para garantir o contrato de construção de uma ponte no valor de US$ 3,6 milhões. Mais tarde, três funcionários da firma no Reino Unido foram condenados criminalmente: o diretor-presidente, Charles Forsyth, foi condenado a 21 meses; o diretor de vendas e principal acionista, David Mabey, a oito meses; e o gerente de vendas, Richard Gledhill, a oito meses de suspensão. Os primeiros dois homens negaram as acusações contra eles, ao passo que Gledhill assumiu a culpa e forneceu provas para a instauração do inquérito. De maneira significativa, foi a primeira vez que o SFO conseguiu apresentar acusações criminais por transgressões a medidas de sanção da ONU implementadas pela legislação britânica.

Na Escócia se apresentou, em 2010, um caso de grande destaque em que o escritório de engenharia escocês Weir Group Plc foi multado em £ 3 milhões pela Suprema Corte de Edimburgo após ter se declarado culpado por ter feito transações com o Iraque, transgredindo as sanções da ONU na década anterior. O júri entendeu que o escritório havia pago £ 3 milhões para garantir contratos que valiam mais de £ 35 milhões. O tribunal também emitiu uma ordem de confisco de £ 13,9 milhões, a maior já feita no país.[3]

As aplicações das sanções da ONU podem ter, de modo surpreendente, um alcance bem grande. Um caso que parece mais frívolo, embora com prováveis consequências graves, emergiu no final de 2013, depois de a gigantesca firma de apostas irlandesa Paddy Power estampar as manchetes dos jornais com a especulação de que poderia ter infringido sanções da ONU ao presentear o líder norte-coreano Kim Jong-un com vários itens, entre eles uísque Jameson, cristais europeus e uma maleta Mulberry. Segundo relatos, o ditador norte-coreano recebeu esses presentes em dezembro de 2013, quando a Paddy Powder patrocinou a viagem do ex-jogador profissional de basquete Dennis Rodman ao país. O grupo negou que tivesse violado quaisquer sanções, argumentando que os itens tinham um "valor muito modesto". Especialistas recorreram à proibição da ONU — não permitir a transferência de "bens luxuosos" para a Coreia do Norte, "entre eles certos tipos de joias e pedras preciosas, iates, carros de luxo e de corrida". A Paddy Power, que havia se referido antes ao seu patrocínio como "diplomacia do basquete", suspendeu seu patrocínio a Rodman e anunciou que as circunstâncias tinham mudado depois de receber informações de que Kim havia ordenado a morte de seu tio.[4]

A UE administra um sistema de sanções similar ao da ONU. A versão europeia tem o poder de congelar ativos e impor proibições ao comércio com nações, empresas ou indivíduos. Alguns alvos dos últimos tempos incluíram empresas estatais iranianas de gás e petróleo. Revisitando o caso da Paddy Power, as medidas restritivas da UE contra a Coreia do Norte são muito específicas em relação à proibição da exportação de itens de luxo para o país. Elas incluem "bebidas, [...] maletas [...] e cristais de alta qualidade".[5] Os presentes que, segundo se alegou, constavam no pacote de "bondades" para o ditador sem dúvida se enquadrariam nessas cláusulas.

As sanções ordenadas pela UE são aplicáveis pela legislação de cada país-membro. Um exemplo é a regulamentação da UE 267/2012, que proíbe certas transações com o Irã a menos que se busque um consentimento anterior junto da autoridade apropriada. No entanto, a penalidade para a violação dessa medida deve ser efetivada na lei nacional de cada país-membro por meio de legislação, o que significa que, a menos que o governo de um país-membro sancione uma lei impondo uma penalidade, a violação de sanções da UE continua sendo um delito sem punição correspondente. Leis dessa natureza são novas na Europa, e há poucos exemplos de brechas que geraram multas ou outras punições.

No Reino Unido, o Ministério das Relações Exteriores é o responsável pela política de sanções, enquanto o Departamento do Tesouro de Sua Majestade mantém a "lista consolidada" dos alvos de congelamento de ativos designados pelo Reino Unido, ONU e UE sob regimes de sanção financeira. Os bancos conferem, em um procedimento de rotina, nomes dessa lista, sendo considerados responsáveis se não o fizerem. Em 2010, o RBS foi penalizado na esfera civil com uma multa de £ 5,6 milhões depois de a FSA ter descoberto que a organização havia deixado de implementar sistemas apropriados para evitar violações de sanções financeiras do Reino Unido e que as transgressões enfraqueciam a "integridade do setor britânico de serviços financeiros".[6] A FSA constatou que os bancos do grupo RBS (incluindo o Coutts e o NatWest) não tinham aderido às regulamentações britânicas contra a lavagem de dinheiro, pois demonstravam graves deficiências em relação a procedimentos de devida diligência dos clientes, monitoramento corrente e controles internos, e também falharam na verificação de clientes e pagamentos ao cotejarem-nos com a lista consolidada do Tesouro. O tamanho do risco potencial das atividades do RBS pode ser expresso por intermédio do seguinte fato: em 2007, a divisão de processamento de pagamentos do grupo em Londres "lidou com o maior volume de pagamentos de qualquer instituição financeira no Reino Unido". Os números são difíceis de imaginar: pagamentos internos em euros processados pelo grupo totalizaram um montante fantástico de £ 7,6 *trilhões*, segundo a FSA.

Não se tratava de procedimentos complexos. Demonstraram-se falhas objetivas e facilmente reparáveis, como, por exemplo, pelo simples fato de o banco não implementar uma política permanente de registro dos nomes de diretores e proprietários beneficiários de clientes empresariais. A FSA tinha altas expectativas de que "as multas impostas promoveriam altos padrões de conduta regulatória no RSBG [do Grupo RBS] e o impediria de cometer mais transgressões". O leitor será perdoado se perguntar se a FSA havia dito algo similar quando aplicaram uma multa de £ 750 mil ao mesmo grupo, oito anos antes, por deixarem de determinar a identidade de clientes na abertura de contas.[7] Em sua nota decisória de 2010, a corajosa FSA declarava ter a esperança de que "a multa ajudaria a impedir que outras organizações praticassem violações similares, bem como demonstraria, de modo geral, os benefícios de uma atividade de *compliance*".

São os Estados Unidos que têm o regime de sanções com o maior alcance e relevância para bancos e fornecedores de serviços financeiros mundo afora. O regime é administrado e aplicado pelo OFAC, que faz parte do Departamento do Tesouro dos Estados Unidos. A política de sanções do Tesouro remonta ao início do século XIX, quando foram impostas sanções contra a Grã-Bretanha "pelo assédio aos marinheiros norte-americanos", tendo seu programa atual começado em 1950; após a entrada da China na Guerra da Coreia, os Estados Unidos bloquearam os ativos chineses e norte-coreanos no país.

O que torna o regime do OFAC tão importante para os negócios internacionais e tão diferente dos regimes da ONU e da UE é que sua aplicação não é limitada a pessoas ou indivíduos domiciliados ou regulamentados nos EUA, ou que tenham cidadania norte-americana: a aplicação real do regime é capaz de se estender a qualquer instituição que opere em dólares. As transações em dólar envolvem o OFAC, pois elas precisam ser direcionadas por intermédio de uma filial norte-americana ou um banco correspondente norte-americano. Em decorrência, se um banco sem nenhuma conexão com os EUA faz uma operação em dólar, violando o regime do OFAC, o banco correspondente norte-americano que participa da transação será envolvido na transgressão, fazendo com que as duas partes caiam no escopo da legislação. Os norte-americanos são proibidos de fazer parte de qualquer transação com entidades que estejam sob sanção dos EUA, onde quer que estejam localizados no momento do evento e qualquer que seja a moeda com que é feita a operação, a menos que uma exceção seja concedida pelo próprio OFAC. Um funcionário norte-americano de uma empresa alemã cometeria uma transgressão se processasse um pagamento de seu empregador a um fornecedor iraniano sob sanção, ainda que a transação fosse feita em euros ou libras esterlinas.

De modo crucial para muitos bancos que se viram sujeitos ao exame minucioso do OFAC nos últimos anos, a mera posse de uma filial nos EUA é suficiente para deixar toda a estrutura de negócios da instituição sob o alcance da legislação norte-americana. É irrelevante, portanto, que um banco sediado em Londres processe operações para o Sudão em Londres, se esse banco também mantém uma filial na cidade de Nova York; até mesmo um pagamento do Reino Unido para uma entidade sob sanção, em que nenhuma das partes tenha relação com os EUA, poderia ser capturada pelo regime do OFAC. Dada a popularidade internacional do dólar e a alta probabilidade de que multinacionais de grande porte tenham presença garantida nos EUA, é fácil entender a brutal influência que o regime norte-americano tem no mundo financeiro global bem como o amplo alcance de suas punições. O alcance dos EUA em relação a indivíduos, não apenas a empresas, é ilustrado pelo caso do empresário britânico Christopher Tappin. Ele foi acusado de ajudar e aliciar outras pessoas para tentarem exportar ao Irã, de modo ilegal, baterias projetadas para uso nos mísseis Hawk dos EUA, por intermédio do Reino Unido, entre 2005 e 2007. Como um item de defesa constante da Lista de Munições norte-americana, exportar as baterias dos EUA exigiria autorização especial, que Tappin e seus sócios não tinham. Após uma tentativa malsucedida em tribunais britânicos, Tappin apelou para a Corte Europeia de Direitos Humanos a fim de impedir uma ordem de extradição contra ele, com base nos três anos que os EUA haviam levado para pedir a extradição e por causa de suas responsabilidades em cuidar da esposa doente. Ele acabou sendo extraditado para os Estados Unidos em 2012, onde retirou sua declaração de inocência e fez um acordo de cooperação com os promotores, após o que foi condenado a 33 meses de prisão.[8]

As sanções podem ser violadas de diferentes formas. Na mais simples, podem ocorrer violações quando uma instituição financeira que não realiza as devidas verificações não está ciente de que a entidade com a qual se pede que ela opere em conjunto está sujeita a sanções. Se a operação prossegue, a instituição em questão terá, inadvertidamente, cometido uma violação. Por outro lado, uma característica comum de casos que resultam em ação punitiva é uma prática chamada *stripping*. Os bancos norte-americanos estão cientes de que não podem fazer pagamentos que transgridam o regime do OFAC, sendo exigido que relatem qualquer operação que pareça estar ligada a uma entidade sob sanção. A fim de evitar isso, as instituições financeiras podem "remover" (*strip*) detalhes incriminatórios do formulário de transferência eletrônica enviado ao seu banco correspondente norte-americano como parte da operação, na esperança de que, ao proceder assim, disfarcem a verdadeira natureza (sob sanção) da operação (em geral referindo-se à origem ou ao destino final dos fundos ou à identidade das partes envolvidas). O próprio software de filtragem para prevenir que esses pagamentos sejam processados pelos EUA era, em algumas ocasiões, utilizado como primeira etapa na identificação da informação a ser descartada para o envio aos EUA. Uma prática mais elaborada também tem sido vista em algumas ocasiões em que a instituição financeira envolvida estimula seu cliente (sob sanção) a montar uma empresa fictícia em uma jurisdição menos proeminente e direcionar os fundos a serem transferidos por meio dessa empresa, dissimulando ainda mais a verdadeira origem dos fundos envolvidos. Ambos os métodos envolvem um certo grau de planejamento e aprovação da gerência, que é suscetível de agravar a natureza das infrações cometidas pela instituição financeira envolvida.

A maioria dos observadores concordaria com o fato de pelo menos alguns dos países, entidades e indivíduos sujeitos hoje às sanções apresentarem risco real à segurança global. Os fornecedores de serviços financeiros devem estar atentos à identidade das pessoas nas listas de sanções e ao risco que correm se transgredirem suas estipulações. Não apenas arriscam ficar ao lado de regimes, pessoas ou organizações que colocam a segurança global em perigo, mas também (ao menos na teoria) arriscam sua reputação profissional. Todavia, até este momento, as penalidades impostas pelas autoridades norte-americanas se resumem à prisão de executivos de instituições transgressoras, e muitos consideram que, enquanto os bancos tiverem apenas de pagar multas correspondentes a uma diminuta fração de seus lucros anuais, é provável que haja pouquíssimas mudanças, em particular quando o dano de reputação da indústria financeira já tiver sido consumado.

Uma prova do amplo escopo e do poder do OFAC pode ser encontrada em suas investigações recentes de alguns dos maiores *players* do setor bancário internacional, tais como o HSBC, o Standard Chartered Bank, o RBS e o BNP Paribas. E não são apenas os bancos que estão na mira do OFAC; o departamento tem ampliado sua malha de atuação para monitorar problemas com outros operadores do setor financeiro, conforme demonstra um acordo firmado com o fundo de investimento Genesis Asset Managers LLP, que parecia ter violado as sanções iranianas. O regime do OFAC sustenta a instauração de processo contra a instituição ou pessoa que cometeu a infração, com as penalidades variando de multas a prisão. No entanto, as autoridades norte-americanas têm, no decorrer do tempo, se mostrado relutantes em indiciar transgressores de sanções, por normalmente confiar em acordos de cessação (Deferred Prosecution Agreement, DPA) sob os quais a ameaça de indiciamento é deferida em troca de que se tomem medidas específicas, em geral envolvendo uma multa e a implementação de atividades corretivas por parte da instituição em questão. Um fator que pode influenciar as autoridades norte-americanas a não indiciar instituições financeiras de grande porte é que a condenação de uma organização pode, na teoria, fazer que suas contrapartes parem de negociar com ela, provocando desestabilização. Isso levanta a questão de saber se algumas instituições financeiras não desfrutam de efetiva imunidade devido à sua importância sistêmica. Essa dificuldade pode ser parcialmente contornada pelo indiciamento dos indivíduos responsáveis.

No ano de 2010, o banco holandês ABN AMRO (adquirido pelo RBS em 2007) e o Barclays pagaram pesadas multas por ações similares. Este último concordou em pagar uma indenização de US$ 298 milhões por ter violado a legislação americana, removendo informações dos controles do OFAC de modo sistemático para fazer operações em nome de pessoas sob sanção. É inconcebível que um indivíduo envolvido nessa forma de conduta receba um DPA e não um pronto indiciamento e uma longa pena de prisão. O que vigora hoje é que um assaltante que rouba um punhado de dólares será tratado com mais rigor do que uma instituição financeira que favoreça transferências eletrônicas de bilhões de dólares ligadas a atividades sob sanção. Descobriu-se que o Barclays havia transferido centenas de milhões de dólares pelo sistema financeiro norte-americano por mais de uma década para, entre outros, bancos cubanos, iranianos, líbios e birmaneses. O DPA do Barclays evidenciava os benefícios decorrentes da um sistema de processamento de pagamentos "dissimulado" — em que era fácil descartar informações — quando um funcionário apontou que, pelo uso desse mecanismo, "o Tesouro norte-americano permaneceria na mais perfeita e bem-aventurada ignorância [acerca do pagamento]".[9] A cultura incorporada na ampla aceitabilidade da transgressão de sanções não poderia ser mais bem expressa do que foi pelo autor de um memorando interno, que escreveu: "existe risco se continuarmos a usar pagamentos dissimulados, mas isso é o que o setor faz". O autor aconselhava que a prática de utilizar pagamentos disfarçados continuasse, embora aceitando que "há um risco de eles serem usados de modo ocasional para ocultar os verdadeiros beneficiários".

O ABN concordou em pagar uma indenização de US$ 500 milhões no mesmo ano, em conexão com um golpe para violar a legislação norte-americana mediante o favorecimento a operações em dólares em nome de países sancionados pelo OFAC. As autoridades norte-americanas disseram que o banco havia violado a Lei do Sigilo Bancário (Banking Secrecy Act) do país ao deixar de implantar procedimentos contra a lavagem de dinheiro de maneira voluntária.

O DPA de um ano descrevia como, entre 1995 e 2005, o ABN AMRO descartara informações relevantes das mensagens de pagamento para ludibriar a filtragem do OFAC e empregara métodos semelhantes no processamento de cheques de viagem, cartas de crédito e operações cambiais vinculadas a países sob sanção. O *stripping* envolvendo Irã, Líbia, Sudão e Cuba possibilitou que centenas de milhões de dólares passassem em branco pelo sistema financeiro norte-americano.[10]

O DPA relatou que, em 1995 — o ano em que o presidente Clinton endureceu as sanções do país contra o Irã —, o ABN AMRO de Dubai havia começado a convencer sua matriz dos benefícios de atender o pedido de um banco iraniano para (em segredo) atuar em nome dele em operações em dólares:

Nossas relações com [um banco iraniano] são excelentes e eles com frequência nos ajudam com nossos fundos overnight em *dirhams*. Mantêm, ainda, um saldo médio de US$ 20 milhões em nossas contas. Além do ponto de vista do relacionamento, ainda contamos com os seguintes benefícios: a) saldos isentos de juro que nos cobram; b) taxas de gerenciamento; e c) cobranças de TT/DD (Telegraphic Transfers e Demand Drafts) etc. Há também a possibilidade de nos oferecerem cerca de US$ 20 milhões em cartas de crédito no futuro.

Por volta da mesma época, outro banco iraniano havia enviado um telefax instruindo certos bancos dos Emirados Árabes Unidos (inclusive o ABN AMRO) a processar pagamentos em dólares com o envolvimento de uma instituição financeira europeia, com a nota "SEM MENCIONAR O NOME DE NOSSO BANCO" incluída nas instruções. Depois de buscar assessoria jurídica, o ABN AMRO decidiu prosseguir no negócio com os iranianos. Com lucros substanciais em jogo, o banco desejava muito reafirmar a seus parceiros iranianos o compromisso de uma trama para evitar a legislação norte-americana, com um dirigente do banco em Dubai escrevendo a um executivo de um banco iraniano em 2000 conforme segue: "Entendemos a natureza especial de suas operações em dólares e asseguraremos que todos os departamentos operacionais envolvidos estarão devidamente preparados para essas atividades". A referência a um banco líbio em uma mensagem SWIFT sinalizada pelo ABN em Nova York foi atribuída com audácia a um "erro tipográfico". A filial de Dubai informou à de Nova York que o banco líbio havia sido "mencionado por equívoco" e enviou polidas desculpas "pela inconveniência". A filial nova-iorquina mesmo assim recusou o pagamento, apenas para descobrir depois que ele havia se infiltrado pelo sistema norte-americano após a referência à Líbia ter sido eliminada. Demonstrando ainda mais seu total desdém pelas regras do OFAC, o ABN de Dubai tinha uma senha especial ("SPARE") que as entidades sob sanção deviam incluir em suas mensagens de pagamento. Desse modo, essas mensagens particulares eram redirecionadas a um processamento manual em que os detalhes pertinentes seriam removidos.

O Departamento de Justiça norte-americano afirmou que "mais de US$ 3,2 bilhões de dólares envolvendo empresas fictícias e operações de alto risco com instituições financeiras estrangeiras fluíram pela filial nova-iorquina do ABN AMRO" entre 1998 e 2005. Um dos achados mais interessantes do DPA a esse respeito demonstrou a disposição histórica do banco de comprometer a lei na busca frenética de suas metas. Desesperado para atrair negócios de instituições financeiras russas de pequeno e médio porte, e apesar dos graves e reconhecidos problemas envolvendo suas atividades suspeitas, um funcionário do ABM de Nova York escreveu a um colega em Moscou em 1999, em tom de súplica: "Por favor, telefone a potenciais clientes russos, esforce-se ao máximo, pois necessitamos de novas contas nos registros. Preciso alcançar minha projeção de US$ 500 mil em receitas para todos os bancos russos em 1999. Por favor, me ajude!" O mesmo funcionário da filial de Nova York receberia depois um e-mail de Moscou que expressava sua preocupação a respeito do potencial de "problemas" na abertura de contas para todos "aqueles bancos russos diminutos e moribundos que tinham sido recusados [por instituições financeiras norte-americanas]".

Avancemos com rapidez até 2012 e teremos um grupo de DPAs com três bancos importantes — o ING, o Standard Chartered e o HSBC. O banco holandês ING fez um acordo com as autoridades americanas referente a transgressões de sanções envolvendo Cuba, Birmânia, Líbia, Sudão e Irã por mais de uma década.[11] A instituição concordou pagar o que à época era uma indenização recorde de US$ 619 milhões para evitar ser processada. Essas transferências referiam-se a mais de US$ 1,6 bilhão para Cuba, US$ 15 milhões para a Birmânia, cerca de US$ 2 milhões para o Sudão, US$ 26.803 para a Líbia (essas sanções já caíram) e US$ 1,3 milhão para o Irã. Alegou-se que o banco havia tomado medidas deliberadas para violar sanções, entre elas o uso de empresas fictícias, selos falsos que permitiram a bancos cubanos forjar cheques de viagem norte-americanos e orientações sobre a dissimulação de operações em dólares. Introduzindo um novo verbete no léxico jurídico, o Departamento Jurídico do Grupo ING chegou a classificar os atos de uma de suas filiais no sentido de fraudar de forma proposital um banco correspondente norte-americano como uma "mentirinha branca". Os funcionários que se recusaram a participar desses atos receberam ameaças. É evidente que nenhum desses atos poderia ser chamado de acidental ou inadvertido.

Também em 2012, o banco britânico Standard and Chartered entrou em acordo com as autoridades americanas, firmando um termo de compromisso num caso que envolvia somas de bilhões de dólares em operações com o Irã. O banco pagou US$ 340 milhões ao Departamento de Serviços Financeiros, US$ 100 milhões ao Federal Reserve e US$ 227 milhões ao Departamento de Justiça dos Estados Unidos, além de ficar sujeito a dois anos de monitoramento como parte de um DPA.[12] A princípio, os representantes do banco questionaram as somas envolvidas, alegando que a conduta referia-se a operações na casa dos milhões, mas o demonstrativo preparado pelo superintendente dos Serviços Financeiros para o Estado de Nova York, Benjamin Lawsky, apontava que "as partes tinham concordado que a conduta em questão envolvia operações de, no mínimo, US$ 250 bilhões".[13] O caso tornou-se memorável pela acusação de que um dos maiores dirigentes do banco teria respondido às advertências sobre transgressões de sanção com as seguintes palavras: "Vocês, malditos norte-americanos [...] quem pensam que são para nos dizer — e ao resto do mundo — que não podemos negociar com os iranianos?" A resposta dava a entender não apenas que o banco britânico se sentia lesado pelas restrições impostas pelos Estados Unidos e pela extensão de seu alcance, mas também que estava determinado a executar as operações, apesar de estar ciente de que aquela ação era proibida. Como consultora do Standard Chartered, a Deloitte Financial Advisory Services foi "arrastada" para as repartições do Departamento de Serviços Financeiros do Estado de Nova York, acusada de "parecer ter apoiado" o comportamento ilegal da instituição financeira por meio de sua prestação de serviços. A empresa de consultoria foi multada em US$ 10 milhões e proibida de participar de novos projetos de consultoria no estado de Nova York por um ano.[14]

O RBS e o BNP Paribas são bancos que tiveram seu comportamento de violação a sanções revelado em época mais recente. Em dezembro de 2013, o conselheiro do grupo RBS Chris Campbell assinou documentos comprometendo o RBS a pagar US$ 100 milhões em multas na esfera civil por transgredir sanções norte-americanas. Metade desse montante foi imposta pelo Departamento de Serviços Financeiros do Estado de Nova York, que descobriu que, entre 2002 e 2011, o RBS havia canalizado US$ 523 milhões em mais de 3.500 operações envolvendo clientes e beneficiários iranianos e sudaneses por meio de bancos de Nova York, sem conhecimento dos bancos correspondentes norte-americanos utilizados. O restante de suas atividades foi bater às portas do Federal Reserve, que informou sobre vários tipos de comportamento malicioso do banco envolvendo sanções "entre 2005 e 2008, no mínimo". O acordo de leniência junto ao Tesouro norte-americano detalhava várias infrações entre 2005 e 2009 que envolviam a Birmânia, o Irã, o Sudão e Cuba, embora sua multa de US$ 33 milhões fosse considerada quitada pela multa na esfera civil do Federal Reserve.[15] As três agências constataram que o RBS havia manipulado dados no processamento de pagamentos para ocultar a identidade de pessoas sancionadas pelos Estados Unidos.

O caso é bastante interessante e começou há mais de quinze anos, quando o NatWest Bank (adquirido pelo RBS em 2000) iniciou um relacionamento bancário com o Bank Melli Iran e sua subsidiária britânica Melli Bank Plc em 1997. Na condição de banco correspondente, o NatWest processava pagamentos em dólares americanos em nome dos bancos iranianos por meio de mensagens SWIFT, pela utilização de pagamentos "dissimulados" (como no caso do ABN AMRO), que levavam em conta a exclusão de certas informações-chave quando enviados aos Estados Unidos. Ao que tudo indica, essa prática continuou por cinco anos, até o ponto em que, cansado da "pesada carga operacional" do relacionamento, o NatWest — à época parte do RBS — fechou todas as contas desse banco iraniano.

Clientes descontentes começaram a reclamar que não conseguiam enviar pagamentos em dólares americanos ao Irã. Isso, aliado ao fato de que a introdução de um novo sistema interno (o ProPay) no RBS dificultara a remoção de dados específicos do Irã das mensagens SWIFT, deixou o banco britânico em apuros, mas não por muito tempo. Um grupo de especialistas do banco se reuniu e descobriu uma maneira de utilizar o ProPay de tal modo que ainda seria possível efetuar pagamentos eletrônicos em dólares ao Irã, omitindo informações que alertariam as câmaras de compensação norte-americanas sobre uma possível transgressão das sanções do OFAC. Primeiro, o RBS usaria os serviços de um banco não norte-americano, de um "terceiro país". Em suas instruções de pagamento a esse banco, o RBS inseriria o código de país da Grã-Bretanha junto com o nome do banco beneficiário iraniano, em vez de utilizar o código identificador particular do banco iraniano (conhecido como Código de Identificação Bancária ou Bank Identifier Code, BIC). O banco intermediário não norte-americano conseguiria identificar o banco iraniano com base nessa mensagem específica, mas, por causa do modo como o RBS havia formatado os dados, quaisquer referências ao Irã desapareceriam de modo misterioso na hora em que fossem inseridas em uma mensagem processada pelo banco correspondente norte-americano. Assim, as instruções de pagamento à câmara de compensação norte-americana não conteriam referências nem ao Irã, nem ao banco beneficiário iraniano.

Esse não era um segredo guardado por um grupo reduzido de funcionários. O RBS tornou a prática muito evidente para os operadores de pagamentos, colocando em circulação um memorando, parte do qual incluía as seguintes instruções:

IMPORTANTE: PARA TODOS OS PAGAMENTOS EM DÓLARES AMERICANOS A UM PAÍS SUBMETIDO A SANÇÕES DOS ESTADOS UNIDOS DA AMÉRICA, <u>AS MENSAGENS DE PAGAMENTO NÃO PODEM CONTER OS SEGUINTES ITENS</u>:
1. Nome do país submetido às sanções, 2. Qualquer nome indicado na lista de restrições do OFAC, que pode englobar o nome de um banco, destinatário ou beneficiário.

Os investigadores norte-americanos descobriram que o audacioso RBS havia publicado essas instruções ProPay em seu "Manual de Apoio aos Negócios" e em sua intranet, em 2003. Embora as instruções parecessem ter a intenção de se aplicar apenas a certos bancos iranianos, os funcionários tomaram a liberdade de interpretar a orientação como aplicável a outros países sob sanção dos Estados Unidos. Os processos de investigação a que o banco foi sujeito mencionam a Líbia, por exemplo, descrevendo a circulação de um memorando no qual a Divisão de Serviços Bancários Globais do RBS, "como questão rotineira, aconselha que o nome do banco e do beneficiário líbio não sejam citados nas mensagens SWIFT, de modo a evitar bloqueio nos Estados Unidos, sob as sanções do OFAC".

Desrespeitando de modo claro a política do próprio banco sobre as sanções, revisada em novembro de 2003 ("Os negócios do Grupo com parceiros norte-americanos e os pagamentos em dólares devem atender às regulamentações dos EUA"), algumas divisões do RBS continuaram a processar pagamentos ao Irã e a outros países sob sanções norte-americanas. Uma declaração ainda mais explícita sobre a política do banco a respeito do OFAC, em 2006, foi também ignorada. Em dezembro daquele ano, o grupo de consultores do

CEO informou à Divisão de Combate à Lavagem de Dinheiro que ele tinha adotado uma política de "proibição de negócios em dólares americanos com contrapartes iranianas". No entanto, o RBS continuava a canalizar pagamentos pelos Estados Unidos, transgredindo várias regulamentações relacionadas a sanções.

O Departamento de Serviços Financeiros de Nova York determinou que "a conduta do RBS estava em conflito com a segurança nacional e a política externa dos Estados Unidos e levantava graves questões de segurança para os reguladores, entre elas, a obstrução da administração governamental, deixar de informar crimes e conduta inapropriada, oferecendo falsos documentos para arquivamento, além de falsificar registros de negócios". Embora quatro funcionários tivessem sido demitidos em 2010, quando a instituição iniciou uma investigação própria, e oito mais tenham sido obrigados a restituir seus bônus, não foram feitos indiciamentos; a soma total dessas repercussões mal chegou a aumentar em um pontinho sequer a ansiedade do setor bancário.

Outro banco também atingido pela legislação norte-americana foi o BNP Paribas, flagrado processando operações no total de bilhões de dólares em nome de partes iranianas, cubanas e sudanesas entre 2002 e 2012. Esse caso em particular se destaca por três razões: a magnitude do acordo financeiro (US$ 8,9 bilhões); a declaração de culpa do banco nos processos penais; e a decisão dos reguladores nova-iorquinos de proibir o banco de administrar determinadas operações em dólares por um ano. Apesar dessa combinação relativamente inusitada de punições, não foram feitos indiciamentos criminais contra nenhum dos executivos do banco, embora houvesse envolvimento de pessoal do alto escalão na fraude. Isso se evidenciou com a narrativa do que aconteceu numa reunião em 2005, em Genebra, a que compareceram uma série de executivos da instituição. De acordo com as atas do processo, a reunião foi convocada depois que os suíços responsáveis pelo *compliance* expressaram sérias preocupações em relação às transações sudanesas que estavam sendo executadas pelo banco. Não só esses graves problemas foram desconsiderados na reunião, por parte de pessoas que deveriam saber mais a respeito, como também o líder do grupo exigiu que não houvesse elaboração da ata daquela reunião.[16]

Constatou-se que todos esses bancos deixaram de aplicar análises adequadas para rastrear a verdadeira natureza das contas que possuíam e, de modo deliberado, entraram em conluio para negligenciar as sanções pela "remoção" de informações bancárias de modo a apagar todos os traços da verdadeira origem ou destino do dinheiro envolvido. É evidente que, para essas instituições, a autodeclarada jurisdição internacional dos EUA era um incômodo a ser contornado e não uma lei a ser obedecida. Os bancos estavam satisfeitos em assumir os riscos de serem descobertos e punidos, pois as multas impostas não representam, em escala mais ampla, um montante muito grande de sua rentabilidade. O aspecto mais preocupante das violações é a atitude de que vale a pena correr riscos éticos e financeiros; quando se considera o número de bancos (às vezes os mesmos nomes) que têm admitido ignorar e contornar regimes de combate à lavagem de dinheiro elaborados para evitar a corrupção ou a lavagem, fica claro que a abordagem leniente em relação às sanções pode ser um sinal evidente de potencial envolvimento em outros comportamentos perigosos.

CENÁRIO

A indústria financeira investe muitos esforços na análise de depósitos e retiradas em contas bancárias com o objetivo de identificar se envolvem partes submetidas a sanções. Contudo, como o cenário a seguir ressalta, os riscos associados a sanções podem se manifestar de formas muito variadas, diferentes de através de meros pagamentos, e o *stripping* não é de modo algum o único meio de violação das leis aplicáveis a sanções.

Uma linha de crédito administrada por um consórcio de bancos britânicos e de outros países emprestou US$ 100 milhões para a matriz de uma grande empresa de arrendamento (*leasing*) e venda de aeronaves usadas sediada em uma jurisdição *offshore*. O empréstimo é garantido por dois Boeings de carga adquiridos pela matriz (vamos chamá-la de "Aviation Leasing Parent Co.") por meio de discretas *holdings* subsidiárias. Uma das cláusulas do contrato estabelece que a maioria dos consorciados deva concordar com o arrendamento de uma ou outra aeronave. Com a anuência dos consorciados, um dos aviões é arrendado para uma empresa multinacional de transporte aéreo e o outro, para uma empresa *offshore* cuja matriz norte-americana está registrada em Delaware, com diretores norte-americanos fornecidos por um agente de registro. Antes de acordarem com os *leasings*, os consorciados empreendem uma investigação parcial de devida diligência sobre as empresas arrendatárias, mas o foco das questões é o risco de crédito. Os consorciados estão essencialmente interessados em saber se as empresas arrendatárias conseguirão pagar os custos do arrendamento, de tal modo que a empresa arrendadora (a cliente do consórcio, Aviation Leasing Parent Co.) consiga quitar o empréstimo. A conformidade às sanções não é um risco que se encontra no radar dos departamentos de risco de crédito de nenhum dos bancos envolvidos em conduzir o monitoramento de devida diligência.

Os dois arrendamentos foram contratados para um prazo de cinco anos. Tudo flui dentro da normalidade. As empresas arrendatárias transferem fundos mensais no cumprimento do contrato para a conta bancária das *holdings* das aeronaves, e essas contas são então verificadas a cada três meses para satisfazer o consórcio.

Dois anos depois de feito o contrato de arrendamento, aumentam as tensões internacionais com a inquietação de que o Irã possa estar mais próximo do que se imagina de desenvolver uma arma nuclear, e as sanções da ONU, da União Europeia e do OFAC contra o Irã são intensificadas. As medidas proíbem a realização ou favorecimento de atividade comercial com o governo do Irã ou quaisquer órgãos iranianos.

Uma revisão interna feita por um dos bancos do consórcio levanta dúvidas sobre a linha de crédito e a qualidade da devida diligência mantida pelo banco em relação à empresa arrendatária *offshore* e à sua matriz nos Estados Unidos. Não são apurados detalhes de quem são os proprietários beneficiários finais da matriz norte-americana. Essas preocupações são compartilhadas com outros consorciados, sendo decidido em conjunto que uma assessoria externa especializada na conduta de investigações empresariais será contratada para analisar o relacionamento e obter as informações que faltam. Logo após sua contratação, a assessoria externa levanta a questão: "A empresa arrendatária transporta produtos em nome de quem?" Os consorciados não possuem essa informação e, para piorar, são incapazes de informar detalhes sobre os planos de voo para ajudar a determinar por quais países o avião passava. Após um atraso nas investigações, é revelado que o avião fez diversas viagens aterrissando e decolando do campo de aviação Bishe Kola, em Amol, no Irã, uma base militar no norte do país. Com o desconhecimento dos consorciados, da empresa arrendadora e dos diretores norte-americanos "nominais" da empresa arrendatária, sediados em Delaware, a empresa arrendatária tem transportado cargas em nome de outra empresa *offshore* registrada em outro centro *offshore*. Essa empresa é, descobre-se por fim, controlada por representantes da Guarda Revolucionária Iraniana. Lança-se uma investigação mais ampla por parte dos bancos. Eles sabem que, na melhor das hipóteses, o consórcio havia favorecido a transgressão a sanções e, na pior (dependendo da natureza do carregamento), favorecido a atividade de proliferação nuclear. Incapazes de identificar o que o avião transportara nas viagens para o norte do Irã, os bancos tomaram conhecimento de que o banco que atuava em nome da empresa *offshore*, controlada pela Guarda Revolucionária Iraniana, removera detalhes do destinatário das mensagens de pagamento, possibilitando, assim, que a empresa arrendatária fosse paga em dólares.

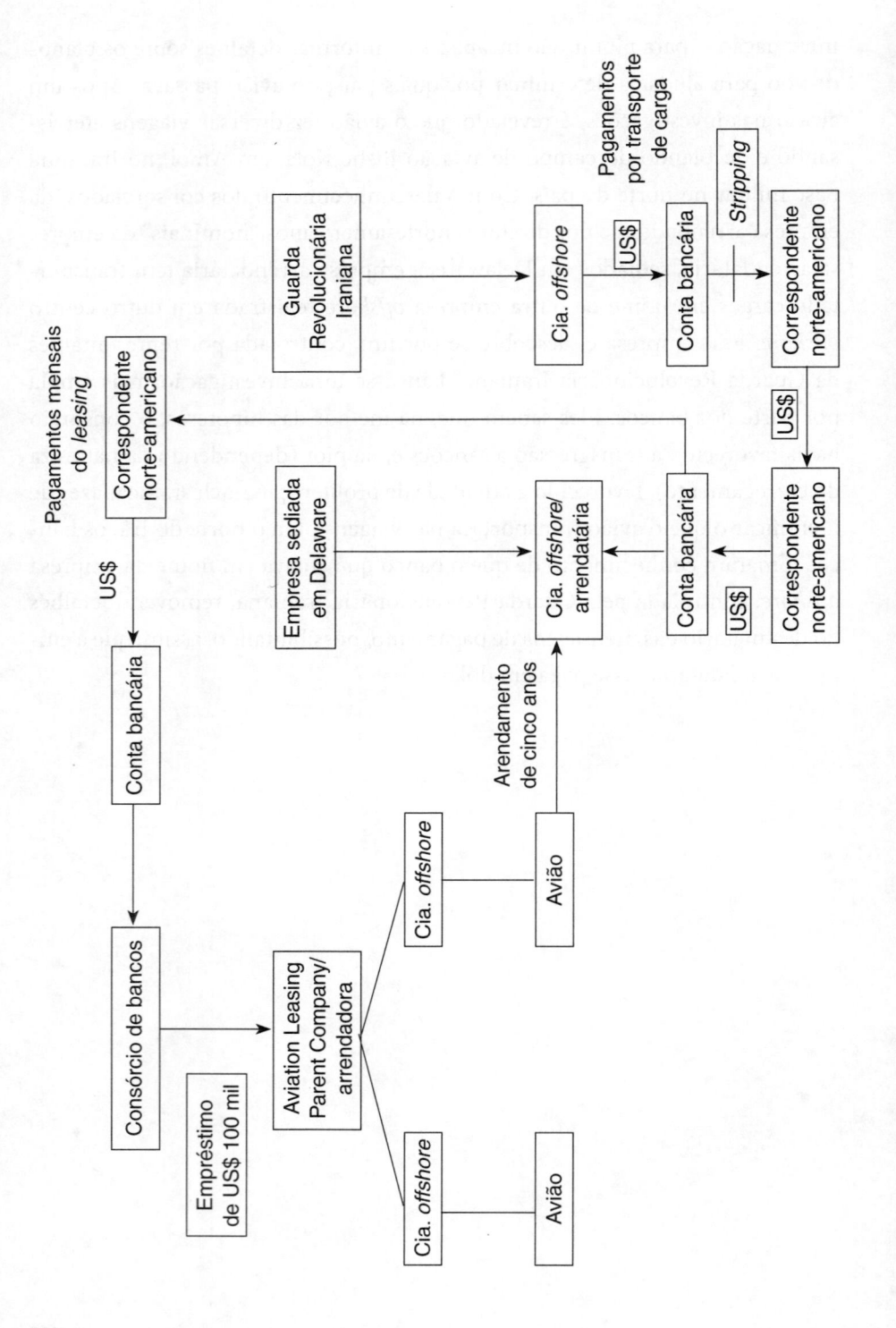

O que esse cenário revela sobre a exploração dos bancos para propósitos criminosos? Primeiro, que não havia nenhuma atividade identificável de colocação, ocultação ou integração, embora os bancos estivessem recebendo rendimentos de delitos. Ao contrário, o consórcio de bancos serviu de instrumento de transgressão como parte de um esquema cujo fim último era violar sanções. O cenário revela ainda abuso da estrutura jurídica que regula a propriedade e transferência de bens, por parte de um país sob sanção, com o intuito de evitar as cláusulas de sanções e assim alcançar seus objetivos. Ao enfocar antes de tudo o risco de crédito, os bancos deixaram de verificar outros riscos inerentes apresentados não pelos clientes, mas pelos *clientes dos clientes* de seus clientes. A falta de interesse por parte do consórcio de bancos seria, na pior das hipóteses, constrangedora em circunstâncias normais, mas neste exemplo eles depararam com a desconfortável realidade de que seus requisitos básicos para a devida diligência não haviam sido seguidos, levando as autoridades a questionar se essas falhas de conformidade teriam contribuído para a perpetração de outros crimes.

CAPÍTULO 10

EVASÃO / ELISÃO FISCAIS

Em 1998, a Starbucks abriu sua primeira loja no Reino Unido. Desde então, a empresa abriu mais 750 cafeterias em todas as Ilhas Britânicas. Para qualquer pessoa com conhecimentos apenas básicos de economia, pode ser surpreendente que, apesar de seu crescimento, a Starbucks alegou ter "constatado que lucrar no Reino Unido é um processo difícil".[1] É assombroso que uma empresa continue a operar centenas de lojas deixando de lucrar, ainda mais em uma recessão. O faturamento pode sugerir algo diferente: em 2012, relatou-se que, desde 1998, a Starbucks havia registrado um volume de vendas de mais de £ 3 bilhões no Reino Unido. Os impostos pagos no mesmo período atingem a casa dos £ 8,6 milhões, ou 0,3% do faturamento. Após expressiva pressão pública, sem mencionar um interrogatório rigoroso por parte de parlamentares, a Starbucks felicitou-se pela decisão de não pedir deduções fiscais por *royalties* ou pagamentos relacionados a cobranças de outras empresas, em matéria de juros e do lucro obtido na venda de seu próprio café.[2] Sob o brilho cálido de seu prestígio, a organização diz que essa atitude "não tem precedentes", mas que possibilitará "maior contribuição" da cadeia. Embora ela tenha concordado em pagar £ 10 milhões em impostos empresariais em 2013 e 2014, esse exemplo enfraquece bastante a influência dos fiscais da receita e dos legisladores.

O fato é que a organização está correta quando alega que, em termos técnicos, tem cumprido a letra da lei, "otimizando" a quantia de imposto que ela paga ou deixa de pagar. A Starbucks, a exemplo de qualquer outra multinacional de grande porte, tem um sistema complexo de arranjos financeiros internos elaborados para minimizar sua carga tributária. Utiliza estruturas que permitem reduzir os lucros em jurisdições com alta carga tributária e inflá--los em jurisdições com baixa carga tributária. Nada do que a organização supostamente faz é ilegal. Ela não fraude seus demonstrativos financeiros nem ludibria o fisco; apenas se estrutura para assegurar a distribuição mais eficaz de seus ativos e passivos, e, apesar de ser uma marca muito bem-sucedida, de renome mundial, que cobra um valor polpudo por xícara de café vendido, fica livre de pagar a mesma alíquota tributária que outras organizações, estas incapazes de tirar vantagem de estruturas fiscais complexas.

Por mais indigesto que possa parecer a muitos trabalhadores que trabalham duro e pagam seus impostos com diligência, e para os quais a mitigação fiscal é um conceito estranho, a realidade é que a otimização fiscal é um componente fundamental do livre comércio e da economia de mercado. A ideia de que sociedades comerciais agressivas escolherão voluntariamente pagar mais impostos do que o necessário é ilusória. O conceito de otimização fiscal tem encontrado apoio nos tribunais norte-americanos e britânicos. Em uma decisão paradigmática relativa à legislação fiscal norte-americana, a Suprema Corte dos Estados Unidos concordou com o juiz Learned Hand, que disse: "Qualquer organização que planeje seus negócios de modo a tornar seus impostos o mais baixos possível não estará obrigada a optar pelo esquema tributário que mais remunerará o Tesouro; e não há sequer o dever patriótico de aumentar sua tributação".[3]

Mas as técnicas usadas para minimizar as cargas tributárias, por parte de indivíduos ou empresas, podem consistir em atividades legais ou ilegais, e o desejo de minimizar a proporção de renda paga a entidades governamentais existe em todos os níveis, em todas as regiões do globo. Como consequência disso, são utilizadas numerosas e variadas técnicas para evitar que os Tesouros recebam o que lhes é devido. A *evasão* fiscal, na qual se toma uma série de medidas enganosas para reduzir um compromisso tributário, é de modo geral ilegal; em dias atuais, é lícito praticar a *elisão* fiscal, que está dentro dos limites da lei. No entanto, nos últimos anos, tem crescido uma área cinzenta considerável entre os dois casos, que consiste em métodos mais criativos e tortuosos de redução fiscal, que, embora não ilegais em si, têm sido alvo de maiores críticas por não serem éticos. A recente recessão global tem diminuído a tolerância política e pública em relação aos que pagam menos do que o espírito da lei sugere que deveriam pagar. Essa situação se exacerbou nos últimos tempos em razão de multinacionais que manipulam sua estrutura financeira de modo a pagar menos bilhões de dólares em impostos, e bancos *offshore* que fornecem contas além do alcance de sua receita dentro do país-sede.

Há, com certeza, um conflito legal e ético envolvido, considerando que esses serviços são negócios lucrativos para muitos banqueiros, advogados, consultores financeiros e contadores, tanto *onshores* como *offshores*. E mais: a crítica governamental sobre atividades que não se encontram fora da lei é interpretada por muitos como algo que possa comprometer o relacionamento entre Estado e indivíduo, e que há um equilíbrio inevitável a ser considerado entre atrair empresas e residentes abastados e permitir certas liberdades a esses grupos financeiros apenas porque podem pagar muito bem por elas. O resultado é que, para cobrir seu déficit fiscal, os governos impõem maior carga tributária àqueles com menor capacidade contributiva. Nos últimos anos, temos visto o início de uma infinidade de mudanças legislativas à medida que políticos se esforçam na repressão a modelos financeiros abusivos e no fechamento de brechas exploradas com facilidade. Proliferam acordos de compartilhamento de informações entre governos, anunciando uma nova era de transparência fiscal que pretende anular a possibilidade de se manter contas inacessíveis aos inspetores da Receita. A entrada em vigor do FATCA (Lei das Contas Bancárias no Estrangeiro e da Obediência às Normas Tributárias), que efetivamente destrói o conceito de soberania financeira, forçando bancos estrangeiros a fornecer detalhes das contas de clientes norte-americanos ou enfrentar a exclusão do sistema financeiro dos Estados Unidos, mudará o panorama da legislação tributária para sempre. No entanto, ainda há problemas. Especialistas ainda serão capazes de encontrar meios para que seus clientes soneguem impostos mediante expedientes legais, e, para muitos deles, apesar do risco de punição, o lucro pode valer a pena.

A evasão e a elisão fiscais são métodos pelos quais indivíduos e empresas podem minimizar a proporção de seus rendimentos ou ativos que devem pagar para arrecadação das autoridades ano após ano. De modo geral, encara-se a elisão como um método que obedece a letra, mas não o espírito, da lei, na intenção de reduzir a carga tributária. O HM Revenue & Customs (HMRC)* britânico define o não pagamento de imposto mediante expedientes legais como "utilizar a legislação tributária para obter uma vantagem fiscal que o Parlamento jamais pretendeu conceder". Em sua faceta mais amena, isso inclui práticas aceitáveis, tais como o planejamento fiscal familiar e a gestão de riquezas; na faceta mais agressiva, envolve tomar medidas criativas e lícitas, mas que resultem na redução artificial e significativa da carga tributária. Contanto que não haja transgressão específica de regras tributárias e que não ocorra dissimulação ou fraude, essa prática pode atrair críticas da sociedade, mas permanece lícita de modo geral, embora sujeita a certas restrições quanto aos métodos precisos usados, que possam ser impostas pelo fisco.

A evasão fiscal, no entanto, em geral envolve a apresentação incorreta dos valores verdadeiros dos ativos, a dissimulação do proprietário e o informe de rendas mais baixas. Não opera dentro dos limites da lei, mas a transgride deliberadamente. Contabilidade falsa, omitir a declaração de lucros ou investimentos estrangeiros ou construir esquemas elaborados para disfarçar a posse de ativos, quer no próprio país ou no exterior, deixando, portanto, de pagar impostos ou outros encargos, constituem evasão.

Os que se utilizam da elisão e da evasão fiscal tendem a ser indivíduos abastados ou multinacionais de grande porte. As estruturas usadas para manter métodos complicados de evasão ilegal exigem caros investimentos em serviços de profissionais na área das finanças. As somas canceladas de contas tributárias são bastante altas. Os governos são privados de uma parcela significativa das receitas, que, de outra maneira, fluiriam para seus cofres, mas, desde o colapso econômico de 2008, eles estão cientes de que pedir a contribuintes comuns e pequenas empresas assoladas pela recessão que aceitem o corte nos gastos públicos e o aumento nas alíquotas de impostos está em desacordo com a inatividade em relação às perdas fiscais no caso de indivíduos ricos e multinacionais. Grupos de pressão, como a Rede de Justiça Fiscal [Tax Justice Network], têm causado muita polêmica com críticas à regulamentação defi-

---

* Receita Federal britânica. (N.T.)

ciente de estruturas fiscais, e o têm feito com sucesso; a atitude internacional em relação a jurisdições de que os sonegadores mais gostam tem sido de uma censura cada vez maior.

Embora o número de pessoas e organizações envolvidas em evasão e elisão ativas possa ser baixo em comparação ao número total de pagadores de impostos, os déficits resultantes são imensos. De acordo com estimativas do HMRC, a lacuna fiscal no Reino Unido (ou seja, a diferença entre o que é devido e o que é arrecadado) em 2011-2012 girou em torno de £ 35 bilhões, dos quais 43% (£ 15,2 bilhões) resultaram de evasão fiscal, economia oculta e ataques criminosos ao sistema tributário, como fraude do Imposto sobre o Valor Agregado; enquanto outros 11% (£ 4 bilhões) se perderam por não pagamento de impostos mediante expedientes legais. A lacuna fiscal anual da União Europeia está estimada em cerca de € 1 trilhão, bastante significativa quando se considera a atual crise na zona do euro. Nos Estados Unidos, a lacuna fiscal anual chega a um montante estimado de US$ 385 bilhões, com cerca de US$ 150 bilhões dessa perda relacionada a esquemas fiscais *offshore*.[4] Portanto, bilhões de dólares estão sendo removidos de economias nacionais em uma época em que muitos governos enfrentam cortes que afetam o bem-estar das pessoas comuns. A aplicação de alíquotas de imposto mais altas está se tornando uma constante em grande parte dos países europeus, para compensar esses déficits. Entre indivíduos que se mudaram para o exterior a fim de escapar da carga tributária imposta por seu país natal está o ator francês Gerard Depardieu, agora um cidadão russo, após o anúncio de um "pacote tributário para milionários" de 75%, aprovado pelo tribunal constitucional francês em dezembro de 2013.

Os métodos domésticos de redução fiscal em geral assumem a forma de esquemas de elisão. Alguns deles são simples e incontroversos, como utilizar um plano de investimento na aposentadoria, colocar os ativos da família em um truste ou passar para os herdeiros ativos de alto valor, por exemplo, imóveis, enquanto o dono ainda está vivo, de modo a evitar o pagamento do imposto sobre a herança. Indivíduos podem buscar atenuar suas contas empregando um familiar em algum cargo, reduzindo assim a renda do titular e possibilitando a ambos pedir um abatimento pessoal livre de tributação. Outros métodos são mais complexos, envolvendo planos beneficentes e de investimento. Em seu discurso para o orçamento de 2014, o chanceler britânico deixou claro que o governo está "atuando com rigor" nesses esquemas. O sócio de uma empresa que administra ativos de milionários descreveu a notícia como uma "baioneta adicional no corpo moribundo dos esquemas abusivos e agressivos de elisão fiscal no campo de batalha do governo contra essa prática".[5]

Esquemas de investimentos em filmes promovidos no início do ano 2000 pelo governo do Reino Unido, com o intuito evidente de impulsionar o cinema britânico, permitiam compensações tributárias por meio de arranjos de empréstimos e *leasings* alavancados lucrativos. Esquemas de investimento corporativos oferecem incentivos para o alívio tributário para fazer investimentos de alto risco financeiro em empresas novatas. À primeira vista, o alívio tributário é um ótimo efeito colateral de se ajudar empresas britânicas, mas o HMRC vê a situação de maneira diferente. Esquemas de investimento envolvidos no financiamento de filmes como *Avatar* e *As aventuras de Pi* foram descritos pelo ex-chefe do HMRC como golpes para pilantras.[6] A autoridade acredita que o objetivo dos investimentos é muito mais um alívio tributário do que propriamente um investimento. Uma das empresas de serviços financeiros, Ingenious Media, nega que suas parcerias são esquemas de elisão fiscal, mas avisou aos investidores, em julho de 2014, que deviam se preparar para demandas fiscais cujo total seria de pelo menos £ 520 milhões.

Um método bastante explorado de se evitar tributação envolve o alívio fiscal por meio de doações beneficentes. Um exemplo controverso e recente de um esquema como esse veio à tona no Reino Unido no início de 2013 e referia-se à Cup Trust, uma sociedade beneficente com o propósito de levantar fundos para crianças e jovens, cujo único administrador corporativo estava registrado nas Ilhas Virgens Britânicas. Não há nenhum perfil público, mas ela levantou £ 176 milhões em 2010-2011, o que fez dela uma das sociedades beneficentes mais bem-sucedidas (se não *a* mais bem-sucedida) da Grã-Bretanha. No entanto, até 31 de março de 2013, a instituição havia doado apenas £ 152.292 para causas ligadas à caridade.[7] Alega-se que a Cup Trust, registrada em 2009, é de fato um esquema de elisão fiscal que tem possibilitado a seus membros a apresentação de descontos no valor de £ 46 milhões ao HMRC a título de "doações", pelo emprego de um empréstimo de um banco *offshore* a fim de comprar títulos com bom lastro, que são vendidos aos membros a um preço muito menor. A Cup Trust doou, portanto, uma pequena soma para causas ligadas à caridade, e os membros venderam os títulos no mercado comum pelo seu considerável e real valor. Esse dinheiro foi em seguida "doado" à Trust por seus membros, o que lhes possibilitava pedir isenção fiscal sobre ele, sendo o montante usado depois para quitar o empréstimo. A Cup Trust, portanto, possibilitava isenção fiscal no valor total da soma "doada" para fins beneficentes, muito embora os membros do esquema gastassem apenas uma soma diminuta. O conceito de caridade parecia estar distorcido por completo nesse caso, e o Comitê de Contas Públicas concluiu que a instituição não satisfazia as expectativas públicas de uma sociedade beneficente. Apesar disso, a Comissão de Caridade (Charity Commission) se disse incapaz de intervir, pois a sociedade em si estava apropriadamente constituída. O Comitê questionou a falta de autoridade da Comissão, dizendo ser inaceitável o fato de que não pudesse deter o abuso de seu *status* de beneficente, e foram levantadas então questões sobre a eficácia reguladora do órgão supervisor dessas entidades. A própria Cup Trust refutou as alegações de que seu propósito era cometer elisão fiscal, negando qualquer tipo de conduta maliciosa ou gestão inapropriada dos diretores.

Muitos esquemas pessoais de elisão fiscal envolvem o uso de contas *offshore*, e prestar assessoria a esses esquemas é um ramo de negócios lucrativo para vários profissionais da área financeira. No Reino Unido, tais esquemas têm de ser registrados junto ao HMRC, estando sujeitos a revisão e a procedimentos jurídicos para determinar se têm de fato ou não algum propósito além de abuso fiscal. Eles são muito populares: mais de cem esquemas foram registrados entre 2008 e 2012, alguns proeminentes, como o K2 e o Highlands. No esquema K2, um participante se torna "funcionário" de uma empresa sediada em Jersey. Essa empresa "transfere" a pessoa a seu verdadeiro empregador, que, por sua vez, paga uma taxa para a empresa em Jersey. A empresa, então, "empresta" o dinheiro ao participante, e esse valor, por ser um "empréstimo" (podendo, em termos técnicos, ser cobrado), não tem incidência de imposto. Em fevereiro de 2013, uma medida judicial fechou o esquema Highlands, que utilizava perdas artificiais geradas em centros *offshore* para economizar cerca de £ 400 milhões em impostos, com base de que ele era "um esquema de elisão fiscal sem nenhum propósito além desse".[8]

Enquanto os esquemas Highlands, K2 e Cup Trust centram-se nos aspectos técnicos da legislação tributária, outros esquemas fiscais dependem de alegações flagrantemente fraudulentas. Nos Estados Unidos, um tribunal de Seattle condenou dois homens por um golpe fiscal que envolvia mais de US$ 9,6 bilhões em vendas de ações "falsas".[9] O esquema POINT (Personally Optimised Investment Transaction) era promovido pelo Quellos Group LLC, tendo custado à nação US$ 240 milhões em perdas de impostos. Clientes abastados foram informados de que poderiam compensar os ganhos de capital dos participantes se combinassem seus ganhos com perdas da venda de ações depreciadas inseridas em um portfólio de fundos de investimento, que no fim era inexistente. Sem o conhecimento dos investidores, o esquema POINT era "baseado num embuste", e seus dois executivos foram condenados por conspiração e fraude fiscal, além de serem cúmplices de falsa declaração fiscal. Os honorários pagos pelos membros do esquema totalizaram US$ 65 milhões, um exemplo de como os consultores financeiros que se envolvem com essa espécie de trabalho lucram vastas somas devido aos riscos corridos.

A exploração empresarial das diferenças tributárias entre diferentes países tem normalizado o uso de relacionamentos estruturais artificiais e complexos para minimizar a carga tributária e oferecer oportunidades de "otimização tributária" para os clientes. O uso de subsidiárias estrangeiras aumentou de modo drástico nos últimos tempos, e não há sinal de arrefecimento. Na realidade, muitas empresas afirmam que as leis tributárias na verdade as estimulam a explorar o relacionamento *onshore/offshore* dessa maneira.

Pensando no montante de impostos mantidos *offshore* por empresas norte--americanas, cuja tributação sobre os rendimentos no exterior se dá apenas quando o montante é repatriado, o Senado fez uma experiência em 2004 que pretendia aumentar os investimentos e empregos no próprio país. Como parte da American Jobs Creation Act, lei dos EUA relativa à criação de postos de trabalho, permitiu-se por um breve período de tempo que empresas norte--americanas repatriassem ganhos mantidos fora do país a uma alíquota fiscal de 5,25% em vez dos 35%, embora com restrições aplicáveis sobre como esse dinheiro seria gasto. No total, as empresas repatriaram US$ 312 bilhões, a maior parte de paraísos fiscais, e deixaram de pagar US$ 3,3 bilhões em impostos, mas o crescimento esperado não ocorreu. Paradoxalmente, depois do abatimento fiscal de 2004, as multinacionais norte-americanas na realidade aumentaram seus fundos *offshore*, levando o Senado a concluir que a redução fiscal aumentava o uso de contas *offshore*.

Deslocar os lucros para jurisdições *offshore* é um método comum pelo qual as multinacionais são capazes de realocar suas cargas tributárias pelo mundo afora de acordo com o local mais favorável para se ter lucros ou prejuízos. De modo geral, isso envolve assegurar que os lucros sejam registrados por subsidiárias localizadas em jurisdições com baixos impostos, e os prejuízos, naquelas com impostos altos. A subsidiária em um paraíso fiscal pode ser apenas um nome estampado na porta de um escritório; muitas delas não têm nenhum funcionário real, tampouco objetivos comerciais. A transferência dos lucros pode ocorrer com ativos tangíveis ou intangíveis, tais como propriedade intelectual, orientações da administração ou planos de negócios. Portanto, uma empresa pode vender *royalties* em áreas de baixa tributação para subsidiárias localizadas em áreas de alta tributação, de modo que parcelas polpudas dos efetivos lucros obtidos em localidades de alta tributação pareçam ter sido "gastas" em *royalties*, tornando-se "lucro" onde há pouco ou nenhum imposto a ser pago. A precificação da transferência é um componente comum dessas atividades: uma matriz pode vender bens ou produtos a sua subsidiária por um preço que não reflete o valor verdadeiro, mas permitindo que o lucro seja registrado na jurisdição de tributação mais baixa.

Em uma audiência do Comitê de Contas Públicas, parlamentares britânicos questionaram os pagamentos de *royalties* da Starbucks sobre a receita bruta de sua filial em uma jurisdição com alíquota de imposto mais baixa, na Holanda, que detém os direitos de licenciamento europeus da marca. A Starbucks justificou essa opção pela Holanda devido a uma unidade de torrefação localizada naquele país e alegou que as taxas de *royalties* eram razoáveis. Em cenários como esses, argumenta-se que as subsidiárias de uma empresa, instaladas em países como o Reino Unido, que tem uma alíquota de imposto corporativo mais alta, precisam despender uma soma considerável sobre os "direitos" de propriedade intelectual: a empresa parece lucrar menos no Reino Unido, mas sua subsidiária em um paraíso fiscal pode ter lucros ilimitados e ainda pagar pouco ou nenhum imposto. Tem-se tentado combater os problemas gerados pela questão de bens tangíveis/intangíveis. A OCDE tem tentado, nos últimos tempos, elaborar diretrizes para evitar que organizações transfiram lucros a paraísos fiscais por razões espúrias, como o pagamento dos *royalties* de marcas.

Por meio de práticas de transferências de empréstimos, as empresas também são capazes de explorar regras tributárias que regulam o pagamento de dívidas para organizar um fluxo constante de empréstimos pelas fronteiras internacionais, conseguindo com isso repatriar dinheiro para o país natal sem estar sujeito a taxas-padrão. O Subcomitê de Investigações do Senado norte-americano examinou os métodos utilizados pelos quais numerosos empréstimos de curto prazo, não sujeitos a tributação, tinham seus pagamentos distribuídos no tempo de modo a cobrir os períodos apropriados do ano fiscal e, portanto, sem se submeter à receita. As empresas conseguiam repatriar lucros para os EUA, mas de maneira que, no papel, se indicasse não ser preciso pagar nenhum imposto sobre eles.

Os exemplos de uso de sistemas *offshore* disseminam-se por diretorias empresariais e incluem vários dos principais fabricantes de produtos caseiros e fornecedores de serviços tecnológicos. De acordo com uma declaração do senador Carl Levin em 2012, a Microsoft transferiu 47% de suas vendas nos EUA para Porto Rico (este está longe de ser o maior mercado da empresa) através do modelo de precificação de transferência.[10] Levin descreveu como a Microsoft vende direitos para comercializar sua propriedade intelectual nas Américas (incluindo os EUA) para sua filial em Porto Rico. A Microsoft norte-americana recompra os direitos de distribuição para os Estados Unidos de sua subsidiária porto-riquenha, concordando em pagar a esta uma porcentagem das receitas geradas com a distribuição dos hardwares e softwares da Microsoft nos Estados Unidos. A Microsoft norte-americana precisa pagar uma soma bem mais alta para os direitos nos EUA do que arrecadou em Porto Rico por uma série mais extensa de direitos. De acordo com os cálculos do senador, ao fazer isso, a Microsoft poupou espetaculares US$ 4,5 bilhões em impostos sobre produtos vendidos nos Estados Unidos durante os três anos pesquisados pelo Subcomitê (ou seja, não estava pagando US$ 4 milhões de impostos por dia). Bill Sample também foi ouvido pelo Subcomitê e, em sua declaração, afirmou que a organização "cumprira de maneira integral toda a legislação tributária aplicável nos EUA e no exterior", reconhecendo ao mesmo tempo que havia espaço para o aprimoramento das regras, informando ainda que a visão da organização era de que as regras de tributação norte-americanas eram "desatualizadas" e "não competitivas em relação a nossos principais parceiros comerciais".[11]

Um jornalista do *Financial Times* relata que, em 2012, o Google, segundo consta, transferiu € 8,8 bilhões de receitas de *royalties* para uma empresa de Bermudas que detém os direitos de propriedade intelectual não americanos do grupo.[12] A justificativa parece ser a cobrança de pagamentos de *royalties* de países com altas taxas de tributação, direcionando-os depois a países em que as tributações são mais baixas. Os *royalties* são pagos por certas empresas do Google em países com tributações mais altas a uma subsidiária irlandesa, que desfruta de uma taxa de tributação mais baixa. Esses pagamentos são, então, canalizados para a Holanda, que, por sua vez, envia as somas a outra empresa incorporada na Irlanda, porém controlada de Bermudas. Em 2012, a empresa tinha uma obrigação fiscal no Reino Unido de US$ 55 milhões, apesar de um volume de vendas no país de US$ 4,9 bilhões. No mesmo ano, pagou uma alíquota de imposto de 2,6% sobre US$ 8,1 bilhões em rendimentos fora dos EUA.[13] O presidente do Google, Eric Schmidt, está menos interessado em acalmar o público do que os executivos da Starbucks, afirmando se sentir "muito orgulhoso da estrutura que montaram", e "orgulhoso também sob o aspecto capitalista". Em linha similar, o presidente do Google no Reino Unido negou que a empresa é "imoral" e que a responsabilidade é dos políticos que fixam alíquotas de impostos.[14]

Em 2002, o Subcomitê Permanente de Investigações do Senado dos Estados Unidos iniciou um estudo do desenvolvimento, marketing e implementação da "elisão fiscal abusiva", após a consternação sobre o crescimento de todo um setor financeiro dedicado a auxiliar os contribuintes norte-americanos a reduzirem as somas pagas ao fisco. O relatório resultante apontou operações "potencialmente abusivas" e focou em quatro esquemas oferecidos pela multinacional do ramo contábil KPMG que, segundo alegações, gerou mais de US$ 124 milhões em honorários entre 1997 e 2001.[15] O relatório apontava que a KPMG havia não apenas organizado esses esquemas, mas também os comercializado e promovido: suspeito a princípio, o esquema se tornou depois um produto absolutamente normal do mundo tradicional da contabilidade. O fato de que a firma estava ciente por completo da natureza "potencialmente abusiva" desses esquemas ficou evidente em um e-mail no qual o remetente perguntava se "eles não tinham recebido o suficiente para compensar o risco de um potencial litígio", dado ser evidente que "a operação tinha uma natureza que o fisco enquadraria com perfeição na órbita da sonegação fiscal".

Tendo concluído que os potenciais lucros que continuariam a ser obtidos superavam em muito os riscos e os custos de eventuais multas impostas pelo fisco, a KPMG prosseguiu com as práticas, auxiliando na evasão de largas somas de imposto. Na realidade, ela havia tomado medidas deliberadas para evitar o rastreamento do que vinha fazendo, mas jamais registrando ou revelando às autoridades tributárias nenhum de seus produtos fiscais, apesar de estar ciente de suas obrigações e da provável atitude do fisco se fosse descoberta. Em 2005, a KPMG admitiu seus malfeitos em relação a incentivos fiscais fraudulentos, concordando em pagar US$ 456 milhões em um acordo com promotores nova-iorquinos.

Desde 2008, tem havido avanços significativos na luta contra estratégias deliberadas de evasão fiscal, leis de sigilo e número de cidadãos com contas bancárias *offshore* não declaradas, que implicam instituições financeiras. Os casos que se destacam a esse respeito envolvem o banco LGT, sediado em Liechtenstein, e três bancos suíços: UBS, Wegelin e Credit Suisse.

O caso do LGT veio à tona após o ex-funcionário de um truste publicar uma lista que continha dados sobre clientes do banco de Liechtenstein; descobriu-se depois que o LGT usava métodos que orientavam seus clientes a praticar sonegação fiscal. Cerca de uma dezena de países, entre eles, Estados Unidos e Alemanha, iniciaram investigações sobre os detentores de contas do banco. Um relatório do Senado norte-americano relatou que o LGT empregou métodos que conseguiam facilitar e, às vezes, até resultavam em sonegação fiscal nos EUA.[16] A investigação no Senado constatou que essas práticas incluíam: aconselhar os clientes a abrir contas em nome de fundações do país e, com isso, disfarçar os nomes dos beneficiários; montar estruturas *offshore*; e criar empresas de transferência para ocultar as transferências de ativos. No que o relatório do Senado chamou de cultura de "sigilo e fraude", foram tomadas medidas que habilitavam os clientes a empreender uma série de esquemas para esconder seus recursos. Um cliente ocultou um total de US$ 49 milhões em ativos não informados conforme requerido pelo programa Qualified Intermediary (QI) (introduzido nos EUA em 2001 para estimular instituições financeiras estrangeiras a declarar seus rendimentos provenientes de fontes americanas em suas contas e reter o imposto devido). Entre outras práticas relatadas pelo Senado estavam: a dissimulação de propriedade de bens pela criação de uma estrutura complexa, fazendo parecer que a propriedade fora vendida quando na realidade ainda era controlada pelo proprietário original; a deliberada persuasão de clientes de alta renda com a alegação de que se beneficiariam do que o país tinha a oferecer em termos de sigilo bancário; transferências de dinheiro para ludibriar credores nos EUA; e a criação de uma fundação no país que, é bem possível, ocultasse o dinheiro que o cliente deveria despender como parte de acordos de divórcio. Os dados foram usados para processar judicialmente os sonegadores de impostos na Alemanha, entre eles, o ex-CEO do Deutsche Post, central de correios na Alemanha, e, em 2011, o LGT firmou um acordo de € 50 milhões com promotores alemães para se livrar das acusações de favorecimento de sonegação fiscal. Um porta-voz da instituição enfatizou que o acordo não implicava admissão de culpa e comentou que a decisão fora tomada para se evitar a demora na solução do litígio.

O segundo caso envolvia o banco suíço UBS: um banqueiro chamado Bradley Birkenfeld forneceu ao fisco uma lista de detentores de contas nos EUA, admitindo que havia ajudado um grande número de norte-americanos a sonegar impostos que incidiam em US$ 200 milhões de ativos *offshore*, no período em que trabalhara no banco. Birkenfield aceitou uma oferta do governo norte-americano que lhe garantia imunidade em troca de revelar tudo o que sabia. Ele foi condenado e preso quando descumpriu o acordo, deixando de revelar o nome de um cidadão norte-americano a quem auxiliara em uma sonegação fiscal milionária. Como resultado das informações, o banco foi investigado pelo Subcomitê de Investigações do Senado norte-americano. De acordo com os achados do relatório *Tax Haven Banks and U.S. Tax Compliance*, o UBS fez esforços deliberados para atrair clientes norte-americanos e empregou práticas que resultaram em sonegação fiscal nos Estados Unidos. O relatório do Senado apontava que o UBS mantinha cerca de 19 mil contas não declaradas que não tinham sido reveladas ao fisco e que ele evitara o programa QI de modo sistemático, com a conivência tanto de clientes quanto de dirigentes do banco, que tinham a obrigação de relatar contas de clientes norte-americanos. O mesmo relatório informava que o UBS também promovia o uso de estruturas *offshore* e tomara medidas para assegurar que as atividades do banco referentes aos títulos dos clientes não fossem detectadas, orientando os funcionários para que evitassem e-mails, correspondências, mensagens ou faxes sobre o assunto. O UBS estimava, de acordo com o relatório do Senado, que entre as mil contas declaradas e as 19 mil não declaradas que mantinha para clientes norte-americanos havia depósitos que totalizavam cerca de US$ 18 bilhões; Birkenfeld estimava que as contas não declaradas rendiam ao banco cerca de US$ 200 milhões ao ano em tarifas. O Departamento de Justiça norte-americano tomou medidas para o indiciamento, concluídas com a assinatura de um acordo de cessação em fevereiro de 2009. O acordo sinalizava que o banco admitira ter auxiliado seus clientes a sonegar impostos nos Estados Unidos, ajudando-os a omitir o informe de requisitos e a dissimular a propriedade de contas. O UBS pagou US$ 780 milhões como parte de um acordo em que se exigiu que fossem fornecidas identidades e informações das contas de numerosos outros clientes norte-americanos que haviam depositado dinheiro em sua filial *offshore*. O então presidente do UBS respondeu assim ao acontecido: "A confidencialidade do cliente, com a qual o UBS continua comprometido, jamais foi concebida para proteger atos fraudulentos ou a identidade desses clientes que, com a assistência ativa de funcionários do banco, utilizaram de modo indevido a proteção de confidencialidade".[17] A inviolável regra do sigilo bancário suíço recebeu, assim, um golpe poderoso nos EUA.

Logo após, Birkenfeld foi libertado da prisão e recebeu US$ 104 milhões do fisco pela ajuda que havia fornecido. As instituições financeiras que continuam a oferecer oportunidades *offshore* a cidadãos norte-americanos deveriam prestar atenção ao imenso poder e alcance da jurisdição extraterritorial dos EUA: a mera ameaça de uma ação judicial conseguiu obter uma informação que as regras de confidencialidade dos bancos suíços tinham evitado que se tornassem públicas durante décadas. Birkenfeld foi, por fim, muito bem recompensado por essa breve permanência na prisão, um claro incentivo a outros delatores e àqueles que no momento esperam por um julgamento relacionado ao caso do UBS. Caso os indiciados, inclusive o ex-chefe de Birkenfeld, fossem condenados e decidissem cooperar, a proteção do protocolo bancário suíço poderia muito bem se fragmentar e revelar o que permaneceu impenetrável para *outsiders* por tanto tempo.

A precipitação do caso do UBS e as evidências adicionais da mentalidade dos bancos europeus operantes em *offshores* surgiram em 2013, quando foi anunciado que o banco suíço Wegelin estava prestes a fechar após ter assumido a culpa por ajudar cidadãos norte-americanos a sonegar impostos na casa de US$ 1,2 bilhão durante uma década.[18] Essa atividade parece ter tido um aumento acentuado depois dos eventos de 2008; após sua desastrosa exposição naquele ano, o UBS, a exemplo de outros bancos *offshore*, começou a recusar clientes norte-americanos, indicando que muitas pessoas procuravam a instituição como alternativa. A gerência sênior do Wegelin, de modo destemido e ignorando o crescente risco que corria com esse comportamento, procurou lucrar com o negócio que o UBS havia abandonado. Clientes preencheram declarações falsas junto ao fisco e o banco abriu contas e forneceu contas não declaradas em nome de entidades de reputação duvidosa em paraísos fiscais para se livrar de um exame mais apurado, acreditando, ao que tudo indica, que sua localização na Suíça significasse estar sujeita às leis nacionais de sigilo. No final, isso não fez diferença. O Wegelin concordou em pagar US$ 57,8 milhões e foi obrigado a fechar as portas, sendo o primeiro banco estrangeiro a alegar culpa nos EUA desde o começo da derrocada geral. Além da alegação de culpa e aceitação de responsabilidade pela conduta na trama para ajudar contribuintes norte-americanos a sonegar o fisco, o Wegelin também apresentou uma réplica ao memorando de sentença do governo na qual afirmava, entre outras respostas ao Estado, que o governo norte-americano tinha sido "incorreto ao tentar 'pintar' o Wegelin como uma instituição trapaceira, comportando-se de maneira muito diferente dos outros bancos" e que ele "havia perdido a linha de raciocínio correta" ao chegar a algumas de suas conclusões.[19] A resposta destaca o fato de que um banco talvez não perceba realmente que a oferta de alguns de seus serviços arriscaria um indiciamento criminal nos Estados Unidos.

Todavia, os dominós continuam a tombar, pois o Departamento de Justiça norte-americano abriu investigações sobre mais de uma dezena de bancos suíços suspeitos de atos similares desde 2008. Um dos casos que chamaram a atenção da opinião pública nos últimos tempos foi o do Credit Suisse, que constava do "Case Study in Swiss Secrecy" [Estudo de Caso sobre o Sigilo Suíço], no relatório de 2014 do Subcomitê Permanente de Investigações do Senado dos Estados Unidos.[20] A investigação descobriu que o Credit Suisse mantinha contas bancárias para mais de 22 mil clientes norte-americanos, contas essas que, ao todo, somavam cerca de US$ 13 bilhões, entendendo-se que a maioria não era declarada. A investigação descobriu que a instituição ou "fez vista grossa" para o *status* de "contas não declaradas" ou "ativamente auxiliou clientes" que desejavam burlar suas obrigações junto ao fisco dos EUA.

Aparentemente, o banco atraía potenciais sonegadores fiscais com um dos seguintes métodos: dirigentes dos bancos eram enviados aos Estados Unidos para recrutar clientes "em segredo"; foi montada uma unidade em Nova York com o propósito expresso de dar apoio às atividades suíças; os clientes eram encaminhados a intermediários para abrir contas fictícias em *offshores*; e um escritório do grupo foi aberto no aeroporto de Zurique para receber clientes norte-americanos após desembarcarem na Suíça. Documentos oficiais mostram o que um dirigente de banco dizia aos clientes desejosos de enviar dinheiro aos Estados Unidos sobre o que era necessário fazer em transferências inferiores a US$ 10 mil, para escapar dos requisitos informativos regulatórios. Alguns clientes recebiam um serviço de entrega com um "toque pessoal"; como uma série de clientes solicitava o não envio de demonstrativos financeiros a eles em solo norte-americano, os bancos suíços prestavam um serviço de entrega personalizada referente à documentação das contas.

Em 2011, sete ex-funcionários do Credit Suisse e o fundador de um truste suíço foram indiciados por conspiração para fraudar o fisco norte-americano. Em maio de 2014, dois dos oito indivíduos — Andreas Bachmann e Josef Dörig — admitiram a culpa das acusações contra eles. A peça processual em *Estados Unidos vs. Andreas Bachmann* é uma leitura fascinante e detalha um "incidente" particularmente espinhoso para Bachmann, servindo para sublinhar o conluio entre dirigentes do banco e clientes sonegadores. No início de 2000, Bachmann viajou para os Estados Unidos a fim de se encontrar com clientes. Em uma de suas reuniões em Nova York, um cliente entregou a Bachmann US$ 50 mil em dinheiro, para que ele o depositasse em uma conta não declarada. Aderindo à norma de jamais carregar dinheiro em espécie ao cruzar fronteiras norte-americanas, Bachmann tinha uma reunião agendada com outro cliente no sul da Flórida, que desejava fazer um saque, no mesmo valor, de sua conta não declarada. Um ligeiro empecilho ocorreu quando um policial encontrou o dinheiro na bagagem de Bachmann, antes da próxima reunião no sul da Flórida. Houve apenas um breve interrogatório do executivo, e depois lhe permitiram continuar a viagem, mas seu cliente mudou de opinião ao saber que Bachmann estava sendo monitorado por agentes federais e, com receio, decidiu não aceitar o dinheiro. É bem provável que mais por ansiedade do que por qualquer outro motivo, o executivo empacotou o dinheiro, colocando-o em sua bagagem de mão, e viajou de volta à Suíça. A peça descreve a tolerância de seus superiores quanto às práticas dele, embora uma declaração do banco ao Subcomitê do Senado expressasse que essa conduta inapropriada havia se limitado a um pequeno grupo de dirigentes de bancos sediados na Suíça e que os gerentes executivos não estavam cientes das ações desses indivíduos.[21]

Em maio de 2014, o Credit Suisse admitiu em juízo sua parcela de culpa na fraude, por auxiliar clientes norte-americanos com a apresentação ao fisco de declarações falsas de imposto. O CEO expressou em uma declaração pública que a instituição "lamentava muito a conduta inapropriada do passado", que levara a admissão de culpa, multas e indenização no total de US$ 2,6 bilhões.[22] No caminho contrário do trilhado por outros bancos, que firmaram acordos de DPA, o Credit Suisse é considerado um banco condenado pela justiça norte-americana.

Porém, para a surpresa de vários observadores, o Departamento de Justiça não exigiu como parte do acordo que o banco revelasse o nome de seus clientes norte-americanos com contas na Suíça. Nos dias de hoje, ainda não se sabe se o nome dos titulares de contas não reveladas será, em algum momento, revelado sob força da poderosa lei norte-americana, o FATCA. Implementado em 2010, o FATCA encarrega as instituições financeiras estrangeiras de cumprir a legislação norte-americana de transparência financeira e relatar ao fisco detentores de contas residentes nos EUA, além de dar detalhes sobre as contas e os rendimentos retidos. As instituições que deixarem de cumprir essas exigências serão banidas do sistema financeiro norte-americano, sendo-lhes negado acesso a serviços bancários correspondentes e, portanto, incapacitando-as de fazer parte do sistema financeiro global. Diversos países já se tornaram signatários e, apesar de uma tremenda oposição, foi firmado um acordo sobre a implementação do FATCA entre os Estados Unidos e a Suíça em 2013.

Se os Estados Unidos conseguirem impor o FATCA em todas as regiões do mundo, as instituições financeiras de cada jurisdição deverão cumprir suas exigências para auxiliar o fisco norte-americano, independentemente das leis de seu país. Apesar do descontentamento de alguns países sobre a invasão de sua soberania e do novo ônus de *compliance*, a realidade é que as penalidades impostas por autoridades norte-americanas por falta de cumprimento são bastante fortes, superando as meras multas financeiras impostas até o momento em questões dessa espécie, que, ao longo do tempo, muitas instituições têm-se arriscado a levar, preferindo-as a perder o rendimento que ganham por burlarem as regras. Resta ainda saber se a implementação das diretrizes do FATCA por parte dos bancos será similar à que ocorreu no caso da QI, quando os bancos empenharam um tremendo esforço para contornar a legislação ao mesmo tempo que davam a impressão de estarem cumprindo com suas obrigações. O progresso do FATCA nos dará informações bastante precisas sobre a disposição de correr riscos, não só por parte de instituições financeiras, mas também de países inteiros. As instituições que no passado se contentavam em prestar serviços àqueles que desejavam praticar sonegação fiscal pelos métodos clássicos enfrentarão penalidades muito maiores e correrão riscos muito mais altos se optarem pela não conformidade.

O aumento do interesse em se evitar a sonegação fiscal não tem ficado restrito apenas aos altos escalões da política. O sentimento crescente de injustiça pública tem sido aproveitado por grupos de pressão e explorado por políticos que, cada vez mais, condenam aqueles que tomam até mesmo medidas lícitas para minimizar as tributações. Em 2012, quando se revelou que o comediante britânico Jimmy Carr participara de um esquema de elisão fiscal lícito de tipo K2 instalado em Jersey, a reação da mídia foi tão hostil que ele (que não havia violado nenhuma lei) decidiu emitir uma nota de desculpas pela conduta e sair do esquema. O primeiro-ministro David Cameron alardeou que o arranjo utilizado por Carr era "incorreto do ponto de vista moral".[23] Depois, no mesmo ano, Margareth Hodge, presidente do Comitê de Contas Públicas do Reino Unido, disse que a sociedade consideraria os métodos de elisão fiscal "completa e totalmente imorais", visão essa repercutida por Cameron no Fórum Econômico Mundial de Davos em 2013, quando abordou a elisão fiscal como principal tópico da agenda para o G8 e criticou a conduta de empresas que usam "um exército de contadores argutos" para evitar as regras fiscais. Quando veio à tona, em maio de 2014, a notícia de que Gary Barlow, ex-integrante da banda Take That, havia investido em um esquema considerado por um juiz como elisão fiscal em essência, Cameron pronunciou-se mais uma vez, chamando-os de esquemas agressivos de elisão, mas rejeitou os pedidos para que Barlow fosse destituído de sua medalha da Ordem do Império Britânico.[24] Embora as ações de Barlow possam ter sido consideradas imorais, e ele (com mais outros mil investidores em parcerias similares) provavelmente tenha de enfrentar uma pesada penalidade tributária, não há indício de prática criminosa de sua parte.

O conceito de operações bancárias "éticas" está surtindo efeito. Em fevereiro de 2013, foi anunciado que o Barclays estava prestes a desmantelar suas atividades de mercados de capital estruturado. Essa era a divisão responsável por obter a maioria dos lucros mais polpudos de investimentos, graças a contratos e complexos esquemas internacionais estruturados com o objetivo de escapar da tributação. Apesar de o banco não ter sido acusado de atividades ilegais em relação a esses esquemas, enfrentou críticas na mídia e de inúmeros membros do *establishment* político, que foram ainda mais ressaltadas pela sua implicação no escândalo de manipulação da LIBOR. Em uma declaração que falava sobre a mudança, o principal executivo da instituição, Anthony Jenkins, afirmou: "Embora isso [o uso de estruturas fiscais] seja legal, prosseguir com essas atividades é incompatível com nosso propósito e incompatível com os novos princípios fiscais que hoje professamos. Não nos envolveremos com elas de novo".[25]

CENÁRIO

Dito isso, a ética não significa muita coisa para quem está preparado para ir além do meramente questionável e se envolver em atividades criminosas descaradas. Isso é demonstrado no cenário a seguir, que descreve as atividades ilegais de um consultor fiscal em conluio com um agente esportivo que tem uma série de abastados clientes atletas, de alto perfil, desejosos de reduzir os impostos sobre suas rendas, tanto a decorrente de atividade esportiva quanto a de lucrativos contratos de publicidade. Como complemento, o cenário inclui ainda a corrupção de um dos astros, procurado por um grupo asiático de apostas. Esse atleta em particular é um jogador de bilhar que recebeu uma boa soma do grupo para perder, de propósito, algumas de suas partidas.

Como pano de fundo, o governo britânico aumentou em 50% a alíquota do imposto de renda para os contribuintes de renda mais alta, incentivando a aproximação entre o consultor fiscal e o agente esportivo com uma proposta simples. O consultor explica ao agente que tem um meio infalível e "seguro" de possibilitar aos clientes uma redução significativa de impostos, possibilitando-lhes pedir isenção fiscal por terem feito doações para fins beneficentes. Trata-se, como o consultor diz, de um "esquema em que todos saem ganhando", pois os atletas pagam menos impostos enquanto ganham visibilidade por doarem dinheiro a causas humanitárias, algo que será um bom negócio também para o agente, pois os clientes ficarão satisfeitos por serem menos tributados. Como atrativo extra, o consultor, que opera com uma comissão de 10% da economia em impostos, dividirá esse ganho meio a meio com o agente. O negócio é fantástico. Os astros do esporte, nenhum dos quais conhece muito bem os detalhes mais específicos da legislação tributária, embora estejam ansiosos por possuir casas maiores e carrões mais chamativos, concordam em participar. Acolhendo muito bem as somas a serem poupadas e a oportunidade de praticarem um trabalho positivo de relações públicas, deixam que o próprio agente elucide os detalhes do esquema e assinam qualquer documento que lhes seja apresentado.

São montadas duas empresas, cuja atividade declarada é a prospecção de petróleo e gás na Europa Oriental. Ambas são administradas por um escritório de advocacia em um centro *offshore* com 28 funcionários e 1.850 estruturas que ele "gerencia e controla". Apesar de operar um modelo "de esteira rolante", o escritório de advocacia atua como patrocinador oficial das empresas que desejam ingressar em uma bolsa de valores pequena, porém de renome internacional.

Os atletas são orientados a comprar ações de baixo preço das duas empresas dedicadas à prospecção de petróleo e gás. Eles fazem isso, um tanto estupefatos pela entrada súbita no setor energético, mas visando os benefícios prometidos. Alguns deles compram as ações no próprio nome, enquanto outros fazem-no por meio de empresas estabelecidas para gerir seus direitos de imagem. Quando todas as ações são compradas, o fornecedor de serviços empresariais organiza com sucesso o registro das duas empresas na bolsa de valores local. Desse ponto em diante, as ações das duas empresas são comercializadas com milhares de outras.

O preço das ações de ambas as empresas permanece estagnado nos primeiros quatro meses. Então, dentro de um período de duas semanas, ambas as empresas publicam boletins informativos alegando que sua atividade de prospecção está rendendo supostos resultados positivos. Ambos os boletins apostam na possibilidade de descobertas importantes na área de petróleo e gás. As notícias são recebidas de modo otimista pelos investidores e o preço das ações das duas empresas decola. Na realidade, não há nenhuma novidade substancial sobre elas e o preço das ações está sendo manipulado de maneira bastante artificial (essa artimanha é conhecida por *pumping* ou *ramping*).

O consultor fiscal orienta o agente a instruir seus clientes a doar ações a qualquer sociedade beneficente de sua preferência registrada no Reino Unido. A questão de o fato se tornar ou não público é deixada a critério deles. Os esportistas doam ações com valores entre 50 e 68 centavos de libra, muito superiores ao preço original de compra. Eles, então, recorrem ao HMRC para pedir isenção fiscal sobre as ações com base em seu valor no momento da doação. No total, as doações somam mais de £ 20 milhões a várias sociedades beneficentes, inclusive um abrigo infantil e uma organização que promove atividades esportivas entre adolescentes. É solicitado ao HMRC uma isenção fiscal superior a £ 19 milhões, incidindo sobre os lucros e rendimentos das empresas calculados com base nas ações doadas, sendo que o valor real das empresas em questão era muito mais baixo do que o valor alegado. Num verdadeiro passe de mágica, valores fictícios surgem, sob a forma de isenção fiscal, nos bolsos do consultor fiscal, do agente e dos atletas.

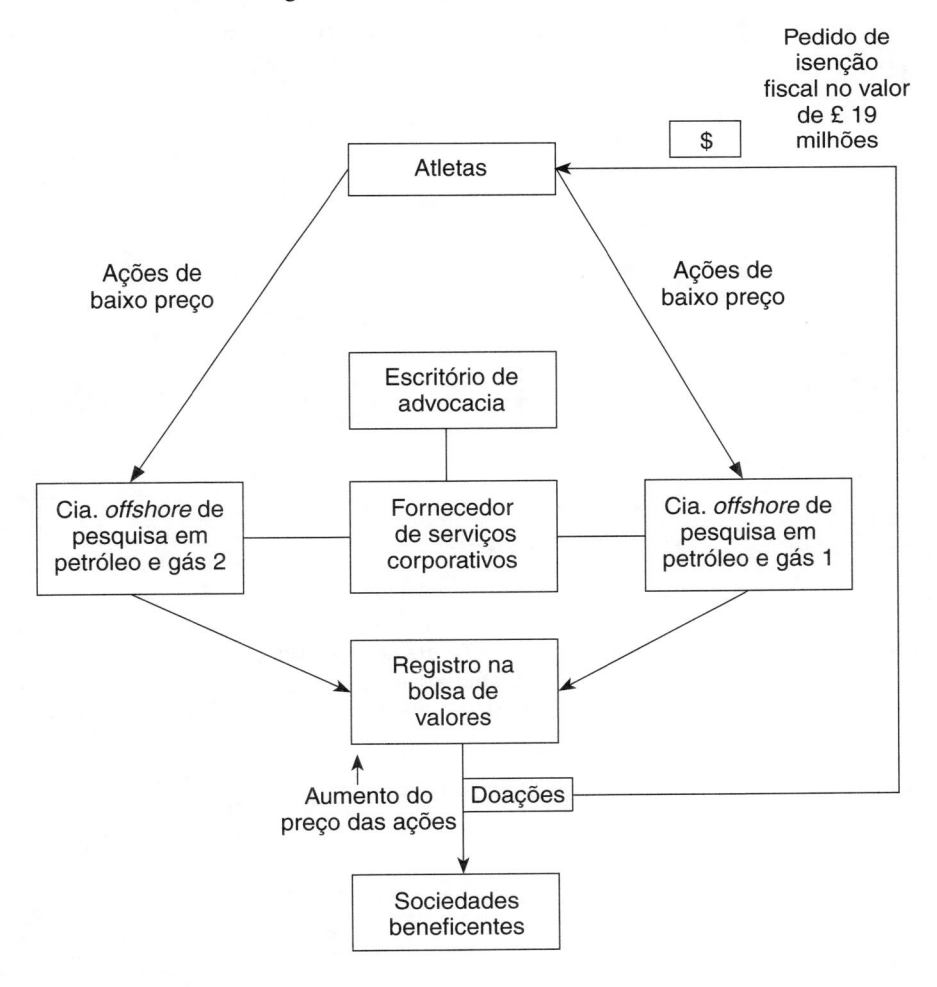

Um dos astros que participam do esquema é um jogador de bilhar, que canaliza seus fundos conforme a estrutura exibida a seguir. Ele solicita isenção fiscal por meio de uma empresa *offshore* no mercado asiático, que administra seus direitos de imagem. Dois anos antes, havia sido contatado por um grupo de apostas em Kuala Lumpur, na Malásia, com a promessa de benefícios significativos se tentasse "entregar" certas partidas. Quando os resultados desejados foram obtidos, recebera o pagamento. As propinas foram pagas por meio de uma empresa malaia de produtos para tratamento de cabelo, com a qual, em tese, ele tem um contrato de publicidade. Na realidade, não há contrato nenhum. No entanto, o jogador de bilhar está muito interessado em participar do esquema, na esperança de que isso o ajude a dar aos fundos uma camada adicional de legitimidade. A exemplo de tantos outros criminosos que buscam dar *pedigree* lícito a dinheiro adquirido de maneira ilícita, ele está muito interessado em pagar o mínimo possível do imposto incidente sobre esse dinheiro.

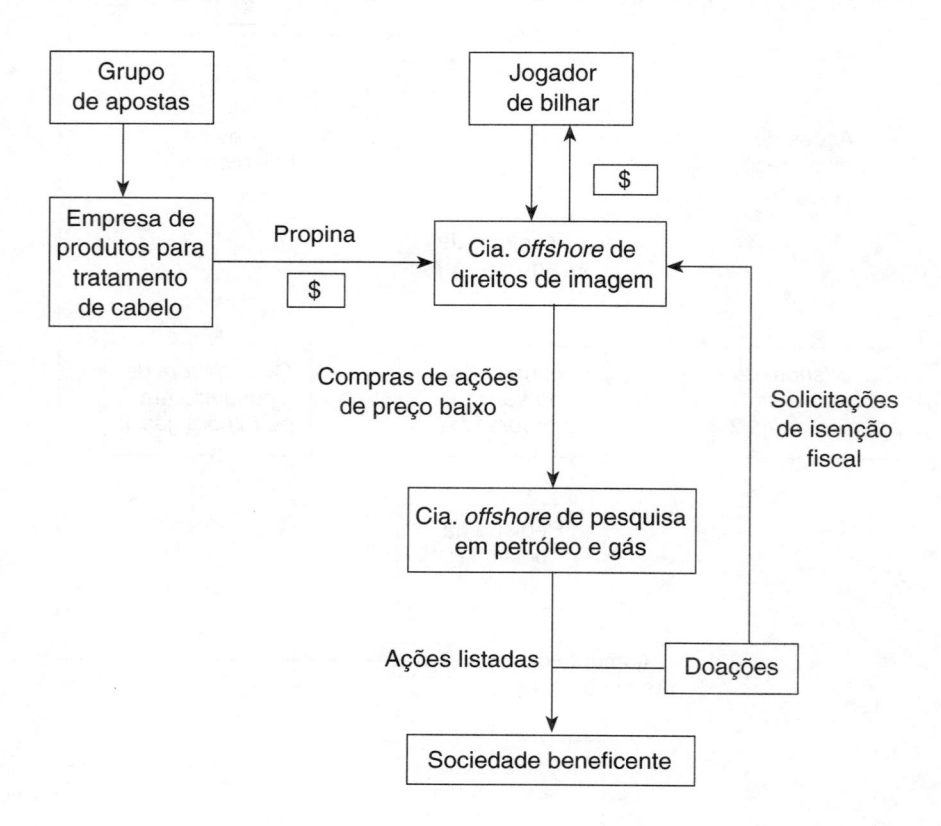

CAPÍTULO 11

CAUSAS E SOLUÇÕES

U m novo capítulo na história econômica e social teve início em 15 de setembro de 2008, quando o Lehman Brothers Holding Inc. "quebrou", com dívidas de US$ 613 bilhões, na maior falência já vista nos Estados Unidos. As pequenas ondulações se expandiram até se tornarem ondas enormes e, um a um, os maiores nomes das finanças internacionais foram engolfados pela ameaça da ruína total. Os governos de muitos países injetaram trilhões de dólares no sistema financeiro mundial para tranquilizar o ambiente e conter a disseminação.

Passados alguns anos do início da crise, os dominós ainda estão caindo: desempregados, proprietários de casas despejados e usuários dos sistemas públicos de educação e de saúde pelo mundo afora continuam a sentir diariamente os efeitos de cortes austeros. Enquanto os holofotes permaneciam focados na indústria, outras práticas abusivas e prejudiciais foram reveladas, surgindo novos escândalos com monótona regularidade. Apesar disso, o discurso sobre evitar a repetição dos eventos de 2008 parece ter perdido força, em especial com os últimos números indicando que as economias estão em recuperação e o Banco Mundial propondo que a economia global conseguiu uma "reviravolta" em 2014.

Iniciei este livro propondo uma convergência de fatores causais subjacentes a um espectro de condutas nocivas, desde a prática de assumir riscos excessivos do tipo visto no colapso do Lehman e a venda inapropriada de produtos ou serviços, além da fixação (manipulação) de taxas, violação de sanções e o papel do setor financeiro na lavagem de dinheiro e no favorecimento ao crime. Disse, ainda, que a aversão a identificar, examinar e reparar as causas da recessão global era espelhada no tratamento dado a crimes financeiros. Agora que estamos em um estágio em que a legislação e as ações de órgãos reguladores correm o risco de começar a não valer a pena, é necessária outra reforma — não apenas para evitar outro "colapso" no estilo de 2008, mas também para abordar de modo específico a lavagem de dinheiro e o favorecimento ao crime perpetrados pelo setor financeiro.

Ninguém pode negar que uma quantidade sem precedentes de tempo, energia e dinheiro tem sido investida para entender os detalhes que provocam o mau funcionamento do sistema e, por certo, como consequência, houve desenvolvimentos significativos. O Financial Services Act reformou o sistema regulatório britânico, criando a FSA e instituindo as agências PRA e FCA; o Banking Reform Act separou os bancos comerciais de varejo dos bancos de investimento, e nos Estados Unidos o Dodd Frank Act resultou nas maiores reformas da regulamentação do setor bancário desde a Grande Depressão. Mas não se pode negar que o que permanece é uma percepção tangível de que a soma total das medidas tomadas de modo global desde 2008 não foram suficientes e que a motivação vem caindo à medida que a recuperação econômica acumula fôlego. Em maio de 2014, Christine Lagarde, diretora-presidente do Fundo Monetário Internacional (FMI), disse sobre a reforma bancária: "A má notícia é que o progresso ainda é muito lento e a linha de chegada, ainda muito distante. Uma parte disso se deve à acentuada complexidade da tarefa que se tem em mãos. No entanto, devemos reconhecer que o problema também surge do forte recuo do setor e da fadiga instalada neste momento, resultado de uma longa corrida".[1]

Dada a interconectividade de todas as partes envolvidas para lubrificar a máquina de fazer dinheiro diante de uma série de variáveis jurisdicionais, saber abordar riscos e antecipar impactos se parece um pouco com entrar num jogo de xadrez tridimensional no meio de uma partida. Contra o pano de fundo da retórica lobista, da captura regulatória e outros tipos de conflitos de interesses, a tarefa às vezes parece quase impossível. Com certeza não são apenas alguns dirigentes de banco bem remunerados e mal-intencionados, que trabalham além da perspicácia de legisladores, reguladores e dos próprios bancos, os que representam as maiores ameaças; partindo-se do princípio de que se deve culpar a cobiça, os dirigentes de banco e seus bônus são, em geral, apresentados como os alvos principais. É evidente que os que visam lucros são protagonistas na modelagem de comportamentos na indústria financeira, mas as instituições financeiras e seus funcionários não trabalham no vácuo. Erradicar as causas subjacentes de deficiências institucionais evidencia o emaranhado de responsabilidades sustentadas não apenas pelos próprios bancos, mas também por legisladores e reguladores.

Uma reforma significativa depende de legislação e regulamentação rígidas e aplicadas aos próprios sistemas das instituições financeiras, sistemas esses que devem ser elaborados, implementados e controlados de maneira adequada — e estes são os tópicos do restante deste capítulo. Não pretendo ser exaustivo em minha análise, mas espero apresentar um resumo das mudanças mais urgentes que precisam ser feitas.

FATORES HUMANOS

O setor financeiro tem gasto somas bilionárias na elaboração e implementação de sistemas internos de controle à medida que aumenta a carga de *compliance* regulatória. Todavia, parece que ninguém parou para se perguntar por que não tem ocorrido um decréscimo perceptível nos comportamentos maliciosos. A resposta para isso é muito simples: o setor tem negligenciado o fato de que a maioria de seus problemas ocorre nos altos escalões. Um casamento feliz entre *as pessoas* corretas e os sistemas corretos é que é decisivo para uma reforma de sucesso. No entanto, embora os fatores humanos sejam tão importantes quanto os sistemas na gestão de riscos, eles têm sido, em grande medida, negligenciados pelo setor financeiro e seus reguladores.

A ênfase equivocada em soluções voltadas para os sistemas cresce à medida que os legisladores reagem a cada escândalo, aprovando novas regras e exigindo... (adivinhe!) mais sistemas. O efeito tem sido similar ao da calculadora eletrônica sobre nossa aptidão aritmética, com funcionários de instituições financeiras cada vez mais incapazes ou sem vontade de pensar, confiando, em vez disso, no "sistema". Já passou da hora de fazermos uma avaliação e lembrarmos que as finanças são, sobretudo, uma atividade ligada a pessoas. O fato de não nos lembrarmos disso surpreende ainda mais se considerarmos os avanços feitos na análise dos fatores humanos em outros campos de atividade, como a aviação e a medicina. Os fatores humanos no setor da aviação vêm sendo estudados há anos, pois existem indícios de que os erros de julgamento humano, e não falhas mecânicas, são as causas subjacentes da maior parte dos acidentes aéreos. Na melhor das hipóteses, os erros humanos resultam em perda de tempo ou ineficiência em processos de segunda ordem; na pior das hipóteses, custam vidas. Com base em lições muito dolorosas, o processo de recrutamento de pilotos agora "seleciona" candidatos que exibem as características que mais se aproximam das mais valorizadas pelo setor financeiro. Sendo assim, por que em um setor, que detém uma parcela tão extraordinária de poder, o aspecto humano de correr riscos e ter comportamentos maliciosos tem sido tão negligenciado? Será que o medo da derrocada social após o colapso do Lehman não merece a mesma atenção concedida aos fatores que influenciam o comportamento de pilotos, médicos e outros profissionais que todos os dias enfrentam riscos?

Uma das razões para a falta de foco nos fatores humanos na indústria financeira é, sem dúvida, o fato de os empregos no setor terem uma aura de vocação, não de profissão. Embora o setor esteja repleto de fornecedores de serviços profissionais — advogados, contadores, profissionais de fundos fiduciários, secretárias diplomadas, corretores de seguros etc. —, nenhuma de suas funções-chave, como diretor de conselho consultivo, gerente de *compliance* ou diretor da área de risco, é considerada uma disciplina profissional em si, que exija um nível correspondente de treinamento profissional, qualificação e avaliação continuada. Nos últimos anos, tem havido avanços quanto à exigência de uma aprovação regulatória para indivíduos preencherem as chamadas "funções controladas", e um regime de aprovação mais rigoroso de dirigentes de bancos seniores já está implementado no Reino Unido, mas ainda há um longo caminho até se atribuir *status* profissional de fato a essas funções pela imposição de requisitos rigorosos de qualificação profissional. A necessidade de profissionalização do setor bancário para que se atinjam padrões mais altos parece estar em conflito com a visão de Mark Carney, presidente do Bank of England, que declarou no final de 2014: "Para criar essa percepção sistêmica, a atividade precisa ser vista como uma vocação, com altos padrões éticos que, por sua vez, acarretam certas responsabilidades".[2] Ninguém poderia questionar esse objetivo, mas é precisamente porque o setor bancário tem sido considerado uma vocação, um chamado ao enriquecimento, que ele se tornou tão adoentado. Deve-se ensinar e inculcar competências técnicas e padrões éticos altos. Para que isso seja feito de modo efetivo, a atividade bancária deve ser vista como uma profissão que incorpora várias faixas ao longo de diversas funções bancárias profissionais. Em seu cerne, portanto, a ignorância dos fatores humanos na área financeira tem sido sintomática da falta de profissionalismo no setor financeiro.

Como consequência, há uma porção de deficiências dos fatores humanos, que vão desde uma enorme incompetência técnica no nível das diretorias até as características pessoais e tipos humanos mais valorizados no setor. Não é surpresa alguma que os executivos mais proativos do setor bancário em geral reflitam a personalidade alfa de Gordon Gekko* e recebam as melhores remunerações, comunicando aos demais que o comportamento agressivo e às vezes antiético compensa. Com bastante rapidez, esses exemplos começam a contagiar e, depois de um tempo, a dominar a cultura de uma organização. Outras consequências incluem a promoção dos tipos de personalidade dominante para posições-chave de gerência e o desenvolvimento de ambientes de trabalho ameaçadores e não amigáveis, em que os funcionários com informações vitais sobre malfeitos não raro permanecem mudos.

Com certeza, as instituições financeiras estão no ramo de ganhar dinheiro e é evidente que há nelas a necessidade e um lugar para ambiciosos e estereótipos impetuosos de Wall Street. Mas é a combinação de pessoas com distintas personalidades dentro de uma organização e a autoridade e o poder compartilhados entre elas o que de fato importa. Considere a ponte de comando de um transatlântico: em um assento está um brilhante capitão intuitivo preparado para economizar combustível, de modo que a empresa operadora do navio

---

* Gordon Gekko é o personagem fictício do filme *Wall Street* (*Poder e Cobiça*, aqui no Brasil), de 1987, que se tornou o símbolo do especulador inescrupuloso. (N.T.)

lucre um pouco a mais. Como passageiro, quem você gostaria que estivesse sentado ao lado dele com poder de veto? A resposta com certeza seria um comandante mais analítico, mais calmo, com os olhos focados nos pontos onde estão os *icebergs*. Os que correm riscos na indústria de serviços financeiros têm mantido o chicote nas mãos por tempo demais, enquanto os responsáveis pela gestão de riscos têm sido tratados — e, portanto, considerados internamente — como funcionários de segunda linha. O problema é que sempre é mais atraente arriscar do que adotar a abstinência, em particular quando o risco compensa e começam a se ouvir os estouros de garrafas de champanhe. Cabe aos diretores responsáveis pela administração das instituições reconhecer essa fundamental discrepância de *status* interno e fazer arranjos para o reequilíbrio. Os diretores precisam reconhecer que os fazedores de fortuna sempre serão capazes de quantificar o valor do negócio recusado em razão de controles e diretrizes internas, enquanto os gestores de risco nunca serão capazes de quantificar a economia de custos devida à prevenção de desastres. A dificuldade é que vários diretores são ex-Gekkos com improvável disposição para adotar essas mudanças a não ser se tiverem uma nova e significativa dificuldade: a perspectiva de serem algemados, interrogados e de se sentarem no banco dos réus ou, na melhor das hipóteses, sofrerem sanções. Essa discrepância de *status* reforça os estereótipos das funções de risco, *compliance* e ética. Menosprezados no trabalho, invisíveis e considerados irritantes por aqueles que estão nos cargos principais tocando os negócios, esses funcionários precisam com urgência de uma boa injeção de *status*, autoridade e recursos. Isso não acontecerá até que as instituições financeiras sejam administradas por diretores profissionais que, como pilotos, sejam habilitados e qualificados na arte de equilibrar riscos e recompensas e reconheçam que a cereja não é nada sem o resto do bolo.

Não pode haver dúvida de que a cultura de muitas instituições financeiras é falha. Seria conveniente presumir que os manipuladores das taxas LIBOR, os que fizeram vendas inapropriadas de produtos e serviços, bem como os gerentes de relacionamento, simplesmente não perceberam que seus clientes eram criminosos, mas esses comportamentos são, de fato e com frequência, produto dos meios em que trabalham. Com certa regularidade, as investigações que se seguem atribuem a culpa a certos funcionários que, então, são convenientemente destituídos de suas funções, sem que a organização seja obrigada a confrontar a pergunta fundamental: *até que ponto o funcionário era um produto do nosso [seu] meio?* Talvez isso explique por que observamos repetidos malfeitos em instituições financeiras de grande porte. As atividades devem ser lideradas por diretores e policiadas por reguladores que saibam que a cultura (não apenas a cultura organizacional mais ampla, mas também subculturas em divisões ou unidades de negócios) modela atitudes frente ao risco e à ética. Cada exemplo de comportamento tóxico deve ser seguido por uma avaliação objetiva do meio no qual um funcionário operava. Despedir ou punir um infeliz funcionário que apresentou uma conduta que não era abertamente aceita pela gerência, mas era encorajada e recompensada de modo dissimulado, é o equivalente a tentar usar um dedo para deter a vazão de água de uma represa. Como, então, influenciar essa cultura de maneira positiva? A resposta não está na declaração da missão, mas sim no exemplo. As diretorias têm os comportamentos organizacionais que merecem. Um velho ditado define isso como: "Um peixe começa a apodrecer pela cabeça!" Se diretores e gerentes seniores exibem um comportamento errado, seja em termos de interações com colegas ou em relação à falta e à qualidade de informações em que se baseiam para administrar o negócio, ou ainda em termos da frequência com que aprovam a não aplicação de controles internos de devida diligência para clientes muito valorizados, eles contaminarão o comportamento de toda a organização. Nesse caso, mais uma vez, a importância de se profissionalizar a indústria financeira é relevante — uma profissão vai além da mera competência —, pois bons padrões profissionais incorporam, fomentam e encorajam o caráter e os padrões éticos entre seus praticantes.

A lei obriga que toda estrutura empresarial tenha diretores — desde a empresa "limitada" britânica, passando pela "Société Anonyme" de Luxemburgo até o "Inc." norte-americano, e muito mais. As diretorias que governam instituições financeiras de grande porte como as que mencionei ao longo deste livro tendem a ter menos de vinte membros: o JP Morgan Chase & Co. tem 11, e o Goldman Sachs Group Inc. e o Credit Suisse têm, cada um, 13; em cada caso, a diretoria é o coração ativo da estrutura de governança do banco. Entre uma série de responsabilidades e poderes, a diretoria anuncia a estratégia e os objetivos do grupo e tem a capacidade de determinar a cultura, o espírito e a transparência de uma organização. Assim, evidencia-se com rapidez que o sucesso ou fracasso não raro relaciona-se ao desempenho da diretoria.

Há diretores de instituições financeiras espalhadas pelo globo que são incompetentes em termos técnicos. Isso não é surpresa, pois, até bem pouco tempo atrás, os diretores, em sua maioria, eram escolhidos entre seus pares. O ignorante que seleciona o ignorante pode gerar um grupo homogêneo de indivíduos que não conseguem, em coletividade, identificar os riscos mais urgentes em uma organização. Nos últimos anos, os reguladores quiseram chamar para si a tarefa de aprovar a indicação de diretores de instituições financeiras, mas a estratégia deu para trás quando continuaram a ser feitas indicações erradas por parte de instituições que agora se sentiam respaldadas em suas decisões de indicação, pois tinham autorização regulatória para prosseguir. A crença dominante é que, mesmo após a crise de 2008, uma pessoa pode ser aprovada para ocupar um posto na diretoria de uma instituição financeira importante sem passar em um exame de avaliação de competência técnica em áreas como risco, conflitos de interesse, governança e fatores humanos. É preciso passar por exames escritos e práticos para dirigir um carro, mas não para administrar um banco. Isso foi muito ressaltado durante as entrevistas empreendidas pelo Comitê de Seleção do Tesouro do Parlamento britânico em sua investigação sobre a crise bancária. O ex-presidente do HBOS, lorde Stevenson, o ex-CEO do RBS, Fred Goodwin, e o ex-presidente do RBS, sir Tom McKillop, revelaram suas qualificações formais para atividades bancárias. Embora pudessem demonstrar uma imensa experiência, o questionamento do Comitê revelou que nenhum deles possuía tais atributos.

O fato de que há diretores desqualificados espalhados nos conselhos do setor evidencia que existe uma grosseira subestimação da natureza profissional dos diretores de uma instituição financeira, e que a única maneira de solucionar isso é impor qualificações, treinamento e padrões profissionais. Há certificados emitidos por órgãos, como o Instituto de Diretores do Reino Unido, mas nenhum deles é compulsório ou voltado especificamente à indústria bancária. Para que os diretores estejam preparados para entender e cumprir suas responsabilidades, o treinamento e a certificação profissional devem ser exigidos por lei. Todos os pilotos, advogados, contadores, cirurgiões e enfermeiras fazem isso, e não vejo ninguém dizendo que deveria ser diferente. Como pode ser, então, que indivíduos dirijam um banco que detém bilhões em ativos, ocupando sua posição sem nenhuma credencial que evidencie as competências apropriadas e o conhecimento específico para a função de diretor de uma instituição?

O ritmo da inovação nos serviços financeiros é tão rápido que a educação continuada dos diretores também é vital, e com isso não me refiro simplesmente a ler o *Financial Times* toda manhã, mas a um treinamento contínuo sobre os produtos, serviços, mercados e riscos pertinentes a qualquer tipo de organização que administrem. Na aviação comercial, as habilidades dos pilotos são testadas em média uma centena de vezes ao longo de sua carreira. Nas indústrias financeira e bancária, basta um diretor sentar-se à mesa do conselho e proibir quaisquer investigações regulatórias que suas habilidades jamais serão testadas por terceiros. O conforto de estar no topo contrasta de modo brutal com o interesse público no modo como as instituições são administradas. Por certo, deter qualificações profissionais em si não garante uma administração com perícia e sem falhas, requerida por instituições financeiras. Órgãos profissionais jamais evitam por completo a prática de médicos e advogados incompetentes. Mas estabelecer um nível suficientemente alto para o ingresso nessas funções e agir rapidamente para suspender ou revogar o *status* profissional daqueles que não forem merecedores do cargo são, sem sombra de dúvida, os melhores meios que possuímos para garantir que as pessoas corretas sejam selecionadas para uma determinada função, e que continuarão assim durante o tempo em que permanecerem nesse cargo.

Além da competência técnica, as características mais importantes de um diretor eficaz são a disposição de fazer perguntas difíceis e contestadoras e de "sacudir o ambiente". A relutância em fazer essas duas coisas parece parte de uma prática geral em que os diretores deixam de dedicar atenção suficiente aos itens difíceis da agenda por medo de expor sua ignorância quando se sentam à mesa do conselho. A fábula *A Roupa Nova do Imperador*, de Hans Christian Andersen, guarda maior relevância hoje do que quando ele a escreveu, 180 anos atrás. Quantos membros do conselho nos bancos de grande porte, logo antes da deflagração da crise de 2008, sabiam exatamente o que uma CDO faz, como ela operava e quais os riscos a ela associados? Havia executivos que tinham uma suspeita de que algo não ia bem no Barings, mas não quiseram fazer perguntas que criassem constrangimento e, de qualquer forma, pensavam que alguém mais qualificado já estaria mirando os problemas — não é mesmo? Com certeza, as entrevistas conduzidas em 2009 pelo Comitê de Seleção do Tesouro deixaram claro que os membros dos conselhos diretores das instituições não entendiam os complexos produtos financeiros que seus bancos utilizavam. Um diretor que é capaz de identificar o que *não* sabe e, além disso, ter coragem de pedir a informação que preencherá essa lacuna de conhecimento, é muito mais valioso do que centenas de páginas de documentos expedidos pelos conselhos.

Diretores executivos formados na própria instituição podem ser produtos das estruturas inadequadas que supervisionam, o que os torna pouco habilitados para reconhecer o que há de patentemente errado no âmbito interno. Cada fibra deles está ajustada para impressionar os outros diretores, justificando sua própria indicação e mantendo seu *status*. Tendo subido a escada, eles não desejam "descer alguns degraus" e fazer perguntas sobre detalhes que, segundo presumem, devam conhecer. Até mesmo diretores executivos mais objetivos se veem na posição desconfortável de ser funcionários da organização que visam responsabilizar. Nem todos os diretores executivos têm a coragem de fazer perguntas "duras" aos empregadores, em especial se tiverem ambições. Assim, em termos estruturais, os conselhos com uma maioria representativa de diretores executivos podem ser inerentemente falhos — quanto maior a probabilidade de uma pergunta "tumultuar o ambiente" com algo grande e tóxico, tanto menor a motivação de algum diretor executivo perguntar, supondo que tem mesmo condições de fazer essa interrogação. Nesse caso, portanto, o papel dos diretores não executivos é crítico. Esses diretores não devem ter receio de falar a verdade. Além da necessária inteligência e do *know-how* técnico para conseguir entender as particularidades de cada produto ou serviço, e da informação do que é mais prioritário ao conselho, o diretor não executivo deve liderar o grupo, chamando a atenção para informações que ele não compreende. Pode parecer o contrário, mas ser capaz de revelar ignorância é um dos maiores atributos de um membro do conselho. Senão, o que repetidos escândalos e falhas da indústria financeira têm mostrado é que, quando os diretores não compreendem algo, eles não fazem nada.

Nada disso é apenas teórico. A ligação direta entre falhas operacionais de bancos e uma governança medíocre foi revelada com clareza por uma revisão independente, publicada em maio de 2014, sobre as falhas de supervisão do Co-operative Group britânico, e, embora num foco menor, do seu setor bancário. (Como se o grupo não houvesse obtido publicidade negativa suficiente, no mesmo dia em que o infeliz relatório foi publicado seu ex-presidente apareceu em um tribunal assumindo a culpa por posse de cocaína e metanfetamina.)

O grupo "Co-op", fundado há mais de 150 anos, opera em diversos setores além do bancário, sendo controlado por seus 8 milhões de membros. Em 2013, o grupo assinalou o maior prejuízo de sua história — £ 2,5 bilhões —, decorrente em grande medida dos rombos nas finanças do Co-operative Bank. Foi salvo do colapso total por um plano de resgate em que investidores externos, em conjunto, assumiram 70% de sua propriedade.

A revisão liderada por lorde Myners constatou que tanto a governança do Co-operative Group quanto de seu banco tinham graves deficiências.[3] Embora uma parte do conteúdo da revisão verse de modo específico sobre administração de uma organização com base em associados (que não é o caso da maioria dos bancos mencionados neste livro), vários dos achados e conclusões de Myners são pertinentes a estruturas de governança que abrangem o setor financeiro e, sem dúvida, corroboram a tese de que fazer uma reforma radical das estruturas existentes é fator decisivo na proteção do setor financeiro em relação a futuras crises.

Myners destacava, em particular, uma ausência inaceitável de habilidades, competências e qualificações relevantes, além de experiência dos dirigentes do Co-operative Group que, segundo constatou, indicava que os gestores eram insuficientemente monitorados, motivados, desafiados e orientados. Uma de suas propostas de soluções incluía uma reforma do sistema de indicação dos diretores, que dependeria de os candidatos preencherem uma série objetiva de critérios determinados por um exame detalhado de habilidades e da experiência ausente e existente no conselho. O relatório também lamentava o fato de os valores e princípios do grupo não terem sido inseridos na estrutura de governança; uma das sugestões de solução consiste, mais uma vez, numa reforma do processo de indicação de membros do conselho, que seriam obrigados a demonstrar compromisso com os valores do grupo desde o início de seu mandato. Um exame da cultura de governança do Co-op constatou, além disso, que se eximir de responsabilidade, silenciar opositores e divisões entre membros eram fatores dominantes, e que os membros do conselho do grupo executavam suas funções sem entender por completo o escopo de suas tarefas.

O grupo está embarcando em uma longa jornada rumo à recuperação, e é provável que haja desafios difíceis no futuro, sem contar que as investigações têm sido instigadas pela FCA, pela PRA e pelo Conselho de Relatórios Financeiros (Financial Reporting Council, FRC) à luz do desastre que assolou o Co-operative Bank. O relatório de Myners não deixa dúvidas de que constitui uma leitura desconfortável para muitas instituições financeiras cujas estruturas de governança são inapropriadas para seu propósito, e cujos executivos se perguntam se mudanças significativas não serão implementadas antes de eles próprios serem chamados à responsabilidade.

SISTEMAS

Foram escritos vários livros sobre o projeto e a implementação de sistemas efetivos de controle interno de riscos em instituições financeiras, e foge ao escopo deste livro apresentar um resumo deles. Os modelos variam entre aqueles em que as unidades de negócios são estimuladas a ser autônomas e dar conta das próprias decisões de risco e aqueles em que se requerem funções internas de avaliação de risco para autorizar novos produtos, novos clientes e operações com determinadas características. Há, acreditemos ou não, diversas versões híbridas intermediárias. Não há nenhum "modelo correto". Qualquer que seja o modelo empregado, a mesma deficiência, ou deficiências parecidas, podem provocar um desastre.

O propósito de um sistema interno de controle de risco de crime financeiro é o de prevenir e rastrear o mau uso de uma instituição no favorecimento ao crime e na lavagem de rendimentos de clientes. Esses resultados devem ser o ponto de partida na concepção de qualquer novo sistema de controle interno ou na avaliação da conveniência de um sistema existente, em particular à medida que cada vez mais produtos financeiros sofisticados são lançados no mercado e os delitos financeiros se adaptam a esse novo meio; os sistemas devem ser acompanhados de análises atualizadas e é necessário se elaborar métodos evoluídos de rastreamento. Na prática, isso quase nunca funciona desse modo, conforme se evidencia na confiança que a indústria financeira continua depositando no modelo de "colocação, ocultação e integração" de lavagem de dinheiro ao desenvolver seus sistemas e programas de treinamento de funcionários. Na pressa de obedecer às leis, ninguém parece ter parado para considerar o que os mecanismos de controle devem realizar e se eles são mesmo capazes de ajudar uma instituição a evitar o abuso do favorecimento ao crime e da lavagem de seus rendimentos. Espero que isso tenha ficado claro até o momento pelo fato de eu ter apresentado o papel que o setor financeiro desempenha na execução de diversos delitos — tráfico de drogas, suborno, corrupção, pirataria, tráfico de seres humanos, entrada ilegal de imigrantes, financiamento do terrorismo, violação de sanções e evasão fiscal. A maioria dos cenários no final dos capítulos anteriores mostra que o paradigma existente em lavagem de dinheiro não é apropriado para proteger bancos ou outros tipos de instituições financeiras do abuso criminal. A conduta, com muita frequência, não raro está oculta na perspectiva comum.

Para ser eficaz, um sistema deve ser baseado em riscos, no sentido de que precisa ser capaz de identificar clientes, produtos ou operações que apresentam maiores riscos e submetê-los a um nível maior de controle e monitoramento. O sistema precisa ser rígido o suficiente para suportar a pressão pela flexibilização do controle quando sua aplicação for considerada prejudicial aos relacionamentos com clientes valiosos. Como revelou-se em numerosos escândalos de lavagem envolvendo PEPS, as instituições que se referem com certo lirismo à eficácia de seu ambiente de controle podem fazer exceções aos clientes mais valorizados (e de mais alto risco), tornando seu ambiente de controle literalmente inútil.

Além de implementar controles baseados em risco que se aplicam a clientes e operações, o sistema deve ser capaz de gerar informações sobre seu próprio desempenho, de modo que os responsáveis possam tomar decisões informadas sobre como ele deve ser reformado ou adaptado. Saber o grau de eficácia (ou não) de um sistema existente é um componente crítico de um regime efetivo de governança. A situação não é diferente da de um piloto de avião. Para os pilotos, há vários fatores que devem ser considerados no intuito de avaliar se o risco está sendo gerido de modo adequado — o tempo, os passageiros (em particular desde o 11 de Setembro), a tripulação, as características particulares da pista de aterrissagem e, por certo, os sistemas do avião. O piloto estará sempre conferindo se os sistemas estão operando de maneira apropriada, tendo sido instruído para não confiar demasiado em como o sistema opera na prática. Deseja que o próprio sistema o alerte sobre anomalias ou defeitos; mas no setor financeiro, ao contrário, os sistemas não são concebidos para dar "más notícias", e sim para gerar informações que serão consumidas por membros seniores de uma organização; como resultado, o que se comunica "aos escalões mais altos" a partir do sistema é, com mais frequência do que nunca, muito mais notícias boas do que más.

Se ninguém do sistema de controle de risco quer revelar aos colegas da cadeia hierárquica que o sistema em relação ao qual têm responsabilidade operacional é defeituoso, isso representa um perigo óbvio. É preciso coragem para enviar uma mensagem que um chefe não quer ouvir. Os diretores de uma instituição financeira para quem, sem dúvida, devem convergir informações sobre a eficácia de um sistema precisam estar interessados de fato em ouvir não o que sabem que a maioria dos colegas mais novos quer lhes contar (as boas notícias), mas sim os dados que revelam as deficiências do sistema (as más notícias). A administração efetiva de riscos é um exercício crítico de informação, e um sistema de controle deve ser capaz de gerar más notícias ou pelo menos informações que instruam os diretores a fazer perguntas difíceis, que extraiam as más notícias. Se um sistema não faz isso, ele não é adequado para uso. As más notícias sempre devem ser bem acolhidas, e sempre se deve considerar que o serão também por toda a organização. Se isso não acontecer, em vez de serem compartilhadas, elas serão enterradas.

A experiência de Paul Moore no HBOS é um caso didático para entendermos as ameaças de um sistema e uma cultura que desvalorizam as más notícias. Moore, que foi o chefe do Group Regulatory Risk [Risco Regulatório do Grupo] do banco entre 2002 e 2005, disse que foi destituído de sua posição depois de expressar suas preocupações sobre os sérios riscos que o banco corria, enquanto o banco afirmava que, após uma reestruturação, a função dele seria cumprida por outra pessoa. A ação judicial movida por Moore em razão de sua demissão injusta resultou em um acordo em que, segundo ele, recebeu uma "indenização substancial", mas foi submetido a uma "mordaça".[4] No memorando que Moore escreveu em 2009, ele relatou que havia instigado o conselho a colocar em ata suas preocupações de que o banco "avançava rápido demais". Como se para enfatizar a voracidade do Conselho por boas notícias, foram indicados auditores do banco para examinar os pontos que Moore havia levantado, mas ninguém parou para questionar se os auditores não poderiam estar numa situação de conflito de interesses para avaliar as questões levantadas por Moore, que, à época, já tinha sido demitido.

A crescente pressão sobre os departamentos de *compliance* para rastrear os clientes, comportamentos e operações dúbias descritos ao longo deste livro tem resultado em um aumento na *quantidade* de controles, embora sacrificando sua *qualidade* e, portanto, sua eficácia. O aumento na quantidade de controles é, sem dúvida, resultado da tentativa, por parte dos departamentos de *compliance*, de manter um controle sobre a já extensa série de leis e regulamentações. Inserir essas informações nos sistemas de tal modo que gerem um resultado de qualidade depende de vários fatores inter-relacionados: a elaboração de sistemas automatizados, a capacidade de o sistema identificar anomalias relevantes e se as informações são integradas ou não de modo inteligente, a fim de construir um panorama cuja relevância seja maior que a soma de suas partes.

Os memorandos informativos submetidos aos membros do Conselho antes das reuniões em que terão de tomar decisões são, às vezes, sintomáticos da ênfase na quantidade e não na qualidade. As informações transmitidas à diretoria não raro assumem a forma de pastas e mais pastas de relatórios, a maioria dos quais um diretor consegue apenas folhear. Documentos que contêm pouca ou nenhuma análise das deficiências internas, e que são caracterizados pela inclusão judiciosa do que a diretoria quer ouvir, são inúteis. As atas podem ser interpretadas como uma recitação banal de tudo o que já estava contido nos memorandos informativos, oferecendo uma visão limitada sobre os fatores considerados na formação de opiniões ou para se atingir uma decisão, e de como esses fatores foram mutuamente ponderados. Elas carecem do fator "más notícias", em geral pelo receio de litígios judiciais ou do risco que as atas completas da diretoria resultem incriminatórias aos olhos das agências reguladoras. Se os reguladores oferecessem mais orientações e aplicassem regras mais rigorosas sobre as atas, assegurariam um processo de auditoria das deliberações em nível da diretoria que poderia promover melhor qualidade às discussões, com todas as notícias ruins e questionamentos registrados. Essas mudanças simples de obrigações de execução de atas poderiam de fato alterar o tom e a dinâmica das reuniões de diretoria, chamando a atenção dos diretores que, no fundo, sabem que não merecem ocupar um lugar na mesa da diretoria. Para que isso aconteça, procuradores e reguladores precisam se esforçar mais para tornar claro que a área financeira não é um ambiente isento de equívocos. Acidentes e prejuízos ocorrerão de modo inevitável, mas a culpa pode ser atribuída apenas se as instituições deixaram de adotar medidas preventivas para evitá-los. Atas de reuniões de diretoria que demonstram uma ciência institucional sobre riscos, cálculos e decisões dos diretores habilitarão os reguladores a avaliar com mais propriedade se uma instituição tem tomado medidas satisfatórias. Caso tenha, mesmo obtendo uma resposta errada, ela merece crédito.

Todavia, uma instituição só pode ter a esperança de implementar um sistema capaz de gerar notícias ruins se promover um gradiente de autoridade relativamente plano. Quando a diretoria fomenta um ambiente em que os funcionários operacionais receiam transmitir informações indigestas, esse controle específico passa a ser prejudicado. As reuniões do conselho tornam-se muito complacentes, além de haver falta de dinamismo na identificação e dissecação de vulnerabilidades que precisam ser incluídas nas atas. Algumas pessoas argumentam que uma mudança de cultura no sentido de maior comunicação de notícias ruins exige que se crie um ambiente de delação. Embora a necessidade de procedimentos de delação seja óbvia, uma ênfase nesse comportamento desconsidera a oportunidade de se estabelecer uma norma em que as notícias negativas tornam-se parte da agenda mais ampla da instituição com regularidade. Abordar um gerente ou executivo da instituição com informações indesejadas deve ser algo normalizado e estimulado (talvez por meio de um prêmio interno) como um modo saudável de administrar operações financeiras.

O PAPEL DE LEGISLADORES E REGULADORES

Andy Hornby atingiu o auge de sua carreira bancária quando foi nomeado CEO do HBOS, em 2006. Três anos depois, estava sentado diante do Comitê de Seleção do Tesouro, convocado para explicar seu papel na crise do setor bancário do Reino Unido. Hornby reconsiderou e admitiu os efeitos calamitosos e disseminados da negligência do banco, dizendo que o problema "afetou acionistas, muitos dos quais colegas; afetou as comunidades em que vivemos e às quais servimos; e afetou, com certeza, os contribuintes. A instituição lamenta muito a série de eventos que culminou nessa situação toda!".[5] Outros que se revezaram para prestar depoimento expressaram sentimentos tão pesarosos quanto esses. Lorde Stevenson, Fred Goldwin e *sir* Tom McKillop concordaram que foi horrível, que jamais deveria ter acontecido e que todos lamentavam muito.

Você seria muito ingênuo se pensasse que os procedimentos jurídicos e regulatórios eram iminentes — uma multa pelo menos, quem sabe, e talvez mesmo a desqualificação? No final, Hornby foi recebido de braços abertos para liderar a empresa de apostas e jogos Coral, da FSTE 250. É ainda o presidente da Pharmacy2U, que defende sua inclusão no conselho como um profissional que "contribuirá com sua vasta experiência por ter trabalhado em uma série de organizações de primeira linha".[6] Lorde Stevenson é diretor-conselheiro da Waterstones Holdings Limited; Goodwin "aproveita a vida" em uma aposentadoria precoce; McKillop "divide-se" entre as diretorias da empresa de biotecnologia Evolva Holding SA, da empresa de tratamento de saúde Alere Inc. e da empresa biofarmacêutica UCB SA. Stephen Green, que era presidente do grupo HSBC Holdings Plc entre junho de 2006 e dezembro de 2010, foi agraciado com o título vitalício de "Barão Green de Hurstpierpoint" e, em 2011, tornou-se ministro de Estado do governo britânico para a pasta de Comércio e Investimento. Green continuou no cargo de ministro do governo até 2013, apesar de, em 2012, seu antigo banco ter sido multado em US$ 1,9 bilhão por seu controle leniente contra a lavagem de dinheiro que, segundo alegações, permitiu que cartéis de drogas mexicanos lavassem seus lucros, restando ao novo executivo-chefe do grupo HSBC, Stuart Gulliver, comentar que "entre 2004 e 2010, nossos controles contra a lavagem de dinheiro deveriam ser mais vigorosos e efetivos, e que haviam deixado de identificar e lidar com comportamentos inaceitáveis".[7] O que tudo isso quer dizer? Que os diretores e executivos seniores são, de modo geral, pouco responsabilizados nas instituições envolvidas em malfeitos. Há com certeza uma discussão a ser travada sobre a ética de executivos desacreditados aceitarem indicações potencialmente lucrativas e prestigiosas, embora a posição deles seja similar à de um sonegador: se não for ilegal e houver benefício futuro, eles continuarão a fazer isso. Essas altas recompensas servem apenas para reforçar a imagem do executivo que, com certeza, vai "se safar" com uma punição extremamente leve, demonstrando alívio ao sair da sala do conselho, agradecendo aos céus por não ter sido pior. Isso então suscita algumas questões: *por que* não foi pior e *como* poderia ter sido pior? O que estimulará diretores — ao lado de dirigentes da área de riscos, gerentes de relacionamento etc. — a tomar boas decisões com base nos critérios corretos? O que os impedirá de tomar decisões erradas baseadas na ignorância e em um julgamento medíocre? E, por fim, como se podem entrelaçar as discussões sobre risco e ética com o discurso de obtenção de lucros?

Ao analisar tais questões, vamos começar com a abordagem corrente dos legisladores ao considerar o "fator humano" na divisão de responsabilidades. Ela segue esta premissa: nenhum membro do conselho de um banco "falido", ou de um banco flagrado em vendas inapropriadas de produtos e serviços, manipulação de taxas, violação de sanções, assistência à sonegação fiscal ou lavagem de dinheiro é encontrado suando em bicas no banco dos réus, acusado de infringir a lei; nem nenhuma das ações executadas contra bancos por falhas relacionadas ao fluxo de capital criminoso pelo sistema financeiro resultaram na prisão de executivos.

Vários Andy Hornbys do sistema financeiro "desfilaram" diante de comitês parlamentares e do Senado, em Londres e em Washington, no decurso das investigações sobre vários aspectos da crise financeira. Cada um desses "exames" foi um estudo de caso de oportunidades perdidas em que políticos mal preparados para interrogar testemunhas "fazem de tudo para agradar o público com o intuito de se tornarem populares", mas será que alguém realmente se perguntou se algum desses executivos deveria ser processado ou destituído de seu direito de ser diretor? Será que, na verdade, o atual ambiente jurídico e regulatório está ajustado de forma a poder de fato responsabilizar executivos seniores? Acredito que o conceito de DPA é prova suficiente de que a resposta é "não". Se você não estava familiarizado com esse conceito antes, por certo já se familiarizou com ele: você reclama de que um banco não está se comportando de modo adequado; então, espera um tempo, depois reclama de novo; você vai até o banco; pede milhões de documentos; talvez emita algumas intimações; você interroga os chefes; examina com cuidado os documentos; aponta as transgressões; o banco concorda; você cogita entrar com uma acusação criminal; depois, suspende as acusações; você diz a eles como devem se comportar; eles concordam; depois, pagam uma indenização. Você teve de consultar auditores e escritórios de advocacia, e tudo isso levou muito tempo. Portanto, o problema é que são as empresas — seres inanimados, que nada sentem — que estão suportando o impacto da "punição". A exemplo de narcotraficantes e sonegadores fiscais que buscam abrigo em empresas fictícias anônimas, o mesmo acontece com executivos capazes de deixar o batalhão exposto ao ataque enquanto escapam pelos porões das organizações, ficando fora do alcance das leis.

Na realidade, há certo mérito na emissão de punições pecuniárias e em firmar acordos de reabilitação, com muitas vantagens para essa abordagem. Os DPAs valem por si sós, pois estimulam relatos dos próprios executivos, podendo ser resolvidos com mais rapidez do que os processos criminais. Mas há críticas quando eles apontam a falta de dissuasão colocada por esse instrumento, dizendo que os executivos saem livres enquanto acionistas e consumidores pagam a conta. O DPA acaba se tornando apenas um custo de se fazer negócios. Uma pessoa que comete um pequeno delito é indiciada, enquanto um banco recebe uma fatura. As mesmas limitações parecem que agora contaminaram os indiciamentos criminais de instituições muito grandes para entrar em colapso.

O Credit Suisse alegou culpa por ter auxiliado clientes em sonegações fiscais em maio de 2014, e o BNP Paribas fez o mesmo pelas suas atividades de violação de sanções logo depois, mas os promotores norte-americanos estão tendo grandes dificuldades para assegurar que esses indiciamentos não desestabilizarão os bancos ou, em maior amplitude, o sistema financeiro. Se um indivíduo é condenado por um delito criminal, isso o atinge em cheio. A condenação tem impacto material em suas perspectivas e em seu futuro. No entanto, no caso do Credit Suisse, em vez de conotar um *status* negativo ao banco, seu executivo-chefe Brady Dougan, segundo alegações, declarou em uma conferência, logo após a condenação ser anunciada, que ela não causaria "nenhum impacto material em nossa linha operacional ou de negócios".[8] Em consequência dessas duas condenações, nenhum dos executivos seniores dos bancos foi responsabilizado pelas ações dos bancos e nenhum deles foi demitido de sua posição. Isso suscita uma questão: qual era a vantagem da condenação criminal sobre um DPA? Será que representa um progresso, para o banco e seus executivos, o fato de o banco ser condenado?

Indiciamentos ou ações regulatórias não contra instituições, mas contra diretores, representam, portanto, uma oportunidade sem paralelo de deixar claro o nível de gravidade das consequências da incompetência de diretores, e emprestaria maior crédito aos repetidos avisos de legisladores de que comportamentos maliciosos não serão tolerados. Do contrário, simplesmente não há incentivo para os executivos assegurarem a qualidade dos sistemas internos implementados para rastrear excessos e comportamentos nocivos. A ameaça de ação penal contra os diretores é o fator mais importante à medida que entramos em uma era na qual o risco de manchar a reputação da instituição financeira perdeu o sentido. A desonra pública não é suficiente. Não apenas é impossível que usuários acompanhem em detalhes quais são os bancos que vêm trabalhando em conluio com o crime, como também eles não podem simplesmente desistir de usar os bancos.

Ao propor alternativas para dissuadir o mau comportamento, alguns têm defendido o estabelecimento de tetos salariais ou a devolução de bônus. É inegável que estratégias de remuneração possam ajudar a influenciar comportamentos, mas tentar determinar a conduta da indústria financeira em um mercado livre procurando influenciar decisões operacionais do tipo que fixe estruturas de pagamentos e de bônus é algo que provavelmente está condenado ao fracasso. As próprias instituições, ninhos de engenhosidade financeira, conseguirão driblar as regras para atingir seus objetivos finais. Os bônus deixariam de ser quantias pagas de uma só vez e assumiriam a forma de opções de ações ou outros benefícios, por exemplo. Há outros problemas também; interferir nos bônus não apenas gera má vontade em um setor que precisa se envolver de modo construtivo para realizar uma reforma significativa, mas, ainda mais preocupante, cria oportunidades para a escolha de onde sediar as empresas, pois jurisdições que não queiram refrear os bônus de dirigentes de bancos atrairão mais negócios para o seu território, estimulando um nivelamento por baixo.

Assim, se deixarmos de lado a questão dos bônus e nos concentrarmos nas ações penais ou regulatórias, como seria um indiciamento contra os executivos e o que precisaria ser mudado para que isso acontecesse? A legislação da reforma bancária do Reino Unido introduziu um delito criminal aplicável apenas a gerentes seniores que tomam decisões que provocam colapsos de instituições financeiras. A aplicabilidade limitada do delito a decisões referentes à quebra de bancos atesta ou o poder do *lobby* bancário britânico ou a ingenuidade dos legisladores, ou ambos. Por que não se aproveitou a oportunidade criada pela crise para introduzir novos delitos penais que punissem condutas menos graves, como a venda abusiva de produtos e serviços ou a manipulação de taxas?

O ex-presidente da FSA lorde Adair Turner tem sugerido que seja introduzida uma emenda na qual o ônus da prova recaia sobre o diretor-réu. Um diretor intimado para responder por suas supostas atividades negligentes em um tribunal de justiça seria obrigado, segundo esse regime, a provar que examinou, de maneira adequada, riscos e prováveis resultados da ocorrência de eventos sob sua governança, cotejados contra uma série objetiva de critérios. Desse modo, não mais recairia sobre o juiz ou o júri o ônus de avaliar, de modo subjetivo, se um diretor fora ou não genuinamente ignorante sobre as atividades de outros. Apesar de seus méritos, tenho minhas dúvidas de que os legisladores introduziriam uma reforma da legislação criminal que tornasse mais fácil processar um diretor de banco do que um criminoso comum, mas há vantagem na aplicação de um ônus invertido na imputação de penalidades regulatórias. Fixar um padrão de referência pelo qual os diretores necessitem demonstrar que a falta de zelo de suas partes foi justificável enfatizaria a necessidade de os diretores terem em primeiro lugar a preocupação de adequarem seu trabalho, definindo de maneira clara suas responsabilidades no desempenho de suas funções. Qualquer falha em demonstrar interesse por um problema e instituir um processo adequado para resolvê-lo resultaria na censura regulatória contra um diretor que incluiria multas, declarações públicas e desqualificação profissional. Esses critérios abrangeriam atividades que não podem ser justificadas — atividades de *stripping*, ou um executivo de banco defendendo a decisão de fazer negócios com um PEP cujo salário oficial é uma diminuta fração dos milhões de dólares que ele deposita a cada ano. Em minha mente, não há nenhuma dúvida de que, se um diretor soubesse que iriam lhe pedir que justificasse o motivo de não ter se preocupado sobre um aspecto específico de um negócio, ele deixaria o cargo vago se soubesse que não está preparado para a tarefa, ou melhoraria seu desempenho de modo significativo, mantendo sua atividade em maior nível.

Talvez pareça um tanto injusto aplicar de repente ações regulatórias ou fazer acusações criminais contra executivos que alegam estar dando o melhor de si e de quem não se pode esperar que saibam o que está ocorrendo em todos os cantos do globo — um diretor no Reino Unido deve mesmo saber o que um dirigente de *compliance* faz nas Ilhas Cayman? A resposta é sim e não. Com certeza, um diretor não pode conhecer as peculiaridades das operações diárias executadas por milhares de funcionários pelo mundo afora, mas pode montar uma estratégia; identificar e concordar com os riscos inerentes a essa estratégia; influenciar a qualidade de informações que recebe; ditar as perguntas que os membros fazem e influenciar a qualidade do discurso em torno do risco, da ética e da cultura. Se integrar essas melhorias com medidas para garantir que os diretores sejam tecnicamente competentes e que os sistemas de gerenciamento de risco sejam apropriados, fará com que o setor comece a parecer muito menos censurável. É certo que continuarão a acontecer coisas ruins, mas elas acontecerão apesar da governança, e não em razão dela.

Uma reforma jurídica que pavimente o caminho para que acusações criminais ou regulatórias sejam feitas contra dirigentes de bancos não é uma panaceia. A distinção entre essas consequências e sua probabilidade de aprovação é a chave da questão, que se contrapõe a outra mais profunda: acaso há a vontade política de incriminar os executivos seniores de instituições financeiras? Será que quaisquer leis ou regras recém-implementadas seriam aplicadas e cumpridas? As agências encarregadas dessa responsabilidade teriam recursos adequados e contariam com profissionais pelo menos tão talentosos quanto a legião de advogados criminais e de direito regulatório alinhados do outro lado para defender os executivos, pagos por instituições com recursos ilimitados? Na verdade, estamos muito longe de atingir essa posição. Se os legisladores não querem sequer contemplar requisitos de qualificação e de desenvolvimento profissional continuado para diretores de bancos, há pouquíssima esperança de que criarão as condições necessárias para deixar executivos seniores nervosos quanto às consequências pessoais da condução de suas atividades. Os sinais não parecem bons, pois as iniciativas tomadas até agora são pouquíssimo convincentes. Mark Carney, diretor do Bank of England, aceitou sem restrições a criação do Banking Standards Review Council (BSRC), órgão financiado pela indústria bancária sem poderes disciplinares e nada agressivo, dirigido pelo ex-presidente da Confederação Britânica das Indústrias. Carney declarou:

Uma mudança significativa na cultura bancária exigirá um comprometimento genuíno por parte da indústria. Essa é a razão pela qual uma segunda iniciativa, a criação do BSRC, é particularmente bem-vinda. Esse novo órgão independente, mais uma vez proposto pela Comissão Parlamentar, é concebido para criar um senso de vocação em atividades bancárias, promovendo altos padrões de competência e comportamento em todo o setor no Reino Unido.[9]

A ideia de que a citação pública dos nomes dos bancos (a única punição que pode ser aplicada pelo BSRC) por parte um órgão financiado pelo próprio setor poderia melhorar os padrões desse setor é um dos mais claros indícios a emergir da análise pós-crise de que a oportunidade está se perdendo. Dada a natureza internacional de todos os bancos britânicos sistemicamente importantes, é estarrecedor que os padrões do BRSC só se apliquem às operações bancárias no Reino Unido.

É de nosso completo interesse estimular a indústria financeira a atingir um melhor equilíbrio entre riscos e recompensas no futuro. Há muitos benefícios que podem advir de instituições financeiras bem administradas; de fato, elas são essenciais para o funcionamento de uma economia de mercado madura.

Embora não seja difícil encontrar más notícias sobre a indústria financeira, e grande parte delas é merecida, o setor está de fato posicionado para render enormes benefícios sociais e econômicos. Além de fornecer inteligência valiosa para a aplicação de leis graças ao mecanismo dos SARS, os bancos e as outras empresas a eles ligadas prestam serviços essenciais à economia mais ampla e geram impostos e empregos, contribuindo assim para as artes, o entretenimento e causas beneficentes. Essa observação não confere, é certo, carta branca ao setor para trabalhar como bem quiser; trata-se, sim, de uma motivação para garantir que o setor seja reformado de maneira significativa e sustentável, de modo a servir à sociedade como um todo.

De acordo com uma estimativa, o setor de serviços financeiros empregava 1.045.500 pessoas no Reino Unido em 2012. No mesmo ano, os setores de serviços financeiros e de seguros nos Estados Unidos empregavam 5,8 milhões de pessoas.[10] Avaliar o rendimento das empresas do setor é tarefa sabidamente difícil, mas há alguns dados estatísticos úteis em domínio público. Os dados coletados pela PricewaterhouseCoopers mostraram que, no ano fiscal de 2013, o setor de serviços financeiros do Reino Unido gerou uma contribuição fiscal total de £ 65 bilhões, que representava 11,7% do total da receita tributária,[11] enquanto nos Estados Unidos o setor gerou cerca de 6,4% do Produto Interno Bruto (PIB) do país.[12]

Há, então, muito a ser ganho, do ponto de vista econômico, cultural e social, com a reforma de uma indústria que equilibre melhor os riscos e recompensas e cause menos danos.

Você talvez se pergunte por que nenhuma das sugestões de reforma descritas neste último capítulo foi implementada, nem é provável que ainda o seja, apesar da urgência criada pela crise financeira de 2008 e dos vários escândalos acerca da conduta no setor desde então. Nesse ponto, retornamos à mobilidade do capital. Apesar dos riscos de uma outra crise e da inevitabilidade de mais comportamentos nocivos envolvendo os rendimentos frutos de delitos, rara é a jurisdição que atuará de forma unilateral para desfavorecer-se em termos econômicos, alienando sua indústria financeira. Na "corrida" pela reforma do setor financeiro, os governos não querem estar na linha de frente do pelotão, preferindo a segurança da inação coletiva. O resultado, portanto, é uma paralisia, um *status quo* que evidencia quanto os órgãos de regulamentação foram feitos reféns pelo próprio setor por eles regulado. Esperamos sentados pela próxima catástrofe, ao mesmo tempo que observamos instituições preenchendo um maior número de cheques para o pagamento de multas, que representam uma diminuta fração de seus lucros anuais, enquanto executivos seniores continuam sentados com todo o conforto às mesas de conselhos diretores pelo mundo afora. O capital, criminoso ou não, é fonte de poder.

NOTAS

CAPÍTULO 1 PRÁTICAS NOCIVAS

1 "Wall Street and The Financial Crisis: Anatomy of a Financial Collapse", relatório publicado pelo Subcomitê Permanente de Investigações do Senado dos Estados Unidos em 13 de abril de 2011 (www.hsgac.senate.gov//imo/media/doc/Financial_Crisis/FinancialCrisisReport.pdf?attempt=2.)

2 "JPM Trade 'Flawed, Complex, Poorly Reviewed, Executed, Monitored'", *Forbes*, 12 de maio de 2012 (www.forbes.com/sites/robertlenzner/2012/05/12/flawedcomplex-poorlyreviewed-executed-monitored).

3 The FSAs Final Notice to Barclays Bank, 27 de junho de 2012 (www.fsa.gov.uk/static/pubs/final/barclays-jun12.pdf).

4 Deferred Prosecution Agreement (DPA), *USA vs Royal Bank of Scotland*, 5 de janeiro de 2014 (www.justice.gov/atr/cases/f292500/292555.pdf).

5 "RBS fined £87.6 million for significant failings in relation to LIBOR", aviso da FSA, 6 de fevereiro de 2013 (www.fsa.gov.uk/library/communication/pr/2013/011.shtml).

6 "The Wheatley Review of Libor: final report", publicado em setembro de 2012 (www.gov.uk/government/uploads/system/uploads/attachment_data/file/191762/wheatley_review_libor_finalreport_280912.pdf).

7 Andrew Lo, citado pela CNN em 10 de julho de 2012 (http://money.cnn.com/2012/07/03/investing/libor-interest-rate-faq/index.htm); Martin Wheatley, CEO da FCA, foi citado em um artigo da *BBC News* de 4 de fevereiro de 2014 (www.bbc.co.uk/news/business-26041039).

8 "Secret Currency Traders" Club Devised Biggest Market"s Rates", *Bloomberg*, 19 de dezembro de 2013 (www.bloomberg.com/news/2013-12-19/how-secret-currency--trader-club-devised-biggest-market-s-rates.html).

9 "Forex claims 'as bad as Libor', says FCA", *Financial Times*, 4 de fevereiro de 2014 (www.ft.com/cms/s/0/6d2f697a-8da8-11e3-bbe7-00144feab7de.html#axzz2slPlhGhc).

10 "Are we having fun yet?", *London Review of Books*, edição de 4 de julho de 2013 (www.lrb.co.uk/v35/n13/john-lanchester/are-we-having-fun-yet).

11   Estudos de caso: Payment protection insurance, publicado pelo Financial Ombudsman (www.financial-ombudsman.org.uk/publications/technical_notes/ppi/PPI-case--studies.html#cs8).

12   "Lloyds accused of short-changing PPI claimants", *BBC News*, 25 de março de 2014 (www.bbc.co.uk/news/business-26715982).

13   "Risk Management and Regulatory Failures at Riggs Bank and UBS: Lessons Learned", depoimento por Thomas C. Baxter, 2 de junho de 2004 (www.newyorkfed.org/newsevents/speeches/2004/bax040602.html).

14   Deferred Prosecution Agreement (DPA), *USA vs Lloyds TSB Bank Plc*, 9 de janeiro de 2009 (www.gibsondunn.com/publications/Documents/LloydsTSB-DeferredProsecutionAgmt010909.pdf).

15   Câmara dos Deputados, transcrito em 12 de fevereiro de 2009 (www.publications.parliament.uk/pa/cm200809/cmhansrd/cm090212/debtext/90212-0014.htm).

16   Declaração Factual ("Factual Statement"), fazendo parte do Deferred Prosecution Agreement (DPA), *USA vs Credit Suisse AG*, 16 de dezembro de 2009 (www.justice.gov/criminal/pr/documents/12-16-09-CreditSuisse-factualstatement.pdf).

17   Deferred Prosecution Agreement (DPA), *USA vs American Express Bank International*, 6 de agosto de 2007 (www.justice.gov/criminal/pr/2007/08/08-06-07amex-charge-agremnt.pdf).

18   "U.S. Vulnerabilities to Money Laundering, Drugs, and Terrorist Financing: HSBC Case History", relatório publicado pelo Subcomitê Permanente de Investigações do Senado dos Estados Unidos em 17 de julho de 2012 (www.levin.senate.gov/download/?id=90fe8998-dfc4-4a8c-90ed-704bcce990d4).

19   Deferred Prosecution Agreement (DPA), *USA vs UBS AG*, 18 de fevereiro de 2009 (www.justice.gov/tax/UBS_Signed_Deferred_Prosecution_Agreement.pdf).

20   "Swiss Bank Pleads Guilty In Manhattan Federal Court To Conspiracy To Evade Taxes", US Attorney's Office para o Distrito Sul de Nova York, boletim informativo, 3 de janeiro de 2013 (www.justice.gov/usao/nys/pressreleases/January13/WegelinPleaPR.php).

21   Deferred Prosecution Agreement (DPA), *USA vs JP Morgan Chase Bank NA*, 6 de janeiro de 2014 (www.justice.gov/usao/nys/pressreleases/January14/JPMCDPASupportingDocs/JPMC%20DPA%20Packet%20(Fully%20Executed%20w%20Exhibits).pdf).

22   "Farewell to the FSA — and the bleak legacy of the light-touch regulator", *The Guardian*, 24 de março de 2013 (www.theguardian.com/business/2013/mar/24/farewell--fsa-bleak-legacy-light-touch-regulator).

CAPÍTULO 2   MODELOS DE LAVAGEM DE DINHEIRO

1   "Bitcoin Soars While Liberty Reserve Draws Guilty Plea", *Forbes*, 8 de novembro de 2013   (www.forbes.com/sites/robertwood/2013/11/08/bitcoin-soars-while-liberty--reserve-draws-guilty-plea/); "Co-founder of Liberty Reserve Pleads Guilty to Money Laundering in Manhattan Federal Court", boletim informativo do Departamento de Justiça norte-americano, 31 de outubro de 2013 (www.justice.gov/opa/pr/2013/October/13-crm-1163.html).

2 Convenção da ONU contra o Tráfico Ilícito de Entorpecentes e Substâncias Psicotrópicas, 1988 (www.unodc.org/pdf/convention_1988_en.pdf).

3 www.fincen.gov/news_room/aml_history.html.

4 www.fatf-gafi.org/pages/faq/moneylaundering.

5 "The crime of the century: The story of the Great Train Robbery", *Daily Express*, 18 de dezembro de 2013 (www.express.co.uk/news/uk/449356/The-crime-of-the-century--The-story-of-the-Great-Train-Robbery).

6 Veja "Correspondent Banking: A Gateway for Money Laundering", relatório publicado pelo Subcomitê Permanente de Investigações do Senado dos Estados Unidos, datado de 5 de fevereiro de 2001 (www.hsgac.senate.gov/download/report_correspondent--banking-a-gateway-formoney-laundering).

7 "The World's 500 Largest Asset Managers", Ano de 2012 (www.towerswatson.com/ en--GB/Insights/IC-Types/Survey-Research-Results/2013/11/The-Worlds-500-Largest--Asset-Managers-Year-end-2012).

8 "Of waffle and remittances", *The Economist*, 20 de setembro de 2013 (www.economist.com/blogs/baobab/2013/09/somalia).

CAPÍTULO 3   DICOTOMIA *ONSHORE/OFFSHORE*

1 "A crisis of confidence", *The Guardian*, 22 de outubro de 2008 (www.theguardian.com/commentisfree/cifamerica/2008/oct/22/economy-financial-crisis-regulation).

2 www.cayman.com.ky/the-cayman-islands-a-premiere-offshore-banking-center.

3 De acordo com: "UK tax take on wealthy 'non-doms' rises 6%", *Financial Times*, 3 de fevereiro de 2014 (www.ft.com/cms/s/0/1fd89cde-8ce3-11e3-ad57-00144feab7de.html#axzz2vxSXyOCb).

4 Como salientado em: "Citizenship-for-Cash Program in Malta Stirs Security Concerns in European Union", *The New York Times*, 5 de abril de 2014 (www.nytimes.com/2014/04/06/world/europe/citizenship-for-cash-program-in-malta-stirs-security-concerns-in-european-union.html?_r=0); http://spainresidencepermit.com/; www.second-citizenship.org/permanent-residence/immigration-and-permanent-residency-in-mauritius/.

5 "Bono defends U2's tax set-up", *USA Today*, 5 de dezembro de 2013 (www.usatoday.com/story/life/people/2013/09/23/bono-u2-taxes/2858283/).

6 www.cia.gov/library/publications/the-world-factbook/rankorder/2004rank.html.

7 "The Price of Offshore Revisited", relatório publicado por Tax Justice Network em julho de 2012 (www.taxjustice.net/cms/upload/pdf/Price_of_Offshore_Revisited_120722.pdf).

8 www.cimoney.com.ky/stats_reg_ent/stats_reg_ent.aspx?id=200&ekmensel=e2f22c 9a_14_ 72_200_6.

9. Declaração do senador Carl Levin, apresentada em uma sessão do Subcomitê Permanente de Investigações do Senado dos Estados Unidos em 14 de novembro de

2006 (http://frwebgate.access.gpo.gov/cgi-bin/getdoc.cgi?dbname=109_senate_hearings&docid=f:32353.pdf).

10 Citado em: "Gordon Brown says world must 'take action' on tax havens", *The Telegraph*, 19 de fevereiro de 2009 (www.telegraph.co.uk/finance/personalfinance/tax/4695513/Gordon-Brown-says-world-must-take-action-on-tax-havens.html).

11 As jurisdições do Grupo 1 foram descritas como as dotadas de infraestruturas legais e práticas de supervisão, e/ou um nível de recursos dedicado à supervisão e cooperação compatível com o porte de suas atividades financeiras, e/ou um nível de cooperação de boa qualidade e melhor que em outros centros financeiros *offshore*.

12 "Mutual Evaluation Report, Anti Money Laundering and Combating the Financing of Terrorism", relatório publicado pela FATF, datado de 9 de abril de 2008 (www.fatf-gafi.org/media/fatf/documents/reports/mer/MER%20UAE%20full.pdf).

13 "Global Shell Games: testing Money Launderers' and Terrorist Financiers' Access to Shell Companies", por Michael Findley, Daniel Nielson e Jason Sharman, publicado em 2012 (www.griffith.edu.au/__data/assets/pdf_file/0008/454625/Oct2012-Global--Shell-Games.Media-Summary.10Oct12.pdf).

14 De acordo com: "Offshore Tax Evasion: The Effort to Collect Unpaid Taxes on Billions in Hidden Offshore Accounts", relatório publicado pelo Subcomitê Permanente de Investigações do Senado dos Estados Unidos em 26 de fevereiro de 2014 (www.hsgac.senate.gov/download/report-offshore-tax-evasion-the-effort-to-collect-unpaid-taxes--on-billions-in-hidden-offshore-accounts-5-22-14-update).

15 "Tax: Trouble abroad for the City?", *Financial Times*, 9 de setembro de 2013 (www.ft.com/cms/s/2/dbc8af56-0fc5-11e3-a258-00144feabdc0.html#axzz39neYdtzt).

16 Veja: "China's princelings storing riches in Caribbean offshore haven", *The Guardian*, 21 de janeiro de 2014 (www.theguardian.com/world/ng-interactive/2014/jan/21/china-british-virgin-islands-wealth-offshore-havens).

CAPÍTULO 4 TRÁFICO DE DROGAS

1 Estatísticas de: "Five years of London murder victims listed", *The Guardian*, 5 de outubro de 2011 (www.theguardian.com/news/datablog/2011/oct/05/murder-london--list), e www.osac.gov/pages/ContentReportDetails.aspx?cid=14380.

2 "Mexico violence: Monterrey police find 49 bodies", *BBC News*, 13 de maio de 2012 (www.bbc.co.uk/news/world-latin-america-18052540).

3 Números citados em: "200 million people use illegal drugs; what is the toll on health?", *Los Angeles Times*, 5 de janeiro de 2012 (http://articles.latimes.com/2012/jan/05/news/la-heb-worldwide-drug-use-20120105).

4 "2005 World Drug Report", Volume 1 (www.unodc.org/pdf/WDR_2005/volume_1_web.pdf).

5 "Treasury Targets Major Money Laundering Network Linked to Drug Trafficker Ayman Joumaa and a Key Hizballah Supporter in South America", boletim informativo do Departamento do Tesouro dos Estados Unidos, 27 de junho de 2012 (www.treasury.gov/press-center/press-releases/pages/tg1624.aspx).

6   Veja: UNODC's, "World Drug Report 2013" (www.unodc.org/documents/wdr/ World_ Drug_Report_2013.pdf).

7   Veja: UNODC's, "Estimating Illicit Financial Flows Resulting from Drug Trafficking and Other Transnational Organized Crimes", outubro de 2011 (www.unodc.org/documents/data-and-analysis/Studies/Illicit_financial_flows_2011_web.pdf).

8   Estatísticas de: "The Economic Impact of Illicit Drug Use on American Society", publicado pelo Centro Nacional de Inteligência sobre Narcóticos do Departamento de Justiça, em abril de 2011 (www.justice.gov/archive/ndic/pubs44/44731/44731p.pdf), e "No Quick Fix", publicado pelo Centro para Justiça Social, em setembro de 2013. (www.centreforsocialjustice.org.uk/UserStorage/pdf/Pdf%20reports/addict.pdf).

9   "Mexican ex-governor gets 11 years in U.S. for money laundering", Reuters, 28 de junho de 2013 (www.reuters.com/article/2013/06/28/us-usa-mexico-villanueva-idUS-BRE95R14720130628).

10   Veja: www.forbes.com/profile/joaquin-guzman-loera/.

11   Veja: UNODC's: "Financial Flows linked to the Illicit Production and Trafficking of Afghan Opiates", novembro de 2008 (www.unodc.org/documents/afghanistan//Rainbow_ Strategy/Orange_Paper_12_December_2008.pdf).

12   "Gang jailed after laundering £20m of drugs money for criminals", Manchester Evening News, 16 de janeiro de 2014 (www.manchestereveningnews.co.uk/news/greater-manchester-news/gang-used-banks-chorlton-longsight-6520358).

13   "Moving Illegal Proceeds", relatório publicado pela Controladoria Geral do governo norte-americano em 9 de março de 2011 (www.gao.gov/new.items/d11407t.pdf).

14   "2 women arrested for attempting to smuggle U.S. dollars into Mexico", Arizona Daily Star, 6 de janeiro de 2014 (http://azstarnet.com/news/local/women-arrested-for--attempting-to-smuggle-u-s-dollars-into/article_24c45d16-774c-11e3-a579-001a4bc-f887a.html).

15   As informações sobre o Wachovia dadas neste capítulo têm como fonte primária o Deferred Prosecution Agreement (DPA), USA vs Wachovia Bank NA, 16 de março de 2010 (www.justice.gov/usao/fls/PressReleases/Attachments/100317-02.Agreement. pdf) e a correspondente Declaração Factual (www.justice.gov/usao/fls/PressReleases/ Attachments/100317-02.Statement.pdf).

16   "How a big US bank laundered billions from Mexico's murderous drug gangs", The Guardian, 3 de abril de 2011 (www.theguardian.com/world/2011/apr/03/us-bank--mexico-drug-gangs).

17   "Wachovia Enters Into Deferred Prosecution Agreement", boletim informativo da Administração de Repressão às Drogas (Drug Enforcement Administration, DEA) nos Estados Unidos, 17 março de 2010 (www.justice.gov/dea/pubs/pressrel/ pr031710. html).

18   As informações sobre o HSBC dadas neste capítulo têm como fonte primária "U.S. Vulnerabilities to Money Laundering, Drugs, and Terrorist Financing: HSBC Case History" [Vulnerabilidades à Lavagem de Dinheiro, Tráfico de Drogas e ao Financiamento do Terrorismo nos EUA], relatório publicado pelo Subcomitê Permanente de Investigações do Senado dos Estados Unidos em 17 de julho de 2012 (www.levin. senate.gov/download/?id=90fe8998-dfc4-4a8c-90ed-704bcce990d4), e a Declaração de Fatos que fazia parte do Deferred Prosecution Agreement (DPA) entre o HSBC

Bank USA NA/HSBC Holdings Plc e o Departamento de Justiça norte-americano, o Gabinete da Procuradoria dos EUA para o Distrito Oriental de Nova York e o Gabinete da Procuradoria dos EUA [US Attorney's Office] para o Distrito Meridional de West Virginia, registrado em 11 de dezembro de 2012 (www.justice.gov/opa/documents/hsbc/dpa-attachment-a.pdf).

CAPÍTULO 5 SUBORNO E CORRUPÇÃO

1   Veja: Pedido de Iniciativa de Recuperação de Ativos Roubados (StAR) — Teodoro Nguema Obiang Mbasongo/Teodoro Nguema Obiang Mangue (http://star.worldbank. org/corruption-cases/node/18586) e *USA vs One White Crystal-Covered "Bad Tour" Glove and Other Michael Jackson Memorabilia*, Pedido de Confisco de acordo com a 2ª Emenda, registrado em 11 de junho de 2012 (www.globalwitness.org/sites/default/files/library/Second%20Amended%20Complaint%206.11.12.pdf). Grande parte desse capítulo referente a Teodorin origina-se dessas duas fontes (e da demanda citada a seguir).

2   Veja: *USA vs One Gulfstream G-V Jet Aircraft Displaying Tail Number VPCES, Its Tools and Appurtenances*, Pedido de Confisco de acordo com a 2ª Emenda, registrado em 25 de outubro de 2011 (www.foreignpolicy.com/files/fp_uploaded_documents/111025_DDC_1.pdf) e "Teodorin Obiang: The Dictator's Son with a Malibu Mansion and Warrant for His Arrest", *Time*, 16 de julho de 2012 (http://world.time.com/2012/07/16/teodorin-obiang-the-dictators-son-with-a-malibu-mansion-and-a-warrant-for-his--arrest/).

3   Dados estatísticos disponíveis em http://data.worldbank.org/indicator/NY.GDP. PCAP.CD.

4   "SEC Charges Baker Hughes With Foreign Bribery and With Violating 2001 Commission Cease-and-Desist Order", boletim informativo da SEC, 26 de abril de 2007 (www. sec.gov/news/press/2007/2007-77.htm).

5   Veja: "Siemens AG and Three Subsidiaries Plead Guilty to Foreign Corrupt Practices Act Violations and Agree to Pay $ 450 Million in Combined Criminal Fines", boletim informativo do Departamento de Justiça norte-americano, 15 de dezembro de 2008 (www.justice.gov/opa/pr/2008/December/08-crm-1105.html) e "Siemens AG reaches a resolution with German and U.S. authorities", boletim informativo da Siemens, 15 de dezembro de 2008 (www.siemens.com/press/en/pressrelease/?press=/en/pressrelease/2008/corporate_communication/ axx20081219.htm).

6   Veja: "EU joins national donors in freezing aid to Uganda over graft", *Reuters*, 4 de dezembro de 2012 (www.reuters.com/article/2012/12/04/us-uganda-aid-idUS-BRE8B30 DA20121204).

7   Veja: "Commission unveils first EU Anti-Corruption Report", boletim informativo da Comissão Europeia, 3 de fevereiro de 2014 (http://europa.eu/rapid/press-release_IP-14-86_en.htm).

8   Veja: "Six Questions on the Cost of Corruption with World Bank Institute Global Governance Director Daniel Kaufmann" (http://web.worldbank.org/WBSITE/EX-

TERNAL/NEWS/0,,contentMDK:20190295~menuPK:34457~pagePK:34370~piPK:
34424~theSitePK:4607,00.html).

9   Ver: "Transparency International's 'Global Corruption Report 2004", (www.transpa-
    rency.org/whatwedo/pub/global_corruption_report_2004_political_corruption).

10 "Illicit Financial Flows from Developing Countries: 2000-2009", relatório publicado
    pelo grupo Integridade Financeira Global (Global Financial Integrity, GFI) em janei-
    ro de 2011 (www.gfintegrity.org/wp-content/uploads/2011/12/GFI_2010_IFF_Upda-
    te_Report-Web.pdf).

11 O caso sul-africano é citado em: "Keeping Foreign Corruption Out of the United Sta-
    tes: Four Case Histories", relatório publicado pelo Subcomitê Permanente de Investiga-
    ções do Senado dos Estados Unidos em 4 de fevereiro de 2010 (www.hsgac.senate.gov/
    download/report-psi-staff-report-keeping-foreign-corruption-out-of-the-united-sta-
    tes-four-case-histories).

12 "Former DOD Contractor Sentenced in Case Involving Bribery, Fraud and Money
    Laundering Scheme in al-Hillah, Iraq", boletim informativo do Departamento de
    Justiça norte-americano, 29 de janeiro de 2007 (www.justice.gov/opa/pr/2007/Ja-
    nuary/07_crm_055.html).

13 "BAE fined in Tanzania defence contract case", boletim informativo do Escritório de
    Fraudes Graves [Serious Fraud Office, SFO], 21 de dezembro de 2010 (www.sfo.gov.
    uk/press-room/press-release-archive/press-releases-2010/bae-fined-in-tanzania-
    -defence-contract-case.aspx).

14 "The Transparency of National Defence Budgets", publicado pela Transparência In-
    ternacional (TI) em outubro de 2011 (www.ti-defence.org/publications/20-category-
    -publications/publications-dsp/124-dsp-pubs transparency-defence-budgets.html).

15 Veja: "Riddle of sheikh's £ 100m secret fund", The Guardian, 2 de junho de 2002 (www.
    theguardian.com/politics/2002/jun/02/uk.armstrade); declaração publicada no site do
    Guardian (e que supostamente foi feita pelo procurador-geral de Jersey) (http://image.
    guardian.co.uk/sys-files/Guardian/documents/2007/05/29/qatardoc01.pdf); e Jersey
    Evening Post Limited vs His Excellency Sheikh Hamad Bin Jassim Bin Japer Al-Thani,
    2 de dezembro de 2002 (www.jerseylaw.je/Judgments/UnreportedJudgments/Docu-
    ments/Display.aspx?url=02-12-02_JEP-v-Qatar_227.htm&JudgementNo=2002/227).

16 Veja: "BAE accused of secretly paying up to £ 1bn to Saudi prince", The Guardian, 7 de
    junho de 2007 (www.theguardian.com/world/2007/jun/07/bae1), e "'National Interest'
    halts arms corruption inquiry", The Guardian, 15 de dezembro de 2006 (www.theguar-
    dian.com/uk/2006/dec/15/saudiarabia.armstrade).

17 "US Seizes Ex-Ukrainian Prime Minister's Mansion", The Wall Street Journal, 7 de no-
    vembro de 2013 (http://blogs.wsj.com/riskandcompliance/2013/11/07/us-seizes-ex-
    -ukrainian-prime-ministers-mansion-picasso-lithograph/).

18 "'Biens mal acquis' case: French Supreme Court overrules Court of Appeal's deci-
    sion", boletim informativo da Transparência Internacional (TI), 9 de novembro de
    2010 (www.transparency.org/news/pressrelease/20101109_biens_mal_acquis_case_
    french_supreme_court_overrules_court_of_appe).

19 Veja: "Former Nigeria state governor James Ibori receives 13-year sentence", The Guar-
    dian, 17 de abril de 2012 (www.theguardian.com/global-development/2012/apr/17/
    nigeria-governor-james-ibori-sentenced) e "Former Nigeria governor James Ibori

jailed for 13 years", *BBC News*, 17 de abril de 2012 (www.bbc.co.uk/news/world-africa-17739388).

20   As informações referentes a Dipreye Alamieyeseigha foram extraídas de: "Nigeria governor to be impeached", *BBC News*, 23 de novembro de 2005 (http://news.bbc.co.uk/1/hi/world/africa/4462444.stm); Iniciativa de Recuperação de Ativos Roubados [Stolen Asset Recovery (StAR), extraído de "'Kleptocrats' Portfolio Decisions, or realities in State Asset Recovery cases", por Tim Daniel e James Maton (https://star.worldbank.org/corruption-cases/node/18620); "Nigeria Pardons Goodluck Jonathan ally, Alamieyeseigha", *BBC News*, 13 de março de 2013 (www.bbc.co.uk/news/world-africa-21769047); Federal Republic of Nigeria *v* Santolina Investment Corporation, 3 de dezembro de 2007 (disponível em: http://star.worldbank.org/corruption-cases/node/18493); "British Police ask FG to extradite Alamieyeseigha", Oyibos Online (www.oyibosonline.com/cgi-bin/newsscript2.pl?record=2562); "We"re still waiting for Alamieyeseigha in UK — Envoy", *The Sun*, 28 de março de 2013 (http://sunnewsonline.com/new/?p=21879).

21   "Money Laundering and Foreign Corruption: Enforcement and Effectiveness of the Patriot Act: Case Study involving Riggs Bank", relatório publicado pelo Subcomitê Permanente de Investigações do Senado dos Estados Unidos em 15 de julho de 2004 (www.hsgac.senate.gov//imo/media/ doc/ACF5F8.pdf?attempt=2).

22   Disponível em: www.fsa.gov.uk/pubs/other/aml_final_report.pdf.

23   "Coutts fined £ 8.75 million for anti-money laundering control failings", boletim informativo da FSA, 26 de março de 2012 (www.fsa.gov.uk/library/communication/pr/2012/032.shtml) e "FSA's Final Notice to Coutts & Company", 23 de março de 2012 (www.fsa.gov.uk/static/pubs/final/coutts-mar12.pdf).

CAPÍTULO 6 PIRATARIA

1   Citado em: "Somali pirates free UK couple Paul and Rachel Chandler", *BBC News*, 14 de novembro de 2010 (www.bbc.co.uk/news/uk-11752027).

2   "Pirate Trails" [Trilhas Piratas], relatório publicado pelo Banco Mundial em colaboração com o UNODC e a Interpol, em 2013 (https://openknowledge.worldbank.org/handle/10986/16196).

3   Veja: "Reports on Act of Piracy and Armed Robbery Against Ships Annual Report", relatório publicado pela Organização Marítima Internacional (International Maritime Organization, IMO), em 1º de março de 2012 (www.imo.org/blast/blastDataHelper.asp?data_id=31023&filename=180.pdf).

4   "Piracy and Armed Robbery against Ships", relatório do ICC International Maritime Bureau para o período de 1º de janeiro — 31 de dezembro de 2013 (www.harbourmaster.org/downloadfile.php?df=images/upload/files/news-maritime_news_file_419.pdf&dfn=MjAxMyBBbm51YWwgSU1CIFBpcmFjeSBSZXBvcnQgQUJSSURHRUQucGRm&decode=y).

5   "Al Shabab Fights the Pirates", *The New York Times*, 22 de outubro de 2013 (www.nytimes.com/2013/10/23/opinion/international/al-shabab-fights-the-pirates.html?_r=0) e "Organised Maritime Piracy and Related Kidnapping for Ransom", relatório publi-

cado pela FATF em julho de 2011 (www.fatf-gafi.org/media/fatf/documents/reports/organised%20maritime%20piracy%20and%20related%20kidnapping%20for%20ransom.pdf).

6 "Shabaab-Somali pirate links growing: UN adviser", *Reuters*, 20 de outubro de 2011 (www.reuters.com/article/2011/10/20/ozatp-somalia-shabaab-pirates-idAFJOE-79J0G620111020).

7 "Somali sea gangs lure investors at pirate lair", *Reuters*, 1º de dezembro de 2009 (uk.reuters.com/article/2009/12/01/us-somalia-piracy-investors-idUSTRE-5B01Z920091201).

8 "Somali Hostage Negotiator in S/V Quest and M/V Miranda Marguerite Piracies Sentenced to Multiple Life Sentences", boletim informativo do FBI, 13 de agosto de 2012 (www.fbi.gov/newyork/press-releases/2012/somali-hostage-negotiator-in-s-v-quest--and-m-v-miranda-marguerite-piracies-sentenced-to-multiple-life-sentences), e "Highest-ranking Somali pirate in U.S. custody loses appeal to overturn 12 life sentences for killing 4 American tourists", NY *Daily News*, 12 de julho de 2013 (www.nydailynews.com/news/world/convicted-somali-pirate-loses-appeal-article-1.1397564).

9 Trecho relevante disponível em: www.publications.parliament.uk/pa/ld200809/ldselect/ldeucom/132/13208.htm.

10 "Treasure Mapped: Using Satellite Imagery to Track the Developmental Effects of Somali Piracy", relatório publicado por Chatham House, em janeiro de 2012 (www.chathamhouse.org/sites/files/chathamhouse/public/Research/Africa/0112pp_shortland.pdf).

CAPÍTULO 7 TRÁFICO DE SERES HUMANOS E ENTRADA CLANDESTINA DE IMIGRANTES

1 "14 years for Dover tragedy lorry driver", *The Guardian*, 5 de abril de 2001 (www.theguardian.com/uk/2001/apr/05/immigration.immigrationandpublicservices); "'Death Truck' Driver Pleads Innocent", *CBS News*, 30 de novembro de 2000 (www.cbsnews.com/news/death-truck-driver-pleads-innocent/); e *R v Perry Wacker*, 2002 (www.lccsa.org.uk/r-v-perry-wacker-2002/).

2 Citado em: "Driver jailed over immigrant deaths", *BBC News*, 5 de abril de 2001 (news.bbc.co.uk/1/hi/uk/1258240.stm).

3 Veja: "Money Laundering Risks Arising from Trafficking in Human Beings and Smuggling of Migrants", relatório da FATF publicado em julho de 2011 (www.fatf-gafi.org/media/fatf/documents/reports/Trafficking%20in%20Human%20Beings%20and%20Smuggling%20of%20Migrants.pdf).

4 Veja: www.unodc.org/unodc/en/treaties/CTOC/.

5 "The Mexican Drug Cartels" Other Business: Sex Trafficking", *Time*, 31 de julho de 2013 (http://world.time.com/2013/07/31/the-mexican-drug-cartels-other-business--sex-trafficking/).

6 "Lampedusa boat tragedy: Migrants 'raped and tortured'", *BBC News*, 8 de novembro de 2013 (www.bbc.co.uk/news/world-europe-24866338).

7   Disponível em: www.state.gov/j/tip/rls/tiprpt/2013/index.htm.

8   Veja: "Cockle gangmaster gets 14 years", *BBC News*, 28 de março de 2006 (http://news.bbc.co.uk/1/hi/england/lancashire/4851194.stm); "Man guilty of 21 cockling deaths", *BBC News*, 24 de março de 2006 (http://news.bbc.co.uk/1/hi/england/lanca-shire/4832454.stm); "Morecambe Bay cocklepicker gangmaster freed after serving just four months for each life lost", *The Mirror*, 9 de fevereiro de 2014 (www.mirror.co.uk/news/uk-news/morecambe-bay-cocklepicker-gangmaster-lin-3126508); e "Going un-der", *The Guardian*, 20 de junho de 2007 (www.theguardian.com/uk/2007/jun/20/uk-crime.humanrights).

9   "ILO Action Against Trafficking in Human Beings", publicado em 2008 (www.ilo.org/wcmsp5/groups/public/@ed_norm/@declaration/documents/publication/wcms_090356.pdf).

10 Veja: "Children Trafficked and Exploited inside Europe by Criminal Gangs", 11 de ja-neiro de 2011 (www.europol.europa.eu/content/press/children-trafficked-and-exploi-ted-inside-europe-criminal-gangs-501).

11 Veja: "Smuggling of migrants: the harsh search for a better life" (www.unodc.org/toc/en/crimes/migrant-smuggling.html).

12 "Snakehead empress who made millions trafficking in misery", *The Guardian*, 6 de julho de 2003 (www.theguardian.com/uk/2003/jul/06/immigration.china).

13 "The Case of the Snakehead Queen", *FBI news story*, 17 de março de 2006 (www.fbi.gov/news/stories/2006/march/sisterping_031706).

14 Veja: Termo de Pacificação, *State of Arizona vs Western Union Financial Services Inc.*, fevereiro de 2010 (www.sec.gov/Archives/edgar/data/1365135/000119312510030898/dex101.htm).

15 "Western Union, Arizona to Cooperate to Combat Money Laundering", *The Wall Street Journal*, 3 de fevereiro de 2014 (http://online.wsj.com/article/BT-CO-20140203-706961 html#printMode).

16 Relatório "Money Laundering Risks Arising from Trafficking in Human Beings and Smuggling of Migrants" (ver a nota 3 anterior).

CAPÍTULO 8 FINANCIAMENTO DO TERRORISMO

1   "Three British Islamists convicted of plotting 'another 9/11'", *Reuters*, 21 de feverei-ro de 2013 (http://uk.mobile.reuters.com/article/topNews/idUKBRE91K0SK201302 21?i=2).

2   "The Numerous Federal Legal Definitions of Terrorism: The Problem of Too Many Grails", por Nicholas J. Perry, *Journal of Legislation* (2004).

3   Veja: www.refworld.org/cgi-bin/texis/vtx/rwmain?docid=42c39b6d4.

4   Citado em: "What's In A Name? How Nations Define Terrorism Ten Years After 9/11", por Sudha Setty (2011) (www.law.upenn.edu/live/files/139-setty33upajintll12011pdf).

5   "When does Reuters use the word terrorist or terrorism?", *Reuters*, 13 de junho de 2007 (http:// blogs.reuters.com/blog/archives/7146).

6   Veja: http://govinfo.library.unt.edu/911/staff_statements/911_TerrFin_Monograph.pdf.

7   "Terrorism and tobacco", 29 de junho de 2009 (www.icij.org/project/tobacco-under-ground/terrorism-and-tobacco).

8   "The 9/11 Commission Report", publicado em 22 de julho de 2004 (www.9-11commission.gov/report/911Report.pdf).

9   Veja: www.gov.uk/government/uploads/system/uploads/attachment_data/file/228837/1087.pdf.

10 "Twin brothers jailed for raising money for terrorism", *The Guardian*, 1º de agosto de 2012 (www.theguardian.com/uk/2012/aug/01/twin-brothers-jailed-money-terrorism).

11 Veja: Registro do Departamento do Tesouro norte-americano para a fundação "The Holy Land Foundation for Relief and Development" (www.treasury.gov/resource-center/terrorist-illicit-finance/Pages/protecting-charities_execorder_13224-e.aspx).

12 "Five Convicted in Terrorism Financing Trial", *The New York Times*, 24 de novembro de 2008 (www.nytimes.com/2008/11/25/us/25charity.html?_r=0).

13 Veja: "Combating the Abuse of Non-Profit Organisations", Documento de Orientação da FATF, publicado em 11 de outubro de 2002 (www.fatf-gafi.org/media/fatf/documents/recommendations/11%20FATF%20SRIX%20BPP%20SRVIII%20October%202003%20-%20COVER%202012.pdf).

14 Veja: www.loc.gov/rr/frd/pdf-files/NarcsFundedTerrs_Extrems.pdf.

15 "South America drug gangs funding al-Qaeda terrorists", *The Telegraph*, 29 de dezembro de 2010 (www.telegraph.co.uk/news/worldnews/southamerica/colombia/8230134/SouthAmerican-drug-gangs-funding-al-Qaeda-terrorists.html).

16 "Somalia fears as US Sunrise banks stop money transfers", *BBC News*, 30 de dezembro de 2011 (www.bbc.co.uk/news/world-africa-16365619).

17 "Looking in the wrong places", *The Economist*, 20 de outubro de 2005 (www.economist.com/node/5053373).

18 Veja: *Brief and special appendix for plaintiffs-appellants* (disponível em: www.mm-law.com/wp-content/uploads/2013/12/Weiss-v.-National-Westminster-Bank-Appeal--Brief.pdf).

19 "2nd Circuit Oks Israeli terrorism victims' suit against Lebanese bank", blog da Thomson Reuters, 19 de novembro de 2013 (http://blog.thomsonreuters.com/index.php/2nd-circuit-oksisraeli-terrorism-victims-suit-lebanese-bank/).

20 "Family of American teen killed by suicide bombing in Israel wins $ 332 MILLION lawsuit against Iran and Syria ... but will they ever see the money?", *Daily Mail*, 17 de maio de 2012 (www.dailymail.co.uk/news/article-2145621/Family-Daniel-Wultz--awarded-332M-judgement-Iran-Syria-Israeli-suicide-bombing.html).

21 "Member of Afghan Taliban Sentenced to Life in Prison in Nation's First Conviction on Narco-terror Charges", boletim informativo do Departamento de Justiça norte--americano, 22 de dezembro de 2008 (www.justice.gov/opa/pr/2008/December/08--crm-1145.html), e *United States v Mohammed*, decidido em 4 de setembro de 2012 (https://casetext.com/case/united-states-v-mohammed-5/).

22 "Haji Bagcho Sentenced to Life in Prison on Drug Trafficking and Narco-Terrorism Charges", boletim informativo do Departamento de Justiça norte-americano, 12 de junho de 2012 (www.justice.gov/opa/pr/2012/June/12-crm-744.html).

23 Veja: www.treasury.gov/resource-center/sanctions/Programs/Documents/tar2012. pdf.

24 Segundo as investigações sobre o financiamento do 11/09, ocorreu que, na semana anterior aos ataques, um nível inusitadamente alto de opções de venda de ações de empresas aéreas e seguradoras foram oferecidas, resultando em ganhos significativos para alguns especuladores quando os preços das ações dessas empresas despencaram. O Relatório da Comissão do 11 de Setembro concluiu que as operações não tinham sido efetuadas por partes com conhecimento antecipado dos ataques e, portanto, não havia suspeitos.

CAPÍTULO 9 VIOLAÇÃO DE SANÇÕES

1 "UN Sanctions", um Relatório Especial do Conselho de Segurança publicado em novembro de 2013 (www.securitycouncilreport.org/atf/cf/%7B65BFCF9B-6D27-4E9C-8CD3-CF6E4 FF96FF9%7D/special_research_report_sanctions_2013.pdf).

2 "Mabey & Johnson directors made illegal payments to Sadam Hussein's Iraq to gain contract", boletim informativo do SFO, 10 de fevereiro de 2011 (www.sfo.gov.uk/press--room/press-release-archive/press-releases-2011/mabey-johnson-directors-made--illegal-payments-to-sadam-hussein's-iraq-to-gain-contract.aspx).

3 Veja: anúncio referente à disputa *HMA v Weir Group PLC* (www.scotland-judiciary. org. uk/8/695/HMA-v-WEIR-GROUP-PLC).

4 "Paddy Power gifts to Kim Jong-un could have broken UN sanctions", *The Telegraph*, 10 de janeiro de 2014 (www.telegraph.co.uk/news/worldnews/asia/northkorea/10564722/ Paddy-Power-gifts-to-Kim-Jong-un-could-have-broken-UN-sanctions.html), e "Irish Whiskey and a handbag: Paddy Power denies breaking UN sanctions with gifts for Kim Jong-un", *Independent*, 10 de janeiro de 2014 (www.independent.ie/world-news/ irish-whiskey-and-a-handbag-paddy-power-denies-breaking-un-sanctions-with--gifts-for-kim-jongun-29905910.html).

5 Veja: Regulamentações referentes às medidas restritivas contra a República Popular Democrática da Coreia: http://eur-lex.europa.eu/LexUriServ/LexUriServ.do?uri=OJ: L:2007:088:0001:0011:EN:PDF.

6 Veja o Aviso de Decisão da FSA, 2 de agosto de 2010 (www.fsa.gov.uk/pubs/other/ rbs_group.pdf).

7 "£ 750,000 fine for Royal Bank's rules breach", *The Guardian*, 18 de dezembro de 2002 (www.theguardian.com/business/2002/dec/18/royalbankofscotlandgroup).

8 "British Businessman Christopher Tappin Sentenced To Federal Prison For Aiding and Abetting The Illegal Export of Defence Articles", Gabinete da Procuradoria dos EUA [US Attorney's Office] para o Distrito Oeste do Texas, 9 de janeiro de 2013 (www. justice.gov/usao/txw/news/2013/Tappin_El%20Paso_sen.html).

9 Deferred Prosecution Agreement (DPA), *USA vs Barclays Bank Plc*, registrado em 16 de agosto de 2010 (disponível em: http://legaltimes.typepad.com/files/dpa_barclays. pdf).

10 Deferred Prosecution Agreement (DPA), *USA vs The former ABN Amro Bank now known as the Royal Bank of Scotland NV*, registrado em 10 de maio de 2010 (disponível em: www.gibsondunn.com/publications/Documents/ABNAmroDPA.pdf).

11 Deferred Prosecution Agreement (DPA), *USA vs ING Bank NV*, registrado em 12 de junho de 2012 (disponível em: www.frank-cs.org/cms/pdfs/DOJ/DOJ_ING_12.6.12. pdf).

12 Deferred Prosecution Agreement (DPA), *USA vs Standard Chartered Bank*, 7 de dezembro de 2012 (disponível em: www.steptoe.com/assets/htmldocuments/1.%20 114-1-Standard-Chartered-Bank-DPA(2).pdf).

13 Veja: Declaração de Benjamin M. Lawsky, Superintendente de Serviços Financeiros, referente ao Standard Chartered Bank, 14 de agosto de 2012 (www.dfs.ny.gov/about/ press/pr1208141.htm).

14 Acordo sobre a Questão da Deloitte Financial Advisory Services LLP, 18 de junho de 2013 (www.dfs.ny.gov/about/press2013/pr20130618-deloitte.pdf).

15 Acordo com o Departamento do Tesouro, 11 de dezembro de 2013 (www. treasury.gov/resource-center/sanctions/CivPen/Documents/12112013_rbs_settle.pdf); Acordo do Departamento de Serviços Financeiros com o Royal Bank of Scotland Plc, 11 de dezembro de 2013 (www.dfs.ny.gov/about/press2013/131211-rbs.pdf); e a Ordem de Avaliação da Federal Reserve de uma Penalidade na Esfera Civil ao Royal Bank of Scotland Group Plc, 11 de dezembro de 2013 (www.federalreserve.gov/newsevents/ press/enforcement/enf20131211a2.pdf).

16 Declaração de Fatos, *USA vs BNP Paribas SA*, 28 de junho de 2014 (www.justice. gov/usao/nys/pressreleases/June14/bnppsupportingdocs/BNP%20Paribas%20Statement%20of%20 Facts.pdf).

CAPÍTULO 10 EVASÃO/ELISÃO FISCAIS

1 Veja: www.starbucks.co.uk/our-commitment.

2 "Starbucks 'pays £8.6m tax on £3bn sales'", *The Guardian*, 15 de outubro de 2012 (www. theguardian.com/business/2012/oct/15/starbucks-tax-uk-sales), e "Starbucks, Amazon and Google grilled by MPs on tax", *Channel 4 News*, 12 de novembro de 2012 (www.channel4.com/news/starbucks-amazon-and-google-grilled-by-mps-on-tax).

3 *Helvering, Com'r of Internal Revenue vs Gregory* (1935) (disponível em: www.uniset.ca/ other/cs5/69F2d809.html).

4 "Measuring tax gaps 2013", relatório do HMRC disponível em www.hmrc.gov.uk/statistics/taxgaps/mtg-2013.pdf; "Draft Report on Fight against Tax Fraud, Tax Evasion and Tax Havens" do Parlamento Europeu, datado de 29 de janeiro de 2013 (www. europarl.europa.eu/sides/getDoc.do?pubRef=-//EP//NONSGML+COMPARL+PE--504.066+01+DOC+PDF+V0//EN&language=EN); "Offshore Tax Evasion: The Effort to Collect Unpaid Taxes on Billions in Hidden Offshore Accounts", relatório publicado pelo Subcomitê Permanente de Investigações do Senado dos Estados Unidos em 26 de fevereiro de 2014 (www.hsgac.senate.gov/subcommittees/investigations/hearings/offshore-tax-evasion-the-effort-to-collect-unpaid-taxes-on-billions-in-hidden-offshore--accounts).

5   Citado em: www.saffery.com/news-and-events/press-releases/2014/19-march-2014-1. aspx.

6   "Osborne plans to take 'pay now, argue later' approach with rich tax avoiders", *The Guardian*, 19 de março de 2014 (www.theguardian.com/uk-news/2014/mar/19/osborne-pay-now-argue-later-tax-avoiders).

7   "The Cup Trust", relatório do *Controller* e Auditor Geral, 4 de dezembro de 2013 (www. nao.org.uk/wp-content/uploads/2013/11/10299-001-Cup-Trust-Book-Copy.pdf).

8   "Court shuts down £400m tax avoidance scheme", *CityWire*, 28 de fevereiro de 2013 (http://citywire.co.uk/new-model-adviser/court-shuts-down-400m-tax-avoidance--scheme/a662151).

9   "Former Quellos Executives Sentenced in Offshore Tax Shelter Scam Involving More Than $ 9.6 billion in Phony Stock Sales", boletim informativo do Gabinete da Procuradoria dos EUA [US Attorney's Office] para o Distrito Oeste de Washington, 28 de janeiro de 2011 (www.justice.gov/usao/waw/press/2011/jan/quellos.html).

10   Discurso de Abertura do Senador Carl Levin na Audiência do Subcomitê Permanente de Investigações: www.levin.senate.gov/newsroom/speeches/speech/opening-statement-at-psi-hearing-offshore-profit-shifting-and-the-us-tax-code.

11   Bill Sample's Statement em: www.hsgac.senate.gov/download/?id=602db197-1a9b--4b3b-89dd-86bacd82eb83.

12   "'Dutch sandwich grows' as Google shifts € 8.8bn to Bermuda", *Financial Times*, 10 de outubro de 2013 (www.ft.com/cms/s/0/89acc832-31cc-11e3-a16d-00144feab7de. html#axzz2ySxUZwwK).

13   "Google pays $55 million tax in Britain on 2012 sales of $5 billion", Reuters, 30 de setembro de 2013 (http://uk.reuters.com/article/2013/09/30/us-google-tax-britaini-dUKBRE98T0L120130930).

14   "Google boss: I'm very proud of our tax avoidance scheme", *The Independent*, 13 de dezembro de 2012 (www.independent.co.uk/news/uk/home-news/google-boss-im--very-proud-of-our-tax-avoidance-scheme-8411974.html), e "Google UK boss Matt Brittin fights back over tax payments", *The Telegraph*, 27 de novembro de 2012 (www. telegraph.co.uk/finance/personalfinance/tax/9707121/Google-UK-boss-Matt-Brittin--fights-back-over-tax-payments.html).

15   "U.S. Tax Shelter Industry: The Role of Accountants, Lawyers, and Financial Professionals — Four KPMG Case Studies", relatório publicado pelo Subcomitê Permanente de Investigações do Senado dos Estados Unidos em 18 e 20 de novembro de 2003 (www. levin.senate.gov/imo/media/doc/supporting/2003/111803TaxShelterReport.pdf).

16   "Tax Haven Banks And U.S. Tax Compliance", relatório publicado pelo Subcomitê Permanente de Investigações do Senado dos Estados Unidos em 17 de julho de 2008 (www.hsgac.senate.gov/download/report-psi-staff-report-tax-haven-banks-and-us--tax-compliance-july-17-2008).

17   Veja boletim informativo do UBS, 18 de fevereiro de 2009: www.ubs.com/global/de/about_ubs/media/global/releases/news_display_media_global.html/en/2009/02/18/2009_02_18a.html.

18   "Swiss Bank Pleads Guilty In Manhattan Federal Court To Conspiracy To Evade Taxes", boletim informativo do Gabinete da Procuradoria dos EUA [US Attorney's Of-

fice] do Distrito Sul de Nova York, 3 de janeiro de 2013 (www.justice.gov/usao/nys/pressreleases/January13/WegelinPleaPR.php).

19 "Wegelin & Co.'s Reply To the Government's Sentencing Memorandum", www.wenag.ch/documents/Wegelin_Reply_Memorandum.pdf), 28 de fevereiro de 2013.

20 "Offshore Tax Evasion: The Effort to Collect Unpaid Taxes on Billions in Hidden Offshore Accounts", relatório publicado pelo Subcomitê Permanente de Investigações do Senado dos Estados Unidos em 26 de fevereiro de 2014 (www.hsgac.senate.gov/subcommittees/investigations/hearings/offshore-tax-evasion-the-effort-to-collect-unpaid-taxes-on-billions-in-hidden-offshore-accounts); e veja: *USA v Andreas Markus Bachmann*, registrado em 11 de março de 2014 (disponível em: www.woodllp.com/Publications/Articles/pdf/Bachmann_Statement.pdf).

21 Declaração do Credit Suisse disponível em: www.hsgac.senate.gov/download/?id=39a9fca2-2253-4d97-8116-51e87659dbdb.

22 Veja o CEO do Credit Suisse Brady Dougan, mencionado em: www.credit-suisse.com/investors/doc/csg_resultssummary_2q14_en.pdf.

23 "Jimmy Carr tax affairs 'morally wrong' — Cameron", *BBC News*, 20 de junho de 2012 (www. bbc.co.uk/news/uk-politics-18521468).

24 "Tax avoidance schemes 'utterly immoral', says Hodge", *BBC News*, 6 de dezembro de 2012 (www.bbc.co.uk/news/business-20624848), e o discurso do primeiro-ministro David Cameron no Fórum Econômico Mundial em Davos, encontrado em: www.gov.uk/government/speeches/prime-minister-david-camerons-speech-to-the-world-economic-forum-in-davos.

25 Veja a fala do CEO do Barclays Group em: www.barclays.com/content/dam/barclays-public/docs/InvestorRelations/IRNewsPresentations/2013Presentations/Antony-Jenkins-speech.pdf.

CAPÍTULO 11 CAUSAS E SOLUÇÕES

1 "Economic Inclusion and Financial Integrity — an Address to the Conference on Inclusive Capitalism", discurso de Christine Lagarde, diretora-gerente do Fundo Monetário Internacional, 27 de maio de 2014 (www.imf.org/external/np/speeches/2014/052714.htm).

2 "Inclusive capitalism: creating a sense of the systemic", discurso de Mark Carney, principal executivo do Bank of England, 27 de maio de 2014 (www.bankofengland.co.uk/publications/Documents/speeches/2014/speech731.pdf).

3 "The Co-operative Group: Report of the Independent Governance Review", de Paul Myners, 7 de maio de 2014 (www.co-operative.coop/PageFiles/989348879/Report_of_the_ Independent_Governance_Review.pdf).

4 Memorando de Paul Moore, publicado no *Financial Times*, 11 de fevereiro de 2009 (www.ft.com/cms/s/0/fca6a706-f81d-11dd-aae8-000077b07658.html#axzz2x3zD3R3t).

5 Veja o Exame de Testemunhas do Comitê de Seleção do Tesouro em: www.publications.parliament.uk/pa/cm200809/cmselect/cmtreasy/144/09021002.htm.

6 Veja o perfil corporativo de Andy Hornby em www.pharmacy2u.co.uk/ourteam.html.

7   "HSBC's money-laundering crackdown riddled with lapses", *Reuters*, 13 de julho de 2012 (http://mobile.reuters.com/article/topNews/idUSBRE86C18H20120714?i=7&irpc=932).

8   "In Credit Suisse Settlement, a Question of Justice", *The New York Times*, 21 de maio de 2014 (http://dealbook.nytimes.com/2014/05/21/in-credit-suisse-settlement-a-question-of justice/?php=true&_type=blogs&_r=0).

9   "Inclusive capitalism: creating a sense of the systemic", discurso de Mark Carney, principal executivo do Bank of England, 27 de maio de 2014 (www.bankofengland.co.uk/publications/Documents/speeches/2014/speech731.pdf).

10 Veja pesquisa da cidade de Londres em: www.cityoflondon.gov.uk/business/economic-research-and-information/statistics/Pages/Research%20FAQs.aspx e Pesquisa Selecionada dos EUA em: http://selectusa.commerce.gov/industry-snapshots/financial-services-industry-united-states.

11 "Total Tax Contribution of UK Financial Services Sixth Edition", relatório de pesquisa preparado para a City of London Corporation por PwC, dezembro de 2013 (www.cityoflondon.gov.uk/business/economic-research-and-information/research-publications/Documents/research-2013/total-tax-contribution-of-uk-financial-services-sixth-edition.pdf).

12 "Wall Street less important to US economy than thought", *Financial Times*, 11 de março de 2014 (www.ft.com/cms/s/0/c1ec53b4-a938-11e3-9b71-00144feab7de.html?siteedition=uk#axzz31RhKCyAj).

Impresso por :

gráfica e editora

Tel.:11 2769-9056